疫亂情迷56天

CATHERINE
RYAN
HOWARD

凱瑟琳・萊恩・霍華德

獻給伊恩・哈瑞斯，
因為我想不出要送什麼東西當你四十歲的生日禮物，
也因為我就是想把這本書獻給你。

今日

這裡就像在某個時髦的公寓大樓裡拍攝的爆紅影片之一，所有身材苗條、三十多歲的住戶都在陽臺的玻璃欄杆後面跳著開合跳，整個世界都在燃燒。但是這些人站著不動，只是俯視下方，或隔著院子看著彼此，不然就是把一隻手貼在嘴上或胸前。他們臉色蒼白，頭髮凌亂，雙腳赤裸。這時天才剛亮，他們剛從睡夢中驚醒。沒人願意拍下這幅畫面。

所有住戶看起來就像同校同學，只有其中一人例外。她住在四號公寓，比鄰居們年長大約二十歲。她買下了所住的公寓，其他人則是租房。她的公寓位於一樓，露臺上有一組小酒館風格的桌椅，周圍環繞著精心布置的盆栽植物；其他人的露臺大多用於停放自行車，不然就是什麼也沒放。上週六晚上，她威脅說要向愛爾蘭和平衛隊——愛爾蘭的警察——舉報十七號住戶開的轟趴違反了規定，除非派對**立即**結束；派對並沒有結束，她也依約報警。她是個風格華麗的女人，平時衣著考究，至今依然把身材維持得很好，但今天早上她衣冠不整，素著臉，穿著一雙淡粉色的棉質睡褲，套著一件帶襯墊的冬季夾克；她大步走過院子時，敞開的夾克前襟為之搖擺。

所有住戶當中，只有她知道關閉火災警鈴所需的密碼。火災警鈴在五分鐘前響起——這就是大家為何醒來——住戶們都以為她會去處理。

這裡從沒發生過火災，但警鈴在過去幾星期裡響了三次——如果算上這次就是四次。住戶多次向管理公司抱怨火警系統**太敏感**、對烤焦的吐司或是關窗抽菸的人做出反應，但管理人員則是責怪**住戶**觸發警報。警鈴象徵的不再是危險，而是困擾；它在幾分鐘前響起時，住戶都採取了平時的措施：走出門外，或是來到露臺上，查看有沒有什麼異狀、火焰或煙霧，但並不期待有任何發現。

然而，**這一次**出現了令人意想不到的有趣景象：兩名身著制服的警察站在院子中央，四處張望。

所以住戶們待在外頭，好奇地看著警察。

四號公寓的女子站在警察旁邊，但遵守規定，保持著六呎的社交距離。她指著一樓的公寓之一——轉角那間，在這棟建築的U形體的一端。這一戶的後側不是露臺，而是一塊非常狹小的後院，由開放式欄杆而非實心玻璃包圍。後院沒人，落地窗是關著的。但從某個角度望去，能隔著薄薄的灰色窗簾看到客廳天花板上的發光燈球。

怎麼回事？

那間公寓住著誰？

沒人知道。取名為「克羅辛」的這棟公寓，是一座相對新穎的集合式住宅，住戶之間的互動大多僅限於在信箱、垃圾場和停車場的寒暄。在週五和週六晚上，似乎所有住戶都在同一時間聚在大廳門口領取外送食物，彼此交換尷尬的笑容。住戶們早已習慣生活在其他人的上方、下方或旁邊，假裝對其他人的人生一無所知；他們能聽見對方的電視聲，能嗅到對方的廚藝，卻根本不知道對方叫什麼名字。

即使在最近幾星期，大家明明每天都待在家裡，但來到室外空間時——陽臺、露臺、共用庭院——還是努力維護並保護一些隱私。他們在網路上看到一些鏡頭搖晃的短片，片中描述這場疫情所引發的友情——有人在公寓裡拿著擴音器向其他住戶宣布賓果號碼；有人用投影機朝著房子側牆播放電影，讓同一條胡同裡的其他住戶能一起欣賞影片；有人每晚進行充滿希望和熱情的拍手儀式——但這種事沒發生在他們所在的公寓。他們以各式各樣的方式跟彼此保持距離。沒人想在恢復正常生活後面對一度熟悉的鄰居，而他們這時還以為正常生活很快就會回來。政府將於今天晚些時候發布公告。

一名警察扭頭，望向各樓層的住戶，看著這些好奇心大作的鄰居。他用戴著藍色手套的手拉下口罩，圓潤的臉頰跟活似竹竿的身軀顯得格格不入。大家都說，你如果覺得某個警察看起來很年輕，這就表示你老了，但這名警察確實很年輕，頂多二十五歲，髮際線下閃爍著汗珠。

「只是虛驚一場，」他喊道，向住戶們揮手。「你們可以回屋裡了。」

說得好像有哪個住戶站在外頭是為了等著看到火災。

看大家都沒動，他用更響亮也更強硬的嗓音喊道：「回屋裡吧。」

住戶一個個慢慢退回各自的公寓，因為沒人想被貼上「愛看熱鬧」的標籤，就算他們確實愛看熱鬧。這是幾星期來這裡發生的唯一一件有趣的事——把火警算進去就是**唯**二有趣的事。

他們怎麼可能不想看熱鬧？

大多數的住戶把落地窗開著，選擇在室內啜飲早晨的咖啡，這樣就能看到外面而不讓自己被看到。夫妻倆互相嘀咕說自己有權知道發生了什麼事，畢竟他們住在這裡。獨居者則好奇，這裡是不是發生了入室盜竊或更糟糕的事（像是襲擊），而如果真的發生了什麼事，在目前的封城情況下要過多久才會有人注意到發生了案件，才會有人發現受害者？

這棟公寓大樓離都柏林的市中心不遠。在封城之前，這裡充斥著幾乎毫不間斷的引擎噪音、尖銳的煞車聲，以及從旁邊的繁忙馬路傳來的汽車喇叭聲。但在過去幾星期裡，這座城市先是放慢腳步，然後排空人潮，最後停止運作；最近除了偶爾亂叫的火災警鈴之外，最大的噪音就是鳥叫聲。

現在，持續接近的警笛聲感覺像是一種暴力。

五十六天前

「妳先請。」這是他第一次對她說出口的幾個字。

他們倆都站在特易購超市裡自助結帳隊伍的尾端。現在是星期五的午餐時間，也是她這星期第五次來這裡購買缺乏想像力的午餐：一個無色三明治、裝在塑膠袋裡的切片蘋果，還有一瓶水，而且她這才注意到這種水添加了甜膩的水果味。這項認知令她停下腳步，旁邊一堆復活節彩蛋令她愣住（復活節？**這麼快？**），心想要不要回去換一瓶水，因為她相當確定不會喝手上這瓶。

這時她抬頭看到他，他禮貌地等她決定下一步，還留出空間給她，好讓她比他更快一步結帳。

他比她高一些。兩人看起來年紀相仿。他不算肌肉發達，也不算肥胖，而是結實。他的黑髮濃密而凌亂，她很確定他得花很多時間才能用髮油固定住髮型。他穿著一件藍色西裝，打著一條深藍色領帶，底下是一件淺藍色襯衫，但西裝外套的袖子因緊繃而皺起，肩部縮成一團，領帶的後片比前片垂得更長。他襯衫最上面的鈕釦敞開著，領子微微歪斜，領帶歪向一邊。他的臉看起來有點紅，粉紅臉頰底下散布著鬍碴。

看他如此英俊，她立刻知道他所在的世界跟她所處的世界不同，他不可能以同樣的方式體驗到她的世界。他這種俊美的臉龐能提供一種不同的人生，而在這種人生裡，你進入任何情況時都已經獲得了某種程度的事先批准。可是當事人不知道自己多麼俊美，不知道自己每天都被帶進人生的貴賓通道。

她不禁好奇，這種外貌會給一個人帶來什麼樣的影響。

他也散發一種緊繃的情緒，彷彿表面之下正在醞釀什麼。她想像他的人生。他是拚命工作也拚命玩樂的那種男人。他有一個朋友圈，他只用莫名其妙的暱稱來稱呼這些朋友，大夥圍坐在酒吧裡的桌子旁，喝著啤酒看球賽。他跑步是為了燃燒體脂肪。而某個地方的某人認識完全不同版本的他，他對那個人出乎意料地忠誠又溫柔，他只用善意的眼睛看著那個人。

「沒關係，」她搖晃手上的瓶裝水，站到一旁。「我剛發現我拿錯了。」她轉身走向擺放飲料的冰箱，感覺他的目光一直跟著自己。

她也感覺到自己的心跳，心臟每次脈動都對她做出允諾。

他對她說出口的第二句話是：「袋子很漂亮。」

她剛走出超市，來到路邊，不知道是誰在說話，也不知道對方是否在跟她說話。她轉向聲源，看到他站在另一條出入口的外頭，看著她。他剛買的三明治夾在胳臂底下，被壓力壓扁。他臉上流露一絲笑容，連同一些她無法輕易辨認的情緒。

她愣住。「我的……？」

「妳的袋子。」他指向她。

他指的是她拿來充當購物袋的帆布手提袋。他一定是這個意思，因為她身上的另一個手提包是斜背在身上，貼於髖部，他從所在位置看不見。帆布手提袋是藍色的，上頭的圖案是一架飛機載運著太空梭，飛越曼哈頓的摩天大樓。

她舉起袋子，看著它，然後回頭望向他。

「謝了，」她說：「這是來自無畏號，那間博物館在——」

「紐約，」他幫她說完：「航空母艦上那間，對吧？」他的口氣並不是無所不知的那種自鳴得意，而是帶著可愛的熱情。「妳去過？」

「嗯。」她不願說得好像很佩服自己，所以補充一句：「一次。」

「好玩嗎？」

她遲疑不決，因為這就是關鍵時刻。在這一刻，她必須做出決定。人們都以為，會決定人生軌跡的決定都是重大決定，像是求婚、搬家、應徵工作。但她知道，真正決定人生軌跡的是小小的決定，小小的時刻。就像**這一刻**。

她有幾種選擇：

說點簡短又輕率的話，邁步離去，現在就結束這場談話。

或是說些什麼來延長這場談話，逗留得更久，邀請得更多，打開一扇門。

她在手機裡保存著一張名言的截圖，據說是亞伯拉罕·林肯說的：**自律就是在你現在想要什麼和你最想要什麼之間做抉擇**。也許這是事實，但她最大的問題向來不是自律。她最大的問題是恐懼。她認為勇氣可能才是在你現在想要什麼和你最想要什麼之間做出抉擇，因為她現在想做的是離開這裡，結束這場談話，關上門。她想逃走，想待在一個讓她感到安全又安穩的地方。

但她最想要的，是能過上充實的生活，哪怕這種擴張伴隨著痛苦、風險和恐懼，哪怕這意味著她必須先穿越地雷區。

例如**這一刻**。

琦菈握緊手提袋的提把，想像未來的自己站在身後，用雙手推著自己，呢喃著**行動吧，爭取機會，讓這一刻成真**。她無視體內攀升的高溫、身體發出的警鈴。她提醒自己，這麼做沒什麼大不了，這只是一場談話，世界各地的男人和女人天天都在交談——

「是啊，」她說：「不過比不上甘迺迪太空中心。」

他驚訝得眨眼。

他站直身子，朝她踏出幾步。

為了方便一名推著雙人嬰兒車的女子經過，她也向他走近一步。

「其實，」他說：「我到現在還沒遇到有誰能說出所有五架太空梭的名字。」

「我也還沒遇到有誰知道太空梭其實有六架。」

她咬著嘴唇，體內每一顆紅血球都瘋狂地湧向臉頰。她幹麼說**這個**啊？她在想什麼？

「**六架？**」他說。

她已經毀了這個話題。

既然如此，她還不如毀得**徹底一點**。

「挑戰者號，」她朝右腳邊的路面裂縫說道：「一九八六年一月二十八日升空時墜毀。哥倫比亞號，二〇〇三年二月一日重返大氣層途中墜毀。亞特蘭提斯號、奮進號，還有發現號目前都在展示中——甘迺迪太空中心那架就是亞特蘭提斯號。不過還有企業號，用來測試的那架。它是有飛過，不過從沒進過太空。它沒裝上隔熱盾也沒裝上引擎，但它**確實**是第一架軌道載具，至少技術上來說。人們說到『太空穿梭機』的時候，其實指的就是這個東西，他們指的是軌道載具，剩下的東西都只是火箭而已。企業號就是無畏號上的那架太空梭。」

一陣令人痛苦的尷尬沉默到來。

她強迫自己抬頭看著他的眼睛，張開嘴脣，準備撒謊說必須回去工作之類的，她抬腳準備匆匆逃離這場全然的災難，但他開口——

「我正想去喝杯咖啡。我能不能也請妳喝一杯？」

* * *

這條街上有很多咖啡店可選，其中絕大多數都散發著嚴肅的氣息。有一家咖啡店是自己烤咖啡豆，你得等五分鐘才能買到一杯簡單的過濾咖啡，而且大小只有一種，溫度不冷不熱。它隔壁的咖啡店故意把咖啡這個字拼錯，還莫名其妙地加入一條斜線，店名叫做「Kaph/A」。而最受歡迎的咖啡店似乎是加油站前的一輛古董麵包車，它的側面有個艙口，上頭用粉筆列出的菜單寫的不是咖啡名稱，而是清醒程度：初醒、睏倦、打鼾。

他引導她經過其他店鋪，進入一家平凡無奇的連鎖咖啡店，琦菈覺得鬆了一口氣。

「這裡行嗎？」他開門讓她先進去時問道。

「這裡很好。」她走進店裡，回頭對他說話。「我喜歡便宜又大杯的咖啡，所以……」

「所以妳的意思是，我通過了第一場考驗。」

他對她眨個眼，她笑出聲，只希望聽起來不是緊張的笑聲，雖然她**真的**很緊張。

她覺得緊張，因為他說的**第一場考驗**似乎暗示著什麼。

因為她自己也必須通過這場考驗。

因為她已經把一整隻腳踩進地雷區的邊緣，她不知道這個地帶有多寬，要走多久才能穿過，要過多久才能感到安全、舒適又安穩。

走來咖啡店的一分鐘裡，他自我介紹叫奧利弗，在一家建築設計事務所工作，辦公室就在對面一棟辦公大樓的頂樓。但他本身不是建築師，而是所謂的「建築技師」。他解釋說，建築師負責設計建築，建築技師則負責判斷究竟該如何建造。他試圖說服她別以為這份工作似乎很有趣，而且他強調，這份工作實際上主要都在處理試算表和電子郵件。她問他這是不是他一直想做的事，他回答說是的——在他接受了他永遠無法成為太空人的事實後。

然後他問她做什麼工作。

她解釋說，在**她自己**的太空人夢想破滅後，她最終為一家科技公司工作，該公司離他們所在之處只有幾分鐘路程，在一棟閃閃發亮的玻璃辦公大樓裡設有歐洲總部。她拿起胸前的亮藍色掛繩，他看了她名牌上的名字，說聲：「很高興見到妳，琦菈。」

她說聲：「我也很高興見到你。」

此刻，在咖啡店的櫃檯前，她說她要一杯卡布奇諾。他幫彼此都點了一杯，而且都是大杯。

「帶走？」他提議：「說不定能在運河邊搶到地方坐。」

「聽起來不錯。」

他顯然也想把這場互動——不管這場互動究竟算是什麼——延長到跟她一起喝咖啡，她暗自竊喜。

她來到櫃檯盡頭等候，看著他拿出一張乾淨的十歐元鈔票在收銀臺付錢。她注意到咖啡師——一名少女，看起來頂多十七、八歲——趁他看別處時偷瞄他。她不禁好奇，他是不是知道少女在偷瞄他，而他如果知道，那會是什麼樣的感覺。（他覺得開心？還是覺得遭到審視？）她掃視他的衣服所暗示的身體線條，想知道那底下的皮膚是什麼觸感，她**以後有沒有機會**觸碰他的皮膚，這場互動是不是真的是某種關係的開端，還是只是個插曲。

她想像他用那雙胳臂摟著她，想像它們的力量，想像被他抱著的感覺。

然後她試著別再想下去。

她沒在自己的卡布奇諾裡加糖，雖然她平時會加，然後她心想：**如果我跟他真的發展出什麼關係，我以後就再也不能在我的咖啡裡加糖了**。

太陽一整天都若隱若現；兩人回到戶外時，看到一大片蔚藍的天空。運河河岸擠滿出來吃午餐的上班族，但他們倆還是在加油站旁邊的河堤找到一個位置，靠近船閘。

兩人坐下。

他掀開自己那杯卡布奇諾的杯蓋，啜飲一口。她逼自己別跟他說這會讓咖啡太快變涼，但有開口讓他知道他的上唇沾染了新月形的泡沫。

「那麼，」他說：「甘迺迪太空中心。」

「嗯？」

「跟我說說那裡，好讓我非常嫉妒妳有去過。」

她描述遊客坐著遊覽車參觀發射臺、飛行器裝配大樓，以及平時在電視上看到用於倒數的那個藍色時鐘。她描述了IMAX電影和火箭花園。其中一座「設施」讓遊客感覺就像坐在升空的太空梭裡，座位會向上傾斜，讓遊客仰臥，然後稍微向前傾，這樣就能用巧妙的方式讓遊客滑出座位，體驗到零重力。在阿波羅中心能看到真實的農神五號火箭，橫躺在地板上，幾乎觸及天花板。**實際上過太空**的亞特蘭提斯號太空梭，也在那裡壯麗展示。

「它就突然出現在眼前，」她說：「出乎意料，就像個驚喜。你被趕到一個龐大又黑暗的房間裡，觀看關於太空梭計畫的影片，然後，到最後，銀幕向上收起，揭露那架太空梭，它就在……**就在那裡**，就在你眼前，無比壯觀。貨艙門開著，而且太空梭以某種角度傾斜，所以看起來就像在太空中飛行。那真是不可思議。人們忍不住發出驚呼。我在它周圍走了一圈，拍了一大堆照片，看了所有的展覽品和東西之後，回到了我進去的地方，等銀幕升起，這樣我就能看到**其他人**的表情，看到他們的反應，那種感覺……」她在他臉上看到類似困惑和恐慌的情緒。「說真的，我一直很想去那裡——其實從我小時候就想——所以那種感覺有點像，我也不知道該怎麼形容……走在夢境裡。」

一陣漫長沉默。

然後他說：「我**真的**很想去。」

她鬆了一口氣。

「你是應該去。」她說。

「問題是，我討厭天氣熱的地方。」

「別讓天氣阻止你。那裡到處都是冰涼的空調和噴霧機。況且，佛羅里達州也不是哪裡都又熱又悶。我是三月去的，當時的氣候其實還滿舒適的。」

「是一群女生一起去？還是……？」

她假裝沒注意到他在打探她有沒有男朋友，他也假裝沒注意到她有注意到但假裝沒注意到。

「主要是為了工作，」她說：「奧蘭多市舉辦了一場科技大會，所以我能隻身一人跑去那裡當個科技宅，謝天謝地。」

琦菈轉頭望向運河。她承認，在近距離觀看下，這條運河真的很美。水面平靜，倒影清晰。天氣還算宜人，人們能穿著外套坐在長椅上，但沒人露出皮膚或趴在草地上。源源不絕的上班族和午餐時間的跑者在船閘的狹窄木板上來回穿梭，旁邊一個標誌寫著「水深危險」。看著他們，這讓她感到緊張，於是她低頭看著手上的咖啡。

她能感覺他的視線在她身上。

「妳來自科克市吧？」他說。

「原本是。後來在我七歲的時候，我們全家搬去曼島。」

「曼島？我好像從沒遇過有誰來自曼島。」

她露出笑容。「這個嘛，我能保證，一大堆人住在那裡。我爸是在那裡長大，所以他覺得我也會想在那裡生活。」

「妳想嗎？」

「當時不想，但後來覺得還不錯。你呢？」

「基爾肯尼鎮，」他說：「可是我們經常搬家。」

「你在都柏林多久了？」

「到現在有——」他故作沉思。「六個星期了吧？」

「**六個星期**？」

「這個嘛，嚴格來說是六個半。我來到這裡的那天是星期二。」

「七個星期前你在哪裡？」

「倫敦，」他說：「妳呢？」

「我在都柏林多久了？」她也學他剛剛那樣故作沉思。「這個嘛，如果算到下週一，啊……七天。」

「七天？我還以為我才是這裡的菜鳥。」

她發出笑聲。「不，要比誰菜的話，是我贏了。」

「妳之前在哪？」

「科克，我大學畢業後就一直在那裡。我念的是斯旺西大學，是二〇一七年那屆畢業生裡的小角色。」

他的表情一看就知道他在估算她的年齡。她差點主動說出「我二十五歲」，不過這違反遊戲規則。

她對遊戲規則懂得不多，但起碼知道**這點規則**。

「那你呢？」她問：「你念哪間？」

「紐卡索大學。」他平淡道。

琦菈察覺到氣氛有變，她在談話期間失去了他。是哪裡出了問題？她毫無頭緒，只知道自己接下來幾天一定會輾轉難眠，像法醫一樣再三鑑識自己說過的每個字，試著找出自己說錯的話、犯下的錯、令她懊悔之處。

「我該回去上班了，快遲到了。」他說出這句話的半秒後，才搖晃手腕，看看手錶。

他站起身。她不太確定該怎麼做，所以也站起來。

「嗯，我也該走了。」她撒謊。「總之……謝謝你的咖啡。」

他咬咬下唇，彷彿試著做出什麼決定。

「聽著，」他開口：「我原本打算去看那部新的阿波羅紀錄片。在星期一。晚上。鎮上一間小戲院在放映。也許——如果妳有興趣，我們可以，呃，我們可以一起去看？」

她張嘴想答覆，但被這項邀約弄得震驚不已，所以她暫時沒說話，好讓大腦追上這場變化。看她沒說話，他急忙尷尬地說：「老天，我在這種事上真的很遜。」

這種事。

她想對他說沒這回事、他不遜，她也完全不相信他真的認為自己很遜，但她很怕誤解了他所謂的「這種事」，因為如果他所謂的這種事並不是她希望的那種事呢？

「聽起來很棒。」她綻放最令人安心的笑容。「沒問題。好。」

他說他會負責訂票。兩人約好，星期一晚上五點半在他工作的那棟大樓外頭見面。他把自己的手機號碼給了她，以防在最後一刻有任何變化；她也傳了一條簡訊給他，這樣他就有她的號碼。兩人步行來到他的辦公室所在，然後朝彼此揮手道別。她轉身背對他之後，才深吸一口氣。

開始了。

今日

嚴格來說，現在是星期五早上的尖峰時間，但整條路上只有莉亞一個人。她很快就抵達奇梅基鎮，並幸運地在房子外面找到一個停車位。街上很平靜，這裡的居民被剝奪了所有早起的理由，不需要走出家門、開始新的一天。如今已經好幾星期沒人通勤，沒有學校運作，沒有遊客進出。封城之初的那些活似瘟疫的清晨慢跑者，似乎也逐漸減少。

這個國家的人民原本打算充分利用這種時刻，但這種集體動力顯然正在減弱。她不禁好奇，到目前為止，有多少酸麵團開胃菜被毫不客氣地扔進了垃圾桶。

莉亞降下駕駛座的車窗，開始喝咖啡。她買這杯咖啡的時候，看著店員戴手套，以戲劇般的謹慎態度製作咖啡，彷彿正在製作的不是卡布奇諾而是炸彈。為了拿到這杯咖啡，她在事前和事後都被迫給自己早已乾燥龜裂的雙手消毒。這杯咖啡裡只有兩份砂糖，而不是她偏好的三份，因為咖啡師現在必須代替客人把糖放進去，她也不好意思要那麼多。為了拿到這杯咖啡，她真的算是冒了生命危險。

經歷了這麼多麻煩，她拒絕讓這杯咖啡涼掉。

莉亞用另一隻手拉下遮陽板，在小鏡子上查看自己的臉龐。她非常需要在髮廊也被迫停業前去弄頭髮；她的黑髮部分幾乎蓋過耳朵，在自然光照射下看起來就像一條模糊的線。就跟其他每個早晨一樣，她今天也是匆匆離開家，頭髮依然潮溼，如今已乾，看起來就像觸電一樣七橫八豎。她以為自己有化妝，但事實證明，臉上的妝已經在過去的半小時裡自我卸除。沾在白領上的棕色粉底，是她化過妝的唯一證據。

她**真的**必須振作點。

她有點希望自己有一份不同的工作，平時在辦公室的辦公桌上完成，現在可以——現在**必須**——在家完成的那種。她忍不住幻想自己是那種獨居的女人，暫時擺脫所有令人筋疲力盡的社會期望，最終成功地在 YouTube 上建立一個人人讚不絕口的護膚教學和瑜伽練習；她想閱讀家人多年來一直刻意送給她的健康食譜；她想沿著海灘、懸崖和林地長時間散步，這種健行會讓人面紅耳赤，渾身痠痛，自鳴得意，並再次與大自然建立關係（雖然莉亞必須先跟大自然建立第一次關係）；她想在封城結束後，成為一個更閃亮、更瀟灑、更明亮的自己，莉亞二點零。

而且說真的，就算只是粉刷客廳，或是瘦個三公斤，她也會很開心。

但她家的方圓兩公里內沒有海灘、懸崖或林地，五金行都關門了，而且她的工作並沒有被封城影響。她現在還在工作。

她放在副駕駛座上的手機發出聲響，收到新簡訊。

瞥向手機螢幕之前，她已經知道是誰傳來的：卡利。

卡爾・康諾利警佐。她叫他「卡利」是為了惹他不高興，這招屢試不爽。

簡訊上寫著：**妳快到了嗎？**

莉亞沒拿起手機，而是慢慢地又啜飲一口咖啡。但手機再次嗶一聲時，她忍不住咒罵，把咖啡塞進前排座椅之間的杯架，然後下了車。

她以前只來過這裡一次，眼前這棟房子跟當時一模一樣。這是一間狹窄的雙層紅磚排屋，如果狀況良好，在這個區域很容易賣到五十萬英鎊。可是這棟狀況很差。磚塊需要清洗，屋瓦需要修補。窗框是木製的，角落已經腐爛。前門上的油漆大塊剝落。一輛拖車停在車道上，裝滿七〇年代的家具和破舊雜物。

這輛拖車上次也在這裡。莉亞清楚記得上次有看到一個破裂的鮭魚色浴室水槽，因為她爸媽以前也有個一模一樣的水槽。這棟房子原本是個進度緩慢的修復工程，如今修復工程停擺，正如其他一切。

她應該去按門鈴，宣告自己的到來。**應該**。但她今天早上心情不好。取而代之的，她來到前側的窗戶前，用手指撫摸水泥窗臺底下，尋找她被告知這裡有的一處空洞。她很快就找到了——也摸到裡頭一把鑰匙的尖端。

她靜悄悄地用鑰匙打開前門進去。

屋裡一片寂靜，空氣有點混濁，帶有霉味。一樓地板沒鋪地毯——只有塵埃密布的裸露木板——但樓梯有鋪地毯，是難看的屎褐色和亮橙色漩渦圖案。她開始緩慢又謹慎地爬上樓梯，步步小心，以免發出吱嘎聲。

屋裡沒有聲響，樓上沒有聲音，但這裡的寂靜彷彿是被刻意營造出來。

有人在維持這種寂靜。

看來他沒在睡覺，而是醒著，正在等她到來。

也許他已經聽到她進來。

莉亞來到二樓的樓梯平臺。這裡有四扇門。第一扇是開著的，裡頭的房間堆滿建材：一張工作檯、一臺纏著電線的打磨機，還有幾個紙箱，上頭寫著「裂紋白7.5x4」。第二扇裡頭是浴室，似乎裝潢到一半。第三扇裡頭似乎是熱水器。看來靠近屋子前側的第四扇門就是主臥室。

門虛掩了九成，沒完全關上。

她來到門前，猛然踹門，門板因此徹底敞開，撞到後面的牆壁，發出一聲巨響。首先映入眼簾的是壁紙。買下壁紙的人，想必是在同一天買下樓梯上的地毯，顏色看起來就像吃了紅蘿蔔後腹瀉。壁紙的圖案就像嗑了迷幻藥後看到的亮藍色佩斯里花紋，讓她覺得傷眼睛。

然後氣味侵入她的鼻腔：汗味、性愛的腥味，還有酒臭，被困在這個房間的溫暖空氣裡蒸煮。

她後悔沒戴口罩。**只有上帝知道**這裡飄浮著什麼病菌。

「所以，」她說：「哪裡有問題？」

卡爾躺在床上，想必是赤身裸體地躺在單薄的床單下；他不知道用什麼辦法掀開了床墊的床單，蓋住他的下半身。

看來他有做出一番努力，因為他的雙臂向左右張開，雙手高過肩膀，就像十字架上的基督。

只不過，卡爾的雙腕不是被釘在床頭板上，而是被手銬固定在上頭。

「**兩副**手銬？」莉亞皺眉。「你哪來第二副手銬？」

「妳想笑就笑吧，」卡爾呻吟。「不用忍。」

「噢，我完全沒打算忍住。」

「說真的，我相當確定我在五分鐘前就聽到妳在外頭停車。」

「你這副模樣多久了？」莉亞問。

「一整個晚上。」

「你有睡覺嗎？」

卡爾想聳肩，但這個動作造成的疼痛令他皺眉。「有瞇一下。喂，妳能不能先解開我再繼續審問？監獄都沒這麼虐待人。」

「既然你雙手都被銬住，是怎麼發簡訊給我？」

「Siri。」

卡爾朝床頭櫃點個頭，上頭放著他的手機。

「Siri 在最後一條訊息裡寫錯了一個字。」莉亞說。

「妳怎麼這麼晚才到？」

「聽著，我願意走這一趟，你就該偷笑了。我真的很好奇，我如果沒來，你的B計畫是什麼。」

「莉亞，我知道這是妳見過最讓妳痛快的場面，但我的雙手已經失去知覺了。」

她先翻個白眼才放過他，從長褲口袋裡掏出鑰匙，走向床邊。

「不管怎樣，」她說：「你千萬別放開你身上的床單。」

卡爾悶哼一聲。「說得好像妳不想欣賞一番。」

「我以前**看過**，你忘了？雖然我自己是差不多已經忘了，那不算是值得記住的回憶。」她把卡爾的右腕拉向自己——他痛得哀號——彎下腰，把小鑰匙插進手銬的鎖孔。「所以，她人呢？她是誰？」

「兩個答案都是『我他媽的哪知道』。」

「你可真浪漫耶，卡爾。」

「我見過妳打開手銬。妳動作怎麼這麼慢吞吞——」

鑰匙在鎖裡發出咔噠聲，莉亞稍微打開手銬，足以讓卡爾的手腕從中滑出來。他的胳臂像脫離身軀的鉛塊一樣落在床上。他小心翼翼地嘗試彎曲這條胳臂，但稍微一動就吐出一串髒話，最終閉眼放棄。

「你手銬的鑰匙還在這兒嗎？」莉亞邊問邊來到床鋪的另一邊，開始解開另一副手銬。

「她帶走了。她說她要把鑰匙沖進馬桶裡。這個嘛，該被笑的是她，因為馬桶根本還沒接管。」

莉亞皺眉。「那你是用……？」

「行動馬桶，在外頭的棚屋旁邊。」

「她跟你回家之前知道這件事嗎？」

「不知道，而且是她主動**來我家**。」他露齒而笑。「**而且**她昨晚來了好幾次高——」

「你如果把這句話說完，我向上帝發誓我一定會再把你銬回去。」

第二副手銬也拿掉後，卡爾向前傾身，試著把雙臂靠近身體，但痛得皺眉；雙臂每動一寸，都增加了他低聲咒罵的激烈程度和用字範圍。

「老天，我這兩條手臂感覺就像**著火**了一樣。」

「這個嘛，希望你有學到教訓。」莉亞從床邊後退。「我猜這個神祕又憤怒的女人住的地方離這裡不到兩公里？」

「不知道。」他聳肩。「我沒問。」

「卡爾，我說真的，你再這樣下去，一定會成為Snapchat上的笑柄，到時候就連我也沒辦法幫你擦屁股。」

愛爾蘭和平衛隊的成員在社交媒體上被點名嘲笑，這確實算是最近的新鮮事。最近一個引起高層關注的影片，是拍攝於一位知名毒販舉辦的轟趴，而其中一個看似熱情友好的客人，是目前駐紮於該地區的一名警察。

「我沒跟她說我是**警察**。」卡爾的口氣彷彿自己不可能做出這麼荒謬的事，就算他在玩性愛遊戲的時候被兩副手銬銬住，而且陌生女子來他家就已經違反了目前的疫情相關限制。

「那你是怎麼向她解釋你有手銬？」

「我沒跟她解釋。莉亞，我跟她沒怎麼說話，如果妳明白我的意——」

「那就拜託你現在也少說兩句。」

莉亞低頭查看拿在手裡的第二副手銬，發現鎖孔旁邊有個藍漆痕跡，而且鍊條旁邊刻下兩個字母：EM。

她搖頭。「你太過分了吧，卡爾。」

「我怎麼了？」

他抬頭看著她，看著她手裡的手銬，再看著她的臉。他已經勉強把雙臂放在膝上，但在這個姿勢顯得僵硬，彷彿整個上半身被包裹在一個看不見的石膏模子裡。

「你還『我怎麼了』咧。你**知道**你做了什麼。這是艾迪的手銬。藍漆、姓名的字母縮寫。那可憐的傢伙以為弄丟了手銬而寫了報告，他在那份報告上就是這樣描述這副手銬的特徵。」

「他確實弄丟了啊。幾星期前，我們從三一學院的一場轟趴裡拖出一個吸了古柯鹼的白痴。他給那傢伙上了手銬，但忘了拿下來。」

「你**明明知道**他的表現很差。」莉亞說。

「而妳知道為什麼：因為他是廢物。」

「那你就沒想過該稍微幫幫那傢伙？」

「我**正在**幫他啊，」卡爾說：「我要幫他離開警隊，因為他根本不屬於這裡。」

莉亞的手機開始響起。

螢幕上的號碼是桑德萊路的警察局，這立刻引起她的關注。

她和卡爾再過半小時才要上工，局裡的人為什麼這時候會打給她？

而且為什麼不用無線電呼叫？

「莉亞。」她接聽後，聽見一個男性嗓音。「我們遇到一個問題。」她認出這是史蒂芬，警隊成員之一。「妳現在方便說話嗎？」

「方便，」她說：「請說。」

「天剛亮的時候，我們在克羅辛的那個朋友，一人擔當管委會的那個女人，打了電話來。我們以為這次也只是浪費大家的時間，所以我們，呃……」他清清喉嚨。

「總之，我們派了安特和德克過去。」

「你居然**做出這種事**？」

因為警隊這兩個最新的成員看起來就像教會侍童，加上其中一人名叫德克蘭，大夥立刻拿電視節目主持人的名字給這兩人起了綽號。

「我們原以為那只是小事，」史蒂芬說：「同一個人每隔一天就會打電話給我們，說她的鄰居邀了朋友來開派對。」

「所以這次出了什麼事？」

「一樓其中一戶公寓發現了一具屍體，而且不是穿著睡衣、躺在自己床上的那種。」

「操。」莉亞說。

「對我們來說幸運的是，她也叫了救護車，開車的是保羅・菲利浦斯。他一抵達現場，就意識到怎麼回事，而且叫安特和德克通知我們。」

這兩個菜到不行的菜鳥獨自應付犯罪現場，沒有高級官員告訴他們哪裡是他們的屁股，哪裡是他們的手肘。他們竟然是最先趕到潛在命案現場的第一批警隊成員。莉亞對案情毫無頭緒，但看得到成功起訴真凶的希望正隨著菜鳥獨自在場而逐漸消失。

她揑揑鼻梁，閉上眼睛。

她睜眼時，看到卡爾投來困惑的眼神。

「我知道這聽來很糟，」史蒂芬在她耳邊說：「可是我們不認為——」

「我們晚點再討論你所謂的『不認為』。我跟卡爾在一起，我們現在就直接去現場。你把完整地址傳給我。派幾車的人手給我，也出動科技局還有病理學家。如果有誰比我們先到，叫他們拉起警戒線。任何人都不准離開現場。然後通知安特和德克，告訴他們，他們其中一人必須在公寓門口站崗，另一人必須在公寓大樓的外頭跟我會合，而且在我趕到之前，他們連**呼吸**都不准。在我再次聯絡你之前，別讓案情洩漏出去。你趕緊祈禱，希望這件事在上級聽說之前能別再惡化下去。明白了嗎？」

「明白了。」

結束通話後，莉亞以高弧度把艾迪的手銬扔到床上，正中卡爾的兩腿之間，讓他感到一陣新的疼痛。

她沒等他恢復。

「穿衣服，」她說：「我們得走了。**現在**。」

五十三天前

如果他不在那裡，沒依約在他的辦公樓外等她，這並不是最壞的情況。最糟的情況是他不在那裡，而是在能看到那裡的某處，看到她像傻瓜一樣在等他。為了避免這種情況，琦菈提早二十分鐘到，在拐角處的星巴克買了一杯咖啡，坐在店門口一張戶外桌旁喝咖啡，查看時間。到了五點半的時候，她再等了一分鐘，然後起身，往嘴裡塞了一顆薄荷糖來遮掩咖啡味。

她拐進大街時，首先看到的就是他。他就在他說過他會出現的地方，正在等她。她覺得鬆了好大一口氣。

他轉身，對她揮手。她也揮手，盡可能表現得就像從辦公室直接跑來這裡。

他的穿著跟星期五那天一樣；一般來說，男士西裝在她眼裡都一樣，雖然他身上這套可能不是上次那套。總之，領帶是不同的顏色。一個破舊的皮革郵差包的粗帶斜背在他身上。他沒穿大衣或夾克，雖然她很慶幸自己有穿，而且接下來還有一整晚的時間要度過。雖然她穿的是標準的工作服，但她有努力讓自己看起來更漂亮：黑色襯衫裙搭配黑色靴子和緊身褲，她值得信賴的綠色冬衣，手上是黑色手提包。

他們不久前明明是陌生人，但她現在看到他，他微笑著朝她走來，看他這副模樣，她感到不可思議。在她最後一次見到他之後的七十多個小時裡，她居然忘了他是多麼引人注目。

她居然忘了看著那雙眼睛是什麼感覺。

她居然忘了被那雙眼睛回視是什麼感覺。

她還來不及擔心彼此要如何打招呼，如果事實證明他們有著不同的期望會多麼尷尬，這時他已經伸出一隻胳臂要擁抱她。這個單手擁抱既鬆散又禮貌，一點也不親密。但她聞到了他噴在自己身上的氣味——從濃度來判斷，他是在五分鐘前噴上的——這麼接近他，觸摸他而且被他觸摸，就算只是片刻，也令她興奮目眩。她的身體反應令自己吃了一驚。兩人分開後，轉身並肩走向城鎮時，她沒聽到他說什麼，因為她被擁抱留下的消退餘溫轉移了心思。

「嗯？」她說。

「我說，也許我們不該那麼做。妳知道，擁抱。」他把雙手插進口袋裡。「妳有沒有聽說他們取消了遊行？雖然這樣大概也好，反正那種活動都是遊客。我只有在國外的時候才會參加遊行。」

他們取消了聖派翠克節遊行。他在講這件事。

兩人並肩走在街上時，她看到對面走來的女子們在他們經過時偷偷瞥了他一眼。這讓她覺得自己成了十足的透明人，卻又比其他女人優越。

這些女人甚至沒注意到她也在場，但跟他一起走路的人就是她。這是一種奇怪的自豪感。

「我也是。」她說。

他告訴她，他在倫敦的時候，聖派翠克節是一年當中最盛大的夜晚之一。有一家愛爾蘭酒館舉辦了花錢才能參加的派對，店裡擠得水洩不通，人們穿著拉布列康矮妖的服裝，喝著綠色啤酒——做著不可能在家做的事。那是他十大最棒的宿醉之一。他哥那時候有去拜訪他，這當然加劇了酒精的攝取。

他問她有沒有兄弟姊妹。

「沒有，我是很罕見的那種愛爾蘭人，」她說：「我是獨生女。」

「就跟獨角獸一樣罕見。」

「應該也跟拉布列康一樣罕見吧？」她微笑。「總之，你除了哥哥之外還有沒有……？」

「只有我們倆。」

「他也在這兒？」

「他現在在澳洲伯斯，已經在那裡住了一陣子。他在那裡定了下來，有房貸、孩子、提供退休金的工作。」片刻沉默。「我不認為他會回來這裡，他非常喜歡澳洲的天氣。」

他們過了馬路，前往巴格特街橋。

「最喜歡的電影是？」她問。

「他最喜歡的電影好像是《教父》第二集。」

她發笑。「你的呢？」

「《侏羅紀公園》。」

「我就直接告訴你，」她說：「我沒有最喜歡的電影。我搞不懂人們怎麼有辦法選出最喜歡的電影。」

「我對食物也有同感。」

「不過呢，我可以分類來選。我最喜歡的雞尾酒，最喜歡的披薩，最喜歡的三明治——不過我只能做到這種程度。」

「說來聽聽。」

「我最喜歡的三明治是起司三明治，」她說：「烤過，淋上美乃滋。必須是美乃滋，奶油不行，這樣麵包才會是金黃色。我最喜歡的披薩是烤雞肉條和紅洋蔥。只要比例正確，這根本是無敵組合。至於雞尾酒嘛……唔，我其實不常喝酒，不過我確實喜歡法式七十五。」

「那是什麼？」

「琴酒和檸檬汁，搭配一點糖漿，再加上普羅賽克氣泡酒，改用香檳也行，就看價格而定。這種飲料基本上是成人版的檸檬水。」

「哪間店很會做？」

「噢，」她說：「我沒懂酒懂到能回答這個問題。只要酒是盛在香檳杯裡，有點氣泡，我就滿意了。而且說真的，是不是裝在香檳杯裡也沒那麼重要。」

「況且妳才剛來一星期……」

「**況且**我才剛來一星期。」

「這個嘛，」他停下腳步，微微鞠躬，像高級餐廳的侍者領班一樣對她行個紳士禮。「我在這兒已經待了六星期，所以我基本上算是都柏林人——」

「一點也沒錯。」

「——所以我知道上哪能喝到像樣的雞尾酒，而且那間店離戲院很近。」他伸出一隻手肘，好讓她用胳臂挽住。「妳是否願意賞光？」

＊＊＊

兩人漫步於即使在星期一晚上也感覺安靜的城市，談論工作、電視節目、是否有更多事情會因為這場遙遠的流感而被取消。他告訴她，很多跨國公司已經讓員工在家工作。她說她知道，然後他翻白眼，因為他忘了她就是為其中一家跨國公司工作。她說，如果她這個星期五還要進辦公室工作，她會感到震驚，因為他們都在等公司做出正式宣布。幾個部門已經宣布讓員工在家工作。她認為自己在家裡也能把工作做好。她解釋說，問題在於他們有數以千計的員工坐在一個狹窄的空間裡，彼此相距咫尺，呼吸著重複循環的空氣，使用相同的廁所、茶匙之類的，而且每星期的每一天都有數十名員工回去上班，他們才剛從國外回來，去過國外的設施和辦公室，穿過機場，擠進擁擠的機艙。他們是在為潛在威脅採取行動，不是為了現實，至少目前來說如此。去年有人得了痲疹，公司也是採取同樣措施——不是因為上級是人道主義者，而是因為如果有其他員工被傳染而在家養病，這會影響公司的績效。最好讓他們在家工作一段時間，就算事實證明這只是反應過度。

「我們到了。」他宣布。

她還在喋喋不休的時候，他引導她離開格拉夫頓街，兩人站在一家高級酒店前。二樓凸窗散發光滑又深沉的光澤，透出室內微弱而溫暖的光線。茂盛的綠葉垂於門廊。透過金邊的玻璃雙扇門，她看到鋪著毛絨地毯的宏偉樓梯。一名穿著制服的門衛戴著手套和帽子，在門外站崗。諸國旗幟在微風中輕輕飄揚，其下方是閃閃發亮的金色字體，寫著這家酒店的名稱：韋斯特伯里。

她聽說過這裡，但不知道它在這兒，不知道它在這條街上，在這棟她經過時會進入她眼角餘光的建築物裡。

「這裡的酒吧很會調酒。」他說。

「好極了。」

她試著讓自己聽來言之由衷、她真的覺得好極了，但她不禁盯著門衛。他其實就是個保鑣，只是鞋子比較漂亮。她突然非常在意自己腳上的人造皮靴的鞋尖磨損，衣服的布料太薄，還有冬季大衣的袖子起毛球。按照這件大衣的售價，其實能穿一個月就不錯了，但她連續三年的冬季都穿著這件。早知道要來這種地方，她就會穿別的衣服。她甚至會逼自己花錢買新衣服。

她早該知道。奧利弗當然是會來這種地方的那種人，他認定這種地方歡迎他——因為他確實受歡迎。他的臉孔、西裝、酷帥的自信。他大步走向門口，彷彿門衛根本不在場，而這顯然才是正確的登場方式。門衛不僅打開門，還帶著燦爛的笑容向兩人致意。

為了走進門裡而放開原本互挽的胳臂後，奧利弗在上樓梯時把一隻手貼在她的腰背上。他這麼做不是為了引導或安撫她，只是為了讓她覺得安心。她不禁好奇，他是不是能察覺到她多麼不自在。

另一個工作人員，一名衣著光鮮亮麗的黑髮女子，在接待檯前迎接他們，引導他們進入酒吧。當她說「請跟我來」的時候，是對著他開口，她眨眨又長又黑的睫毛。

酒吧到處都是鏡子和閃亮邊緣、水晶吊燈和玻璃杯、毛絨皮椅和大理石表面。數百個不同顏色的瓶子排列在櫃檯後面的牆上。和這家酒店的其他區域一樣，這裡的燈光也是微弱而溫暖。其中一堵牆的壁爐燃燒著熊熊火焰。更多穿制服的工作人員站在一旁，等著服務他們。

這裡就像電影場景，而有那麼一刻，琦菈覺得有點頭暈目眩。

這裡幾乎空無一人，只有幾個顧客，他們都圍坐在一張桌子旁邊，緊鄰壁爐。他們倆被帶離那群人，來到另一側一張舒適的圓形包廂座位。

在工作人員的詢問下，她交出自己的大衣，被放進華麗的衣帽間裡；她盡量不去想著這名女侍會看到她的衣服標籤上印著「Primark」這個快時尚品牌。然後她責備自己幹麼這麼想。奧利弗把自己的西裝外套交給女侍，根本沒看對方一眼。

他們倆坐下。

他解開袖口，開始捲起袖子。他的前臂蒼白，覆以粗黑毛髮，手腕上戴著一只看似沉重的銀錶。

「所以，妳覺得怎麼樣？」他揮個手，表示在詢問她對這家酒吧的看法。

「說真的，有點髒兮兮。他們其實真的該把這個地方美化一下，不是嗎？」

他咧嘴笑。「妳該看看這裡的廁所，髒到恐怖。」

「跟法國那些茅坑相比，是更好還是更糟？」

「跟這兒的廁所相比，妳會寧可被卡在法國的茅坑裡。」

兩人的鬥嘴感覺就像機關槍開火，每次成功駁火後，她都會感到有點頭暈又安心，彷彿她已經越過戰壕的頂部，躲到另一個掩體後面，而且完全沒中彈。

一名男侍拿著兩份雞尾酒菜單走來。

「啊，我們要兩杯——」奧利弗看著她。「那個叫什麼來著？」

「法式七十五。麻煩了。」

「極佳的選擇。」男侍說：「要留下菜單嗎？」

「好。」她從他手裡拿走一份。「謝謝你。」然後她對奧利弗說：「我們來看看他們這兒還有什麼……」

她其實是在調查剛剛點的飲料要多少錢。她快速瀏覽，假裝對其他雞尾酒選項深感興趣。翻到某一頁、看到它的時候，她逼自己別做出反應：法式七十五要價二十四歐元。一**杯**。

「說到廁所，」奧利弗挪身離開包廂座位。「我今天喝了大概一公升的咖啡，所以……」

「別掉進坑裡。」

「我如果在五分鐘後還沒回來——」

「就繼續等下去，我知道。」

她看著他的背影消失在酒吧的門扉後面。然後她把自己的手提包放在膝上，在裡面找出錢包。她大略計算了一下裡頭的皺摺鈔票：應該足夠支付兩輪雞尾酒的費用，連同搭計程車回家的錢。

他大概會付錢。他**應該**會付錢。

儘管如此……她把兩根手指伸進手提包內襯的小口袋，感覺到銀行卡薄薄的硬度，還有上面凸起的數字時，稍微覺得放鬆。

她希望能備之不用，她會想辦法。

＊　＊　＊

兩人點了第三輪飲料後，他說：「妳不會相信我接下來要說的。」

她覺得臉頰溫暖，四肢癱軟，舌頭酥麻。她還不算醉，但已經比原本預料的更醉，超過她應該醉的程度。這是因為她根本沒吃午餐。**吃不下**，因為她緊張得沒胃口。她把水杯拉得更近，默默決定在再喝一口酒之前先把水全部喝完。

她說：「說來聽聽。」

他給她看了他手機上的東西。「那部電影在十分鐘前開演了。」

「不會吧。」

「我們是可以趕緊過去，現在大概還在播放其他電影的預告片，而且戲院離這兒只有兩分鐘路程。」

「我們能不能——」她開口的同時，**他**也開口道：「不然我們也可以繼續待在這兒。」

兩人都哈哈笑。

「我討厭匆匆忙忙。」他說。

「我也是。」

「而且我喜歡喝酒。」

「我也是。」

「而且我喜歡妳。」

「這個嘛，我就是討人喜歡。」

他發笑。他對她感到佩服。

說了那句俏皮話後，她也有點佩服自己。

「所以……」她清清喉嚨。她需要換個話題，給自己一點時間從微醺的懸崖邊回來。「你常來這裡嗎？」

「噢，別問這個。」

「我是真的想知道。」

「這次其實只是第二次，」他坦承：「第一次是因為公事。我只是……」他捏著酒杯的柄，稍微來回滑動，直到杯裡的液體開始翻攪。「我想回來這裡……**不帶著公事**。」

「不帶著公事。哇。我敢打賭你對女生都這麼說。」

「妳喜歡這裡嗎？」

他這麼問的時候，兩人目光相遇；她突然想到，直到現在，他們倆算是並排坐著，她根本沒和他有太多的目光接觸。

這樣也好，因為他現在看她的方式……

她原本一直不太瞭解具有「穿透力」的目光是什麼意思，可是他的目光就是具有穿透力。他不只是看著她，而是看著她的內在，感覺就像穿過了她薄薄的偽裝外表，彷彿他有X光的視力，能輕易穿透一切，看到真正的琦菈，那個蜷縮身子，小心翼翼拚命保護自己，深怕今晚如果發生什麼重大錯誤會給她造成什麼感受的女人。

她別開視線，看著自己的杯子。

「喜歡，」她說：「我確實喜歡這裡。我的意思是……我這麼說吧，這裡不是我平時會來的地方。」酒精在她的血液中嘶嘶作響，瓦解了他的視線整晚都在削弱的牆壁。她不能讓這堵牆壁完全消失，在第一次約會的時候不行，但她能把臉貼在牆上的空隙上，隔著空氣跟他說話，而不必冒險踏出界線。「說真的，我其實負擔不起來這種地方，至少沒辦法經常來。而且如果早知道我們會來這裡，我就會穿得不一樣。我原本很怕門衛會攔住我、對我說：『抱歉，親愛的，穿彭尼百貨廉價服飾的人不能入內』。」

「他叫妳『親愛的』，而且說出『服飾』這種詞彙？**怎麼**會有這種人啊？」

她開玩笑地拍打他的前臂。

「你知道我的意思。」

「我鄭重聲明，」他說：「我覺得妳看起來很美。」

她對自己的杯子咕噥：「謝謝你。」

「這只是有點特別，不是嗎？」

他指的可能是這間酒吧。或是飲料。

或是有她陪伴的這個夜晚。

「我喜歡這裡的原因是……」她刻意避免讓說話速度快過思考速度，而且她把每個字都說得清清楚楚，至少她如此希望。「這裡很隱密。這個地方不算是祕密，但也沒被大肆宣揚。你在街上經過這棟建築時，不會知道這間酒吧就在這裡，但你走進來，拐過一個彎，就會發現這個美麗的地方一直在這兒，一直在等你。我喜歡這種感覺。我喜歡發現這種地方，因為它讓我好奇，我每天經過的那些建築物裡**還有什麼**。還有什麼等著被發現？有一整座城市被隱藏起來。好幾座被隱藏起來的城市。都被公然藏在這座城市裡的眾目睽睽之處。」

「所以妳喜歡祕密。」奧利弗說。

「不。」她回應得太快，口氣聽起來太嚴厲。她再次開口，說得更慢也更柔和。「不。其實……紐約有個地方，一間酒吧，而除非有人告訴你，否則你絕對不會知道它的存在，除非哪個聽說過它的人告訴你它的存在，因為它沒有任何一部分面向街道，也沒有招牌，而且進去的唯一方法是透過**另一間酒吧**的暗門。」

「聽起來很累人。」他說。

「而且很**沒必要**。我覺得，提供好喝的飲料，對客人親切點就好了，別搞這種神祕兮兮的狗屁。而且那種事——那才是祕密。祕密的意思是不讓人得到某個東西。沒錯，祕密的意思是真相，但也包括體驗、知識……隱瞞祕密就是避免讓人們進入酷圈子。這麼做就是試著決定誰能進入酷圈子，我覺得這樣很……」琦菈欲言又止，已經不確定自己在說什麼。她原本究竟想說什麼？酒精帶來的暖意，正在她體內肆無忌憚地擴散。「我喜歡的不是祕密，而是發現了對我來說新鮮但其實一直存在的東西。祕密則不一樣。祕密具有破壞力。」

一陣沉默。她鼓起勇氣轉頭，看著他，發現他在盯著她。有那麼一秒，她以為他可能打算吻她，她希望他不會這麼做，因為她沒準備好，她沒做好準備，而且她真的有點醉，她真不希望自己是在喝醉的情況下被**吻**，但他只是點個頭，說聲「我明白妳的意思」，然後說他又要去廁所。

「一個晚上去三次？」

「我打破了封印。」他嚴肅地說。

「其實我也要上廁所。我等你回來再去。」

「妳先去吧，我可以等妳。」

「我能等更久。」她揮個手。「你去吧。」

他這次離開後，她逼自己用三大口把水全部喝完。然後她從桌上拿起一張乾淨的雞尾酒餐巾紙，把它摺好，塞進包裡。她抬起頭的時候，發現男侍就站在旁邊，對她投來密謀者般的笑容。她對他露出愧疚的微笑，說聲：「想留著當紀念品。」

「看來事情進行得很順利。」他說。

「我是這麼認為。」

「我也這麼認為。」

他為他們放下新的飲料，對她眨個眼，然後離去。

＊　＊　＊

杯子空空如也後，他提議離開這裡。她沒想到現在已經這麼晚了——快十點了，這是**怎麼發生的**？——她也說出這個想法。她發現他趁她上廁所時付清了帳單，她對此提出不算激烈的抗議，而且謝謝他。

兩人走下樓梯時，他又把手放在她的腰背上，但這次是牢牢地貼在她身上。她用胳臂抱著大衣，隔著連衣裙的薄布料感覺到他皮膚的溫度。她希望他感覺不到她緊身褲的鬆緊帶咬進皮肉裡。她不禁好奇，他能感覺到什麼。

他們面對自己在深色玻璃門上的倒影，她被彼此多麼登對而感到震驚。然後令她震驚的是，事情發生得有多快，他們原本是在超市裡排隊的陌生人，現在他站在她身邊，觸摸她，對她說著關於自己的事。

也許這種事其實不會很難。

可是接下來是什麼？

她以為會跟他再去別的地方，買杯飲料，也許找個地方吃深夜快餐——她真的餓壞了——又或許——

「能不能幫我們叫計程車？」奧利弗對門衛說，這個門衛不是先前那位。

她沒想到他要叫計程車，這令她感到意外，但她沒表現出來。她想知道他們要搭車去哪裡，但也不想威脅到接下來幾分鐘的微妙平衡。她感覺自己就像個時空旅人，小心翼翼地在實為過去的現在避免改變任何事，因為她知道未來有多美好，而且她一點也不希望未來有絲毫改變。

計程車在門口停靠，奧利弗打開車門，示意她上車，在她上車後自己待在原位，站在車外面，這讓她更難不做出反應。

她意識到，他沒有要上車。

他俯下身子，一隻手扶在車頂上，直到他的臉跟她的臉齊平。

「我走路回家。」他說。

「噢。」失望感如海浪般席捲她。「嗯，了解。」

「妳星期四晚上有空嗎？我們到時候去看那部電影。」

她點頭，微微一笑。「嗯。」

「我再傳簡訊給妳。」

「嗯，好。」

「晚安。」

「晚安。」

他幫她關上車門，然後來到車窗開著的副駕駛座旁，接著彎下腰，丟些東西在座椅上——她過了幾秒才意識到那是車資——然後對司機揮個手。

車子離去時，他又對她揮手。她不太明白剛剛發生了什麼事。他想再次見到她，但今晚已經不想再看到她？現在不想再看到她？

「妳要去哪，親愛的？」司機回頭問她。

她原本對自己能航行於這片海域的自信已經徹底蒸發。她根本不知道自己在做什麼。她現在就該放棄。

「回家。」她心不在焉地回一句，然後才意識到司機在問地址。

今日

莉亞把車停在一輛警車後面，那輛警車停在雙黃線上，在哈羅德十字路口旁邊一棟由光滑灰磚、玻璃和裸露鋼材組成的弧形公寓大樓外面。她熄火的時候，身旁的卡爾剛解決了早餐——一罐紅牛。

她看到一名制服警員在看似正門的地方等著他們：玻璃雙扇門，下方的拋光金色字體寫著「克羅辛」。他的拇指勾在身上的防彈背心上，輪流用單腳支撐體重。隔著一段距離，莉亞不確定那名警員究竟是安特還是德克，但就算靠近看可能也不確定。她也經常搞混那兩人的名字。她猜門口那人是德克。

支援團隊尚未抵達，但她跟史蒂芬通電話也只是十分鐘前的事。

她拿出手機，查看她要他發送來的消息：屍體是在一號公寓裡。她希望每一層樓只有幾間公寓。命案現場離主要入口越近，就會有越少的住戶看到警方出現，警方就越有機會在局勢惡化前解決這個問題。

她轉向卡爾。

「你清楚知道你要做什麼吧？」

「清理那兩個傢伙搞出來的大麻煩？」

「這不是他們的錯，卡爾。要怪就怪那個派他們倆獨自前來的白痴。而且我們還不知道他們倆究竟做了什麼，所以麻煩你不要在他們面前表現得……你知道，像**你自己**。」

「風趣又可愛？」

「我是說十足的王八蛋。」

卡爾把一手貼在胸前，彷彿心臟中了一槍。

「他們才上工五分鐘，」莉亞說：「我只是要拜託你不要對他們太嚴苛。」

「說真的，妳真該找個東西把妳那顆淌血的心臟補起來。」他打開副駕駛座的車門。「我應該有在後座放個急救箱……」

兩人下車後，制服警員快步前來。

三人在途中相遇。

「我是莉亞・萊爾頓警探，」她對他說：「這位是卡爾・康諾利警佐。你是……？」

「麥克，」年輕警員接話，摘下口罩。「麥克・科瑞登警員。」

「這裡是什麼狀況，麥克？長話短說。」

看他在答覆前先打開一本筆記簿，莉亞感到滿意。

「這個嘛，我們，呃，是在七點半左右來到這裡，」他掃視筆記。「七點二十六分。其中一個——」

「七點二十六分？」卡爾問：「你確定嗎？」

「是的，我有寫下來——」

「不是七點二十七分？」

年輕警員開始臉紅，莉亞用手肘撞了卡爾的肋骨，然後示意麥克說下去。

「呃，嗯，所以……」他清清喉嚨。「其中一個住戶在這裡等我們——吉蓮・芬妮。她住在四號公寓。就是她報的警。」

「她報警的時候，」莉亞問：「究竟說了什麼？」

「她說走廊有股味道，她覺得是從一個鄰居的公寓裡飄出來的。一號公寓。跟她的公寓隔了三戶，但在同一條走廊上。她原本以為那只是腐壞的廚餘之類的，可是味道越來越重……她今早去敲門——發現門是開著的。」

「開著的？」

「她描述說門有被拉上，但沒完全緊閉。門沒鎖。她把門推開兩吋——她原本打算喊話，看有沒有人在家——可是臭味更強烈，所以她退了出來，回到自己的公寓裡打電話報警。嚴格來說是兩通電話——一通打去警局，另一通是打去 999 叫救護車。」

「所以她其實沒進那間公寓裡？」

「是的，她說她沒進去。」

「你看到那間公寓的門的時候，是什麼模樣？」

「就跟她描述的一樣，」麥克說：「跟她發現的時候一樣。那扇門好像要徹底拉上才能上鎖。」

「她知不知道誰住在裡頭？」

「她說應該是個年輕男性，二、三十歲，但她只知道這麼多。她已經有一陣子沒見到他，大概兩星期。我查看了信箱，可是信箱上只有數字，沒寫名字。」

「你挺機智的。」莉亞稱讚他，幾乎能感覺到旁邊的卡爾在翻白眼。「醫護人員——他們有進去嗎？」

「其中一人有——」他再次低頭查看筆記。「保羅・菲利浦斯，他有稍微進去，很快就出來了，說他們幫不上忙，建議我們通知局裡、說明發生什麼事。他說他沒觸碰遺體，而且屍體顯然已經嚴重腐爛。而且，他說如果要他猜，他認為這裡應該是在兩星期前左右出了事情。」

「他們離開了嗎？」

「他們應該停在後側，靠近車輛入口處。他還說，如果我們不想等病理學家，他們現在就能宣布有人死亡……？」

「嗯，醫護人員現在有這種權力。不過我們還是先等病理學家吧。你有沒有進去？」

「沒有。德克蘭有進去，不過也很短暫。遺體在浴室，進去之後的第一道門，所以他不需要走很遠。他說從那裡能看到客廳和一間較大的臥室。公寓裡似乎沒人，除了……」他又清清喉嚨。「他只有在裡頭待幾秒鐘。」

幾秒鐘也足以破壞關鍵證據，但也許影響範圍沒有莉亞擔心的那麼大。

「前門是唯一的出入口？」

麥克搖頭否認。「一樓的公寓有露臺，用欄杆圍起，很容易跨越進去。一號公寓後側的落地窗從外面看來是關著的，但我沒檢查它有沒有上鎖。我那時候盡量避免觸碰任何東西。」他指向自己的左後方。「這棟公寓大樓還有一道側門和兩個消防出口，芬妮女士說那些通道都設有警鈴，而且這裡還有後面的地下停車場入口。」

「有沒有任何人進出？」

「從這條路沒有。我認為現在這個時間點對我們有利。有個傢伙有試著出門跑步，但乖乖地被我們阻止了。不過我們不知道有沒有車輛進出。」

「消防出口——走廊遠側也有嗎？」

麥克點頭。

「所以那道出口和一號公寓的前門之間，什麼也沒有？沒有其他公寓？」

「有一道通往樓梯間的門，」他說：「就這樣。」

莉亞對卡爾點頭，對方明白怎麼回事：一個人如果想走出這裡的警戒線，就必須透過消防出口，而且必須先關閉警鈴系統。

「嗯，好。麥克，你留在這裡，幫康諾利警佐做些準備，我先進去看看怎麼回事。其他人手應該很快就會趕到，到時候我想把那個停車場封起來，包圍這個地方。希望只有四號公寓的住戶早起，其他住戶都還在睡覺。」

麥克皺眉。「我們恐怕沒這麼幸運，長官。我們抵達這裡的時候，原本以為可以從側邊的入口進來。可是我們推開那道門的時候，發現它其實是緊急出口。整棟公寓的火災警鈴大作，吵醒了每個人。所以我們找到芬妮女士的時候——她在中庭跟我們會合——我們，呃，面對一大群觀眾。住戶們全都站在陽臺上看著我們。」

「噢，棒透了。」卡爾咕噥。

「現在最重要的是，」莉亞對麥克說：「確保每個人都待在這裡。」然後她對卡爾說：「我現在進去看看。這裡可以交給你吧？」

「是的，老大。」

莉亞為麥克・科瑞登警員默默祈禱幾秒，然後轉身進入公寓大樓。一扇玻璃門被滅火器撐開；從一旁的鍵盤鎖和電子感測器來看，如果不用滅火器撐開，門就會鎖上，只有住戶打得開。

她一踏進門裡，一股味道就撲鼻而來。

牆上的告示牌指示，往右走就能前往一號公寓，但走廊是弧形的，所以她不確定現在離一號公寓還有多遠。從這棟建築的形狀和大小來看，她離一號公寓應該還有三、四十呎的距離。她身後有一扇門開著，加上今早的空氣清新涼爽，儘管如此……

她已經聞到那股味道：令人作嘔刺鼻的腐爛人肉味。

聞起來就像過期多年的廉價香水跟陽光晒過的肉混合在一起，孢子繁殖、變暖而且擴散，取代了每一個無味的空氣分子。公寓大廳裡的味道沒那麼明顯，但也足以讓人知道深入公寓裡的味道會有多重。

她想到可憐的德克蘭，他這段時間一直站在那間公寓的門前。這肯定會成為他在未來幾年跟夥伴們喝啤酒時分享的故事。她只希望他那個故事的結局不會是「我就是在那天決定辭職」。

莉亞在西裝外套的口袋裡翻找，欣喜若狂地發現一包被遺忘的「銀薄荷」硬糖，大半裹在錫箔紙裡。她平時總是穿得邋遢，純粹看哪件比較乾淨就穿哪件，這麼做是有好處的。

錫箔包裡有兩顆乾淨的薄荷糖，其中一顆沾到衣服的毛絮。她把糖果放回口袋裡，從另一個口袋裡拿出口罩戴上。

大堂雖小但明亮，光線來自第二扇玻璃門，就在她剛穿過的那扇門的正對面。這扇玻璃門通往中庭。莉亞沒走過這扇門，而是隔著玻璃掃視其後：經過大量造景的中庭風景優美，綠樹成蔭，有著長木椅和涓涓流動的水景，她知道只要一聽到那些水聲就會讓她想尿尿。公寓建築以和緩的U字形圍繞中庭，寬敞的出口被一雙巨大的鍛鐵門占據。她猜那是緊急車輛通道。

她數算一番，這棟公寓有三層樓，如果每一間都有陽臺，那麼這裡一共大約有三十間公寓。一樓的公寓有著一小塊後院，大概跟狹窄的停車位差不多大，周圍豎著金屬欄杆。可是欄杆十分低矮，所以就像麥克說的那樣很容易跨越。她沒看到中庭裡有任何人在，但從所在角度也很難判斷陽臺上是否有人在看著她。

她轉過身。

大門旁邊有一個小型的洗手液分配器，顯然是全新的。她尋找分配器上的壓頭，接著才意識到它有著電子感測器。她把透明液體揉到手上，嗅了嗅。檸檬香茅。真時髦。

牆上裝著用來放置滅火器的鋼架，其上方是一排裱框的告示。第一個告示的標題是「公寓守則」，底下是一串清單——莉亞瞇眼查看——克羅辛的住戶顯然必須遵守的二十三條規據。

她覺得這樣很像學校，也像監獄。

第二張告示，是政府發布的亮黃色新冠疫情資訊表之一。這是早期的版本，因為上頭只列出三項建議：洗手，養成良好的咳嗽禮儀，與他人保持兩公尺的距離。

第三個裱框告示，描述在緊急情況下該怎麼做。莉亞拿出手機，撥通了告示上以紅色字體標示的管理公司的號碼。這通電話立即被答錄機接聽，指示她在非辦公時間撥打另一個號碼。

她查看螢幕上的時間：八點四十五分。

她憑記憶撥打第二個號碼。響了兩聲後，聽見同一個語音訊息。

「真他媽棒透了。」她大聲咒罵，接著對答錄機說出自己的名字、頭銜和號碼，並要求立即回電。

然後她掃視信箱。四排整齊的細長形盒子固定在後牆的低矮處，盒子上裝有不鏽鋼翻蓋。她從長褲口袋裡掏出一副藍色乳膠手套戴上，套住西裝外套的袖口，形成密封，接著用食指打開標有「一號」的信箱的狹窄翻蓋，彎下腰，試著看到裡頭的東西。

信箱裡有個薄薄的白色信封，但她的視角受限，看不見信封上的文字。

她開始沿走廊走動，經過一組電梯。電梯上方裝了感應式日光燈，在她經過時綻放光芒。走廊向左彎曲，揭露三扇門，還有德克蘭警員……**凱西？他是姓凱西嗎？**他站在標示著「一號」的門前，雙臂抱胸。

他戴著兩副口罩：黑布口罩從鼻梁蓋到下巴，底下能稍微看到藍色的紙質拋棄式口罩。莉亞心想，戴兩層口罩不是個壞主意。他的髮際線上浮現著一層薄薄的汗珠，而且她覺得他的臉色似乎有點灰白。

「你可以去外頭等了，」她說：「去透透氣。」

年輕警員無需催促，在她話還沒說完前已經離開。

一號公寓的門離完全關閉的狀態大約只有一吋——雖然關著，但鎖具沒對齊鎖孔。門上、門框和門把上，都沒有明顯的痕跡或汙漬。門後面似乎透出燈光。

莉亞拿出兩顆乾淨的銀薄荷糖，用一根指頭掀起口罩，把糖塞進嘴裡。她讓糖果躺在舌頭上，直到嘗到薄荷傳來的刺激。然後她用力吐口氣，讓口罩裡充滿薄荷味。這種效果不會持久——薄荷已經開始變軟，粉筆般的邊緣開始瓦解——但總好過什麼也沒有。

她推開公寓門——鎖具看起來完好，機件沒卡住——揭露一條狹窄的走廊。硬木地板、白色牆壁，一面銀框鏡子掛在左牆的玄關桌上方。燈光來自天花板上的固定燈具，但看起來公寓裡的其他地方也有燈光。

右邊是一扇向外打開的門，開了一半左右，擋住了她的視線，她無法看清楚公寓裡的其他部分。

撲鼻而來的氣味，感覺就像一堵厚實的牆壁。

「氣味」一詞甚至無法形容瀰漫於空中之物。氣味是你必須嗅入才能察覺到的東西，但腐屍散發的東西會直接闖進你的鼻腔，讓你在這件事上別無選擇。它湧入你的鼻孔，衝進你的嘴裡，爬過你的喉嚨深處。它緊貼每一個皮膚細胞、每一條衣服纖維、每一綹髮絲。它讓你眼睛泛淚。與其說是「氣味」，倒不如說是「入侵」。全面進攻。

她自作聰明，現在才發現薄荷糖其實沒屁用——每一顆薄荷醇分子已經立即蒸發。

莉亞鼓起勇氣走進去。

五十天前

李歐即將在華盛頓特區發表現場演說。公寓裡沒有電視，所以琦菈平躺在沙發上，把筆記型電腦放在肚子上，看著網路上的直播串流。

華府那裡甚至還沒天亮。在黎明前的黑暗下，他走上一座架設於宏偉建築外頭、有著人工照明的講臺，神情嚴肅凝重。

她好奇他現在在想什麼。他是個醫生，也是國家的領導人。他懂的一定比一般人更多。

他開始說話，說得緩慢而清晰，流暢地閱讀在畫面上看不見的提詞器文字，看起來就像直接對著鏡頭說話。

病毒遍布全球。

這是我們在印象中第一次目睹這種性質的流行病。

我們終將獲勝。

畫面一回到攝影棚的主播身上，琦菈就闔起電腦，做出令自己大吃一驚的舉動——她淚流滿面，熱淚盈眶。

她不害怕，至少在生理上不害怕；病毒雖然來到國內，但感覺離她還很遠。他們說這主要只是個普通流感。她相信那些應該知道如何保護她的人正在保護她。但這一切還是很……

好吧，**很可怕**。

愛爾蘭總理說了一些她以前聽過很多次的話，但那些話應該出現在關於病毒的科幻驚悚片，或是喪屍世界末日電影，他現在卻必須在大海的另一邊，在天還沒亮的時候召開緊急記者會。

這發生在真實世界。

她的世界。

她母親說過，在九一一恐攻那天，她在電視上看到最可怕的畫面是曼哈頓南端的現場鏡頭，當時滾滾濃煙從受損的建築物之間湧向天空。她母親雖然沒去過紐約，但還是覺得很熟悉這座城市，所以覺得這個鏡頭中的城市非常眼熟，因為她在這幾十年間的電視節目和好萊塢電影中看到紐約無數次被摧毀、入侵和爆炸。可是電視上那一幕顯得完全陌生，因為它真實發生了。熟悉的城景與無法理解的畫面激烈相撞——她母親說這使她感到認知失調。她好像在哪本自救書裡看到這個名詞。

如果**琦菈自己**也得了認知失調？

琦菈現在無法處理這種擔憂，所以用另一個擔憂來代替它：奧利弗為什麼沒打電話給她？

他們應該在幾小時後就要再次見面，但自從他在三天前把她推進韋斯特伯里門口那輛計程車之後，她就再也沒有收到他的消息。她明明很擔心，卻又要努力讓自己不要擔心，這樣真的很累。他沒打電話給她或發簡訊，很可能就是因為他已經跟她做好了約定。他們約好了要見面，只是沒說清楚見面的確切時間和地點；也許他以為她知道他們會像上次那樣，在他下班後在他的辦公室外頭見面，因為這就是他們上次應該做的事，所以也許他覺得「說好要傳簡訊給她」只是一種形式，只是純粹為了確認會見面，只是一種聯繫，所以他打算等到最後一分鐘才傳簡訊給她。

又或許，他改變了心意。

他從星期一晚上就沒跟她聯絡，這項事實能支持這兩種假設，而這就是問題所在。

而且在李歐發表了那場演說後，他們還能去戲院嗎？

琦菈又打開筆電，瀏覽新聞網，發現一串發布於十分鐘前、更新於兩分鐘前的清單。她滾動螢幕上的網頁。學校、大學和托兒設施將關閉。博物館、劇院和其他文化機構也將關閉。超過一百人的室內集會或超過五百人的室外集會都被禁止，雖然這種人數對她來說還是太多。商店、餐館和酒吧將繼續營業，但將立即實施社交距離措施。每個人都必須努力限制自己的社交互動。

這聽起來簡單明瞭，但沒有任何一件事是真的簡單明瞭，尤其現在。這個網頁沒提到戲院——戲院算不算是文化機構？也許戲院算是商店或酒吧，只要限制入場人數就能繼續營業？奧利弗說他們要去的那間戲院很小，所以可能根本沒多少座位，畢竟多少人會在星期四晚上去看太空紀錄片？尤其現在，在疫情爆發後。而且「限制社交互動」究竟是什麼意思？如果他是她唯一的互動對象，這樣也算是做到了限制嗎？

如果他決定不把她當成他的互動對象？

她閉上眼睛，沮喪地揉揉雙眼。

疫情當然會挑現在發生。**當然會**。過了這麼久，她好不容易播下一顆種籽……就被一場千載難逢的全球流行病毀了。

這種神展開想掰都掰不出來。

手機發出鈴聲，嚇了她一跳。它卡在沙發墊的一側；她伸手去拿時，不小心按到接聽鍵。她急忙把手機貼在耳邊，來不及做好跟螢幕上的名字說話的準備——奧利弗。

「喂？」她立刻確信自己的故作輕鬆已經徹底失敗。

「琦菈？」

「奧利弗。」她覺得很想站起來。「你好嗎？」

「很好——除了，妳知道，末日瘟疫這件事。妳呢？」

「一樣。」

「妳有沒有看李歐的演講？」

「有。」

她開始在窗前來回踱步。

「妳不覺得這一切都有點不真實？」他說。

「的確。」

「妳是不是在故意限制自己只能做出一、兩個字的答覆……？」

「不是。」

聽到這個答覆，他笑出聲。

「總之，」他說：「關於今晚。我不知道那間戲院還會不會營業……我也不確定我真的想去那裡。妳有沒有看過《危機總動員》？」

「那片裡是不是有隻猴子咬了《實習醫生格蕾》裡的醫生？」

「妳的視角還挺怪的，但沒說錯。」

「那麼，我有看過，不過是好幾年前的事了。」

「總之，片中有一幕鏡頭，你能看到病菌從人的嘴裡飛出來。我當時看了覺得很好笑，但現在……」他嘆道：「我也不知道。我可能只是反應過度。」

她回一聲「嗯……」，因為她不知道他究竟要說什麼，也不想比他更早攤牌。這真他媽累人。她真希望能按鈕快轉，跳過這個部分。

「我們可以做些別的？」他提議。「我們可以——」

「是可以。」

「——一起喝一杯之類的。妳還在辦公室嗎？」

她原本深怕自己太急切地做出反應，但現在更怕他可能想跑來這裡。

「其實，我原本想說我們可以在同一個地點見面，」他說：「在我的辦公室外面？可是如果——」

「不不，這樣很好。其實，我現在已經在家中工作，不過我的住處離你辦公室只有五分鐘，所以……」

「如果妳覺得其他地點比較好，我們可以換個地方見面？」

「不不，你辦公室外面就行。我們就這麼做。」

「五點半？」

「到時候見。」

他結束了通話，她筋疲力盡地倒回沙發上，允許自己感到半分鐘的安心。

看來她沒搞砸。

目前還沒。

＊＊＊

除了特易購超市人滿為患，一堆人抱著超大包的衛生紙從門口衝出來之外，巴格特街似乎沒有任何異狀。所有商店都在營業，包括花店。咖啡店、酒館和餐廳也是。琦菈覺得有太多人在這種天氣下戴著冬季手套，但這可能只是因為她正在尋找世界發生變化的跡象，證明這些人也會看新聞。她拉下外套的袖口，以免用裸露的肌膚觸碰橫越人行道的號誌按鈕時，覺得這麼做是矯枉過正。她有點希望沒人看到她這麼做，希望他沒看到。

但他不可能有看到，因為他今天遲到了。

她等待的時候，試著把注意力放在兩名穿著黑色制服、在特易購門口站崗的保全，來轉移自己的心思，以免對此反應過度。一名保全抽著藏在掌心裡的菸，另一名保全與致勃勃地說話、指著商店。第三個人，一名穿裙子的女子，出來加入談話，還不斷緊張地回視身後的店內。琦菈心想，他們大概因為店裡有太多人而感到不安。

這種轉移注意力的方式有點太有效，因為奧利弗突然出現在她身邊，俯身親吻她的臉頰，為自己遲到道歉——他這個舉動跟上次相比是升級版，她的肌膚感到微微觸電。和上次看到他一樣，她這次也覺得胃袋震顫，不禁心想所謂的「胃裡有蝴蝶」是不是就是這個意思。

他把自己的小小遲到歸咎於會議開太久。公司的合夥人們原本抱著最好的希望，不想做最壞的打算，結果這下從明天開始就得突然停止上班，沒人知道公司該如何運作。

他說他們有很多事得想辦法。

「妳好嗎？適應得還好嗎？」

「我很好，」她回答：「說真的，其實我感覺不到多少變化，反正我的工作基本上就是盯著電腦螢幕。雖然我現在得自己花錢買維他命水，但除此之外……我家裡的沙發確實比他們強迫我們坐的人體工學椅舒服多了。」

「所以妳是編碼一整天還是……？」

她微笑。「『編碼』」？」

「噢，沒錯，我知道**所有**術語。」

「是嗎？」

「我還能說什麼？誰叫我看一**大堆**維基百科。」

她發笑。「我不是做編碼的，而是做網站服務，算是技術客服。我基本上算是資工人，會問客戶有沒有試過把電腦關機再開機，但我面對的是雲端運算的客戶端，所以會比這稍微更複雜一點。」

「我還以為你們這種人是做手機應用程式之類的。」

「那是我們希望你們這麼想。真正的錢在伺服器農場、雲端運算，整個網際網路遲早會在我們的設備上運作，這樣我們的邪惡領袖就能有效地掌控全世界……之類的。」

「我是不是該感到害怕？」

「害怕也無法改變什麼。」

「那咱們去喝一杯吧。」

他提議哈丁頓路上一家酒館，拐個彎就到。兩人並肩行走，沒觸碰彼此。

「妳沒在盤算著回去科克吧？」他問：「回妳爸媽那裡？」

她感到困惑，而且不只因為他說出「爸媽」這個複數詞彙。「我回去做什麼？」

「我辦公室裡有個傢伙打算回老家。他明天就要回高威市去。他爸是家庭醫生，說我們很快就會被限制移動，到時候哪裡也去不了。雖然我個人認為，他只是在找藉口回家，要他媽幫他洗衣服之類的。他比我們年輕一點，所以……」

「你是怎麼知道的？」

「什麼？」

「知道他比我們年輕。」

奧利弗挑起一眉。「我是不是該準備好承受什麼震撼彈？」

她故意多等一秒，享受這一刻。「我二十五歲。」

「呼。」他假裝擦拭額汗。「不過我已經猜到了。妳說妳是二〇一七年畢業的，所以我算了出來。」

「好厲害。」

「我是用計算機。」

兩人走過橋邊的巴格特街，經過一名男子，那人抱著兩箱堆疊起來的啤酒，快步迎頭走過。

每個人的優先事項都不一樣，她心想。

「你在這時候應該告訴我你幾歲。」她說。

他露齒而笑。「是嗎？」

兩人來到酒館，這裡其實比較算是運動酒吧。一個老翁坐在大樓前一個封閉的吸菸區的角落裡，一旁的桌上整齊地放著一盒香菸和一個打火機，連同一大杯啤酒。

奧利弗拉開門的同時對她說：「我二十九歲，剛滿。」

室內是一個狹長的房間，左邊的吧檯延伸在他們眼前。這裡有許多角落和縫隙、舒適的包廂座位，而且都是空的。懸掛在半空中的電視機正在播放「天空體育臺」的節目，店裡沒有音樂聲跟體育臺評論員競爭。要不是外面那個喝著啤酒的男子，她可能會以為他們不小心走進一個還沒開始營業的地方。

她告訴奧利弗，他在「飲酒場所」這方面有著相當不拘一格的品味。

「是啊，這個嘛……」他再次將手放在她的腰背上，輕輕引導她走向靠近門後面的一個包廂座位，這裡有一面彩色玻璃隔板把她和酒吧其他區域隔開。「我選擇今晚這個地點，純粹是根據它的潛在染病率。」

「好主意。」她挪身坐進包廂。「不過我們還是別談這個吧？我現在的心情是把頭埋在沙子裡一個小時。」

「沒問題。妳想喝什麼？」

「一杯白葡萄酒，麻煩你。」

「有想喝特定哪一種嗎？」

「只要夠冰涼，而且不是夏多內……」

「老天，妳真難伺候。」

他對她眨個眼，然後轉身離去。

她將身體轉向窗戶，半分鐘後，她聽見而不是看見酒吧的酒保跟奧利弗交談。看來酒保剛剛在吧檯後側的小房間裡。點了飲料後，她得知酒保剛剛真的在後面，也得知原因：酒保解釋說，他們正在重新布置店內，以便趕在聖派翠克節之前符合政府頒布的社交距離規定。

琦菈無法想像，在這個國家一年中最醉的日子裡，一群醉漢會如何懂得在酒館裡保持兩公尺的社交距離，不過這名酒保似乎很有自信。她猜他也必須保持自信。

「妳的飲料。」

奧利弗小心翼翼地把她的白葡萄酒和他自己的一大杯飲料放在桌上，然後滑進座位，坐在她旁邊，但依然禮貌地保持一呎的距離。

「他們在重新調整桌位，」他朝吧檯後側點個下巴。

「我有聽見。」

「一些包廂座位已經被封起來了。」

「用什麼封起來？」

「安全警示帶，」他說：「黑黃相間的條紋。」

「這……有點嚇人。」

「我會說『而且不真實』，不過我這星期應該已經把這個詞彙的額度用完了。『前所未見』這個詞彙也很適合。總之……」他把一手放在她的前臂上，輕輕一捏。「咱們來討論別的吧，至少試試看。妳為什麼搬來都柏林？」

她心想，自己已經回答過他這個問題了。

但她還是開口：「因為我的工作。」

「可是妳在應徵之前，知道這份工作是在這裡。所以妳為什麼應徵？」

「噢，你懂的。」她看著酒杯，拿起來啜飲一口。「很尋常的原因。我想追求改變，新的冒險，全新的開始。」

「跟妳在超市遇到的陌生人約會，也是這項計畫的一部分嗎？」

約會。

「這也許能幫忙達成相關目標。」她說話時沒看著他，只覺得自己被他盯得臉頰發熱。「我們等著看吧。」

隨之而來的漫長沉默令她難受極了，她深怕自己會突然起火燃燒。

「我明白妳的意思，」他開口：「這就是為什麼我來到這裡、離開了倫敦。」

她轉向他，發現他的目光盯著不存在的東西，也許是一段不算遙遠的回憶；雖然她想問他在想什麼，想更瞭解他在倫敦的遭遇，但清楚覺得現在不是時候，現在還為時過早。

「乾杯，」他拿起自己的酒杯。「敬全新的開始。」

又喝了兩輪後，酒保過來告訴他們，他要提早打烊了。他連連道歉，但他們向他表示能夠理解。自從外面那名男子在一個多小時前離開後，店裡就只剩他們這兩個客人，而工作人員顯然需要他們離開，以便重新布置店裡，為明天的營業方式做準備。他們對面的包廂座位已經拉起了警示帶。

酒保甚至好心地免費請他們喝第四輪，以安撫客人的心情，但他們喝完時還不到九點。

「我們可以去我家。」奧利弗一派輕鬆地提議。

微醺的她也盡可能以一派輕鬆的態度表示同意，然後盡可能以優雅姿態爬出包廂座位。她覺得彼此喝得都沒她希望的那麼醉。可是奧利弗的眼神顯得有些渙散，他穿上西裝外套所花的時間比平時更多，所以她不得不斷定彼此都有點醉了，至少離醉倒的程度不遠。

為了彼此著想，她真希望他的住處有食物。

兩人挽臂而行，來到他的公寓大樓；她不太記得這件事是什麼時候發生的，也不記得是誰發起的，但她對這項發展感到開心。他們沿著運河走了一會兒，前方就是她的住處所在——不過她沒提到她的住處就在那個方位，因為她不希望他建議去她家，至少目前還不希望——然後他們左轉，右邊好像經過一個公園……此刻，兩人在一座U字形的現代建築外面，站在玻璃門前，奧利弗尋找鑰匙。

門上方的金色字體寫著「克羅辛」。

她說出這個名字，提高句尾的音調，表示是疑問句。空腹喝了這麼多酒的她，覺得「克羅辛」——意思是「十字路口」——聽起來是個很蠢的名字。

「哈羅德十字路口。」奧利弗以解釋的語氣說道。

「誰的什麼？」

他發笑。「我們在哈羅德十字路口，這個地區的名字。」

「噢。」

他用一塊塑膠片觸碰感測器，一扇門乖乖地喀啦開啟。兩人進入一個玻璃組成的大廳；上方一盞燈綻放光芒，琦菈不禁眨眨眼睛。

透過對面的另一扇門，她瞥見一座中庭，其中央地帶有一個咕嚕作響的水景，周圍是木椅和精心種植的樹木和花圃。公寓聳立於周圍三面，每個陽臺都是空的，纖細的窗簾後面透出柔和燈光。

「你有室友嗎？」她問。

「我一個人住。這是工作上的安排，公司有提供住處，不過只是暫時的，我只有三個月不用付租金。」

「三個月之後呢？」

「到時候再走著瞧。」

他咧嘴而笑的方式，讓她懷疑他希望她覺得到時候的「走著瞧」會跟她有關。老天，她真的需要吃點東西。

她跟著他經過電梯，走過一條長長的走廊，一旁是幾道相隔很遠的門扉，門裡沒傳來聲響。她刻意跟在他後面幾步處，因為過了這麼久，加上喝了那麼多酒，她的妝容不可能還跟她出門時一樣，而上方自動綻放的明亮白色聚光燈只會讓她的面貌顯得更糟。

他推開他住的公寓房門——上頭寫著「一號」——揭露一個光線柔和的空間，她鬆了一口氣。

「進來吧。」他誇張地揮動一手。

她微笑著接受了邀請，她的靴子接觸硬木地板時，發出空洞的聲響。

他拿走她的大衣，說要帶她參觀室內，然後他帶她進客廳，指向各處——兩間門扉緊閉的臥室，第三扇門半開，裡頭是一間浴室，裝有大型蓮蓬頭，鋪設稱作「地鐵磚」的瓷磚。

這裡的生活空間是開放式的，後側有個光鮮亮麗的廚房區。牆壁是白色的，飾以抽象的藝術圖案。（他說「這裡本來就是這樣裝潢。」）深棕色的L形皮革沙發面對著一個嵌在牆上的黑色玻璃盒，奧利弗按下某個開關，玻璃盒裡的人造火開始「燃燒」。玻璃盒上方掛著一臺平面電視，比琦菈的餐桌還大。他拉起大窗——不，那是落地窗——的窗簾，窗外面向中庭。

這裡沒有東西，沒有財物。除了沙發上一本攤開的雜誌之外，這裡沒有任何私人物品。但這裡散發的並不是一種醫院般的整潔，而比較像幾乎無人居住，彷彿這是他剛剛入住的度假屋。

廚房也散發同樣的怪異、冰冷、荒涼的感覺：流理臺上幾乎空無一物，只有一瓶超市自有品牌的橄欖油和一卷廚房紙巾。

「光是這個空間就塞得下我的整個住處。」她說。

他回到她身邊。「我知道這是很奢侈的煩惱，可是這裡其實真的有點太大。我覺得我像是一直在這兒轉來轉去，只有我一個人。」他停頓幾秒。「孤零零。」

兩人目光相遇，一道電火連接著彼此之間的空氣，一道閃電劃過原本漆黑的天空。

「這個嘛，」琦菈開口，希望能順利說出接下來的六個字，因為她覺得自己整張臉龐即將燃燒，背叛她，讓他知道她多麼緊張。「我現在在這裡。」

「我很高興妳在這裡。」

他輕柔地說出這句話，而且對她伸手。

她讓他這麼做。

他用雙臂摟住她的腰，把她拉近，直到彼此的臉貼在一起，臉頰互觸。她能感覺到他的溫暖鼻息，聞到裡頭的啤酒味。這突如其來的強烈親密感令人迷失方向，加上混合了酒味，讓她覺得自己放鬆得彷彿成了液態。

她不再那麼緊張。她成了更勇敢的自己。

也許她甚至成了不一樣的人。

他把嘴唇貼在她的太陽穴上，呢喃道：「我不想害妳被傳染。」

她能聽見——然後感覺到——他的微笑。她用一手摟住他的腰，直到貼在他的腰背上。他襯衫底下的皮膚感覺灼熱。她的另一隻手順著他的胳臂撫過他的肩膀，直到接觸到他脖子上的皮膚，她托起他的下巴，把他拉向她。

「我願意冒險。」她對著他的嘴唇說。

據她估計，他們目前一共相處了大約十個小時，只是純聊天。但他的嘴找到她的唇的時候，他們對彼此說出自己不可能說出的話語：他們是兩個非常孤獨的人，渴望被觸摸，需要被觸摸，**求之若渴**。溫柔很快變成了急切，彷彿兩人都在試圖跨越皮肉形成的屏障。

她解開他的襯衫鈕釦。他的胸膛蓋著一層細緻的黑毛。她把手掌按在上頭，然後往上挪向他的鎖骨和肩膀，從他的皮膚上脫下襯衫。這時他後退一步，自己動手脫下上衣，然後她看到了：一條粗纜般的疤痕，像一條蛇一樣爬過他的側身。

注意到她的目光，他調整身子的角度，讓她看得更清楚。

「我知道，」他說：「很令人難忘吧？」

這條銀線般的較新皮膚大約寬半吋，從他的左肩胛骨下方蜿蜒至腰部，疤痕兩邊有許多淡色的小點，彼此以整齊的間距相隔，看來傷口在癒合期間顯然是用釘皮機固定，而皮膚對釘子留下了記憶。

她輕輕用指尖撫摸。「發生了什麼事？」

「這不是個好故事。」他嘆氣，彷彿不太願意說出來。「我當時十七歲，某天晚上出去玩的時候跟人打架。我喝多了，愛逞強，用錯誤的方式瞪了一個傢伙，用錯誤的方式瞪了一個**不該瞪**的傢伙。他在外頭等我，往牆壁砸破一個酒瓶。我知道我很幸運，沒傷得更慘，不過……」他轉身面對她。「我覺得我為了片刻的瘋狂付出了高昂的代價。那甚至不是瘋狂，只是愚蠢。而現在，這條疤會跟著我一輩子，但我根本不是它反映出來的那種人。」

「我真的很抱歉。」她說。

「這不是妳的錯。」

「這也不是你的錯。」

他撇開視線。「這我就不知道了。」

她觸摸他的臉頰，把他的臉龐——連同眼睛——再次拉向她。

她現在不再緊張，不再想太多。

她感覺到一種怪異的平靜感；她腦袋裡的說話聲奇蹟般地消失了。這幾天的感覺，就像一扇門被非常、非常緩慢地打開。而現在，琦菈終於準備踏進去。

我做得到，她心想。

這比她想像的要容易，但門的另一邊並沒有堅實的地面。

她不在乎。她把臉靠向他，吻了他。

她跨過門檻，整個人墜入其中。

五十六天前

「妳先請。」這是他第一次對她說出口的幾個字。

他們倆都站在特易購超市裡自助結帳隊伍的尾端。現在是星期五的午餐時間，也是他這星期第五次來這裡買三明治，因為打從他開始在馬路對面那家公司工作，他每個工作日就會在這時候來這裡，幾乎毫無例外。

這也是他這星期第五次看到她在這裡、做著同樣的事。

似乎是同樣的事。

要不是因為那個袋子，他可能根本不會注意到她：一個搖來晃去的帆布小袋，上頭有太空梭的圖片。星期一那天，最先引起他注意的就是這個袋子。星期二那天，他又看到這個袋子。在星期三看到它時，他心想連續三天看到它——還有她——是不是很奇怪，而在星期四，他得出結論：確實很怪。

他就是在這時候注意到她怎樣拿著這個袋子：拎著提把，在身邊擺動，儘管它顯然一直是空的，直到她通過收銀臺。為什麼不把它摺起來拿在手裡，或夾在胳臂下，或收在她單肩背著的小包裡，直到需要它的時候？

他總覺得，她似乎想讓人們看到她拿著這個袋子。

又或許，只是想讓他看到。

這就是為什麼他開始注意她。他好奇：為什麼他從沒在這些走道上看到其他佩戴藍色掛繩的員工？就跟所有優秀的科技公司一樣，他們的大樓裡應該有免費食物，而且是**很好的**免費食物，像是新鮮的壽司，還有常駐的咖啡師，那麼為什麼他們的一個員工會來這裡排隊，等著花錢買一個無味、受潮、用保鮮膜包裝的超市三明治？

也許他只是以前沒注意到這點。

可是，他每天吃午飯的時間都略有不同，他在方便休息的時候才離開辦公桌，她卻總是和他正好在同一時間出現在這裡？

連續五天？

今天，他看到她站在入口附近的飲料冰箱旁，耐心地等一個穿藍色襯衫的二十多歲男子先從冰箱裡選完東西。

他先是看到那個跟平時一樣空空如也的袋子，然後看到她似乎每天都穿的綠色冬衣。

他這個星期一直在記錄細節。

以防萬一。

她比他矮一呎，年紀跟他差不多，身形苗條但不算瘦；她的臉和下巴有種圓潤感。她散發一種低調的魅力。她的頭髮是淺棕色，髮梢是一刀齊，所以她在移動時，兩側的頭髮就像窗簾一樣在肩上擺動。她的掛繩是亮藍絲帶，上面掛著條形碼、一張護照式的小照片，連同一家科技公司的商標，那家公司的雲端運算部門的歐洲總部占據了一整座大樓，離這裡只有幾分鐘的步行路程。她的掛繩證件上有幾行文字，他沒能湊近看清楚。

他未曾發現她有在看他，但這並不重要。她可能沒有故意看著他，但也可能非常擅長偷瞄人。

又或許，這一切都是他在胡思亂想。

他從她身邊走過，來到超市的最後側，在熟食櫃檯排隊，點平時點的東西：雞肉三明治，餡料和美乃滋抹在黑麥麵包上，不加奶油。為了阻止自己在走道上尋找身穿綠色羊毛大衣的女子，他拿出手機，全神貫注地看著新聞應用程式裡的最新頭條新聞。然後他走向櫃檯，看到她正要排隊——時機完美，但對誰來說完美？——然後他停在後面，好讓她比他先一步結帳，她就是在這時候停下腳步，抬起頭，兩人四目交會。

她臉上閃過某種情緒——驚訝？某種熟悉感？——就在這時候，他心想，**我以前在別的地方見過她**。

別的地方，不同的處境。

哪裡？

何時？

「沒關係，」她咕噥，搖晃右手裡的瓶裝水，後退一步。「我剛發現我拿錯了。」

她轉身往反方向離去。

然後他心想，**逮到妳了**。

他知道回來愛爾蘭會有風險，但他認為已經隔了這麼久，自己已經成了昨天的新聞。此外，就算誰有興趣揭露他的身分，也必須先找到他。他現在冠的是他母親出嫁前的姓氏。他在離開倫敦那天跟認識的每個人都斷絕了聯繫，只有兩個人例外：他能信任的哥哥，還有因為公事而必須信賴的丹恩。奧利弗現在有一個更好的掩護身分，並且更擅長堅守這個身分。他不冒險。他**拒絕**冒險。

在倫敦發生的事絕不能再來一次。

但現在，他連續五天——儘管每天的時間略有不同——都在他辦公室對面的超市裡，看到這個有點眼熟的女人搖晃著小小的太空梭袋子，這讓他開始疑神疑鬼。

她究竟是誰？

她究竟是**什麼**？

奧利弗走出超市後，躲進最近的門口，再次拿出手機。他打開瀏覽器，在搜尋欄位輸入他的名字，他真正的名字，只看到以前那些同樣的東西。然後他查看推特，在網址列輸入 twitter.com/ireland。螢幕上出現了 @ireland 網頁，更重要的是搜尋欄位；他自己沒有推特帳號，但這麼做能讓他進行搜索而不用登入。管理記者及出版社的相關法律似乎管不到推特這種糞坑般的網站，但他在這裡也一無所獲。也許他真的只是想太多。

就在這時候，事情發生了。

他抬頭看到她，她正要從他身旁走過，搖晃著那該死的袋子。

他原本沒打算這麼做。他完全沒有預謀這麼做——而這在這裡成了問題，他就是因此在多年前在倫敦惹上那唯一一次麻煩。

他沒先想清楚，而是**直接做出行動**。

他張嘴，「袋子很漂亮」這幾個字自動從中滾出。

她驟然停步，臉色蒼白。「我的……？」

他已經後悔了。他不該跟她搭話。他明明知道這點，他不是笨蛋。但唯一比「她是記者」更糟的可能是，她認為他笨得根本看不出她是記者。

而且他已經跟她說話了。

「妳的袋子。」他指向那一處。

她低頭看著自己的袋子，然後抬頭看著他。

「謝了，」她說：「這是來自無畏號，那間博物館在——」

「紐約，」他幫她說完。這個記者顯然做足了功課。「航空母艦上那間，對吧？」

「嗯，一次。」

咱們來看看她做了多少功課。「妳去過？」

她可真聰明。既然她只去過一次，就不用說出太多細節，也能讓這個故事聽來真實。

「好玩嗎？」他問。

「呃……」

就是這個反應，她的遲疑，讓他確信自己的懷疑是正確的。

在這一刻，勝利的高潮，戳破她的偽裝而讓他感到的沾沾自喜，壓過了「這對他的未來可能意味著什麼」的恐懼。但他不能**說**自己猜對了，不能告訴她他知道她是誰。如果他揭穿她的身分，這只會讓她確認自己沒找錯人，他就是她迫切想要的新聞來源。

所以他選擇另一個最佳選項：裝傻，看著她扭捏不安。

但他為何要受折磨？

他們為什麼就是不能離他遠一點？

沒錯，他承認，太空梭這個道具是很聰明——那件印有太空總署標誌的T恤是多年前最常被報導的證據之一——但她不可能做足了充分準備。不可能。這只是一層薄薄的掩護，他確信不必挖得太深就能找到它的底部，揭露她的真實身分。

「是啊，」她終於答覆：「不過比不上甘迺迪太空中心。」

奧利弗驚訝得眨眼。這女人願意陪他**玩**。

他朝她走近，觀察她臉上有沒有出現任何不安。但她不但沒出現這種反應，還甚至朝他**走近一步**。

「其實，」他說：「我到現在還沒遇到有誰能說出所有五架太空梭的名字。」

「我也還沒遇到有誰知道太空梭其實有六架。」

她的口氣介於挑戰和不屑，這令他大吃一驚。如果她真的是記者，不是應該對他甜言蜜語？如果她的目標是促使他開口，那她就不該在口頭上羞辱他吧？

也許她只是在虛張聲勢，混淆他的判斷力？

「**六架？**」

她開始一一說出每一架太空梭的名字。

但她**不只是**說出名字而已，也說出每一架的下場。她知道日期。她甚至說出企業號。她說它是「軌道載具」。而且她說話時看著地面，這更讓他確信她是事先記住，現在憑記憶背誦。

不過……

這也讓他有機會近距離看清楚她的掛繩。上頭的護照式相片確實是她，只是頭髮比較長，而且她站在過白的亮光背景前。上頭的文字說她的名字是琦菈‧W，而且她的職務是科技客服。

看起來像真的。

這讓他再次覺得不確定。

也許她**真的不是**記者。也許她真的是在轉角處那家科技公司工作，因為喜歡太空梭而隨身攜帶一個有著相關圖案的袋子，而他在這星期之前就是在這裡見過她，因為她在附近上班。

但這無法解釋為什麼她和他這五天都在同一時間來到這裡，就算他每天明明是在稍微不同的時間來此。沒錯，他來這裡的時間點都大同小異，差別頂多二、三十分鐘，但話雖如此……

這項事實感覺就像鞋子裡的石子，雖小但非常擾人。

他需要更瞭解真相，好解決這個問題。

「我正想去喝杯咖啡，」他對她說：「我能不能也請妳喝一杯？」

＊　＊　＊

他把她帶到街上稍遠一點的「失眠咖啡」分店，因為他知道連鎖店的櫃檯都是以類似方式擺設。他不確定身上的現金夠不夠付飲料的費用，他也不會在她面前拿出簽帳金融卡。她如果真的是記者，就可能知道他母親的姓氏，而如果被她看到他在金融卡上的名字，她就能確認他就是她在找的人。

她說她要一杯卡布奇諾，所以他點了兩份，並建議外帶，這樣他們就能在外面喝，也許還能在運河邊找到位子坐。她似乎急於接受這個邀請，也對他做出這項提議感到雀躍不已。

他又感到懷疑。

但接著，他在收銀臺付錢的時候，她在櫃檯盡頭等他。這也沒關係，因為他在口袋裡發現一張十歐元鈔票，但如果她真的想確認他的身分，不是應該試著靠近他、窺視他的錢包裡有什麼東西？

他再次感到懷疑。

這真他媽累人。

天氣一整天都在變，但他們回到外面時，陽光明媚。他們在加油站旁邊的矮牆上找到一個空位，能看到運河。安坐下來之後，他請她說說甘迺迪太空中心。

他從沒去過那裡，但有在網路和電視上看過關於它的事情。他年輕時除了去過法國度假之外，沒去過任何地方，如今也不可能去美國旅行。

您是否曾因嚴重損毀財產或嚴重傷害他人的罪行而被捕或定罪？

他這項請求似乎沒嚇到琦菈。她甚至似乎急著描述那個地方。她告訴他，有輛遊覽車會帶你參觀發射臺、飛行器裝配大樓，以及平時在電視上看到用於倒數的那個藍色時鐘。她描述了ＩＭＡＸ電影和火箭花園，而後者就跟字面上的意思一模一樣。其中一座「設施」模擬太空梭升空，她說這讓人覺得脖子痛。在阿波羅中心能看到農神五號火箭，亞特蘭提斯號太空梭也在那裡展示。「它就突然出現在眼前，」她說：「出乎意料，就像個驚喜。你被趕到一個龐大又黑暗的房間裡，觀看關於太空梭計畫的影片，然後，到最後，銀幕向上收起，揭露那架太空梭，它就在……**就在那裡**，就在你眼前，無比壯觀。貨艙門開著，而且太空梭以某種角度傾斜，所以看起來就像在太空中飛行。那真是不可思議。人們忍不住發出驚呼。我在它周圍走了一圈，拍了一大堆照片，看了所有的展品和東西之後，回到了我進去的地方，等銀幕升起，這樣我就能看到其他人的表情，看到他們的反應，那種感覺……」

她說得很誇張，彷彿在演戲。太誇張。

他臉上一定出現了什麼情緒，因為她看著他，似乎也意識到同樣的問題。「說真的，我一直很想去那裡，」她急忙道：「其實從我小時候就想。所以那種感覺有點像，我也不知道該怎麼形容……走在夢境裡。」

他說：「我真的很想去。」

這不是謊話。

她似乎鬆了一口氣。「你是應該去。」

「嗯……問題是，我討厭天氣熱的地方。」

這是理由之一。

「老天，別讓天氣阻止你。那裡到處都是冰涼的空調和噴霧機。況且，佛羅里達州也不是哪裡都又熱又悶。我是三月去的，當時的氣候其實還滿舒適的。」

「是一群女生一起去？還是……？」

她假裝沒注意到他在打探她有沒有男朋友，他也假裝沒注意到她有注意到但假裝沒注意到。

「主要是為了工作。奧蘭多市舉辦了一場科技大會……」

曾在倫敦跟他合租公寓的室友去年參加了那裡的會議——諷刺的是，那場大會跟「低碳足跡旅行」有關——所以奧利弗碰巧知道那座城市確實有個大型會議中心。也因為他對這項消息感到意外，他原以為當地只有迪士尼度假區，只有雲霄飛車和穿紅色短褲的人型老鼠，所以他問：「奧蘭多？真的？」室友告訴他，跟美國其他城市相比，其實奧蘭多擁有最多的會議中心，而且旅館房間數只輸給拉斯維加斯。所以她的說詞符合他的認知，但這是因為她在說實話，還是因為她做足功課？

她看著運河，默默啜飲咖啡，他利用這個機會觀察她。

「妳來自科克市吧？」他問。

他其實不太擅長判斷口音，但似乎能在她的話語裡聽到科克腔。

「原本是。」她說：「後來在我七歲的時候，我們全家搬去曼島。」

他好像從沒見過有誰來自曼島。他只知道曼島在愛爾蘭海，當地會舉辦摩托車賽車。

她問他來自哪裡，他回答說基爾肯尼。沒人記得他原本究竟來自哪裡，只記得事情在哪發生，所以分享這點真相還算安全。她問他在都柏林多久了，他坦承在這裡待了六個星期。

「七個星期前你在哪裡？」

「倫敦，」他說：「妳呢？」

「我在都柏林多久了？」她故作沉思。「這個嘛，如果算到下週一，啊……七天。」

「七天？」而他在其中五天裡都看到她？「我還以為我才是這裡的菜鳥。」

她發笑。「不，要比誰菜的話，是我贏了。」

「妳之前在哪？」

「科克，我大學畢業後就一直在那裡。我念的是斯旺西大學，是二〇一七年那屆畢業生裡的小角色。」

他在腦海裡計算。

二〇一七年畢業。假設她在十七、八歲的時候上大學，這表示她現在……二十五、六歲。她說她是在七歲時全家搬去曼島，所以當時大約是……二〇〇二年。在那件事發生的前一年。在他受審的兩年前。

「那你呢？」她問：「你念哪間？」

「紐卡索大學。」他心不在焉地說。

他心想，他該如何看待「她當時不在愛爾蘭」的這筆情報。她說出的時間軸相當緊密——緊密得讓他懷疑這是不是捏造的。而就算是真的，誰能確定曼島居民不知道愛爾蘭的頭條新聞？

他突然覺得疲憊，玩這場遊戲讓他感到筋疲力盡。他總是**被迫**玩著某種版本的遊戲，就算那件事已經是好幾年前的事了。

而且他沒辦法判讀這個女人，至少無法有效判讀。

一定有某種更有效率的方式，能讓他查清楚她究竟是誰。

「我該回去上班了，快遲到了。」他查看手錶——其實他的午休還剩至少二十分鐘——然後起身。

她也站起來。「嗯，我也該走了。總之……謝謝你的咖啡。」

然後他想到一個點子。

「聽著，」他說：「我原本打算去看那部新的阿波羅紀錄片。在星期一。晚上。鎮上一間小戲院在放映。也許——如果妳有興趣，我們可以，呃，我們可以一起去看？」

他無法判讀她的表情。

是震驚？不安？**驚慌？**

也許他把她逼得太急了。如果她的任務是接近他，那麼她應該很慶幸他如此邀約，但如果是這樣，這表示她知道他是誰、他是什麼，這可以解釋她為什麼不太願意多跟他相處。

「老天，」他移開視線。「我在這種事上真的很遜。」

但她似乎恢復過來，跟他說這主意聽起來很棒。他表示他會負責訂票，提議下午五點半在他的辦公室外面會合。她問他的辦公室在哪，他說明。

「我把我的號碼給妳，」然後他說：「以防在最後一刻有任何變化。」

「好，沒問題。」

他說出號碼，她記在自己的手機裡——而且正如他所希望的，她傳了簡訊給他，這下他就有了她的號碼。

「我在聯絡簿裡會把妳記成『太空梭女孩』。」他說。

她微笑。「聽起來不錯。」

「最好也記下妳真正的名字。」他說話時盯著自己的手機，在螢幕上敲鍵盤，盡可能保持語調輕鬆。「琦菈……？」

「懷斯，」她說完。「W—Y—S—E。」

任務達成。

兩人一起走回他的辦公室，然後互相揮手道別。

他轉身進入大樓時，意識到她從沒問過他姓什麼。

＊＊＊

奧利弗搭乘電梯來到四樓，左轉進入「ＫＢ工作室」的辦公室。大夥在週五總是忙於場外的客戶會議，再加上現在是午休時間，所以大多數的辦公桌都空無一人。他來到自己的桌位，調整電腦螢幕的角度，如此一來，就算有誰來到他旁邊坐下，也很難看到他在螢幕上看著什麼。

他打開瀏覽器，在搜尋欄位裡輸入「琦菈·懷斯」，按下輸入鍵，螢幕上立刻塞滿搜尋結果。

這個地區有個名叫琦菈·懷斯的校長最近退休了。另一個琦菈·懷斯在多尼戈爾會計師的網頁上刊出自己的履歷表。還有幾個同名少女的社交帳號，以及一個同名的 Pinterest 板，寫滿關於紋身的想法。

這些人似乎都不是她。

但他也看到幾筆LinkedIn的個人資料。他登入這個網站，再次確認自己的隱私設定；和往常一樣，他設定成在瀏覽其他人的資料時隱藏自己的身分。他在這個網站立刻找到她，她就擺在第一位。

相片是她的求職大頭照，頭髮比現在更長也更深。教育一欄列出在曼島的高中，還有在斯旺西大學修得企業管理的學士學位。二〇一七年畢業，正如她所說。她的經歷包括在科克的蘋果工廠的「營運與供應鏈」中擔任三個不同的職位——看來她在斯旺西畢業後回到科克——還有她目前的職位：賽洛斯網路服務的都柏林辦事處的技術客服。她開始工作的時間是二〇二〇年二月。個人資料上幾乎沒有其他內容，而且她只有幾十個聯繫人，但上面的所有內容都跟她所說的相符。

話雖如此，這也只是個網站頁面，用戶自行在上頭輸入文字。他現在就能瞎掰一篇，說自己上過哈佛，現在是太空總署的太空人。

他需要靠自己確認。

他搜尋了推特、Instagram和臉書，但完全沒找到她的資料，至少在設為「公開」的使用者上沒找到她。

他陷入沉思，手指敲著桌面。然後他回到Google，在搜尋欄輸入「賽洛斯網路服務都柏林」。

他找到一個本地電話號碼，地點在伯靈頓路。他猜這個號碼應該是個遙遠的電話服務中心，琦菈根本不在那裡，但還是值得一試。

他在辦公桌上的電話機輸入號碼，然後把話筒貼在耳邊。

電話只響了一聲，就聽見語音訊息說：「感謝您致電賽洛斯愛爾蘭。如果您知道要撥打的分機號碼，請現在輸入。或是按零，由總機為您服務。請注意——」

他按下零。喀啦一聲，然後又一聲鈴響，接著一個男性的愉悅嗓音傳來：「午安，這裡是賽洛斯。我能如何幫您？」

「呃，嗨。我不確定我有沒有打錯號碼——這是伯靈頓路上的辦公室嗎？」

「您想找誰，先生？」

「琦菈·懷斯。她是——」他在電腦上點開另一個視窗，看著她的 LinkedIn 資料。「技術客戶服務。」他聽見電話另一頭傳來模糊的敲鍵盤聲。

「我沒辦法幫您轉接過去，」男子說：「不過我可以給您她的分機號碼？」

「好極了。」

「她的號碼是五、四、一、〇。」

他把號碼寫在鍵盤旁邊的便利貼上，雖然他並沒有打算打電話給她，以免讓自己的多疑提升到前所未有的程度。

「謝謝你。」他說。

「感謝您致電賽洛斯愛爾蘭。」**喀啦**。

奧利弗此刻比以往更感到困惑。只有兩種可能：這是他目前見過最高明的騙局，不然就是琦菈沒說謊。

她是個好女孩，心裡只有出自人類本能的那個企圖。**正常的**那個企圖。她喜歡某人，想更瞭解對方，希望事情能朝……

浪漫的一面發展。

這個詞彙讓他覺得陌生，彷彿借自另一個語言。

如果她真的就是這麼想？這並不表示威脅解除了，而只是某種危險被另一種危險替換。

倫敦那場爛攤子不就是這樣發生的？

他該刪掉她的電話號碼。他該忘了她，開始帶午餐上班，因為他不能跟她發生任何事情。就算如果——**如果**——他暫時假扮成正常人，真相終究會浮出水面。真相龐大得無法隱藏。

他跟其他人保持距離時，一切都會變得容易許多。唯一能擺脫影子的辦法，就是站在黑暗中。

問題是，奧利弗討厭黑暗。

他拿出手機，找出她為了讓他知道自己的號碼而傳給他的簡訊。**怕你以後忘記：企業號、哥倫比亞號、挑戰者號、發現號、亞特蘭提斯號、奮進號**。她還放了火箭和拋媚眼的表情符號。

他的拇指懸在螢幕上，準備刪掉這條訊息。

他該這麼做。

但他沒這麼做。

今日

莉亞把浴室門稍微往後推，勉強從旁通過，暫時無視門另一邊的恐怖場面。她知道**那東西**在這裡。她首先要做的，是確認這裡還有沒有其他東西。有沒有其他人。

她叫自己無視引發嘔吐反應的氣味，專注於場景，記錄細節——而且動作快，因為她沒辦法忍耐多久。

走廊有另外三扇門，每一扇都開著。

在她的右手邊，在浴室後面，是一間小臥室，裡頭沒什麼東西。狹窄的衣櫃是內置的——而且裡頭空無一物——唯一的家具是一張沒鋪床單的彈簧床，靠在遠側的牆邊，還有一張充當書桌的餐桌。

桌上放著一臺闔起的筆記型電腦、一些紙張和筆。電腦上貼著一張貼紙，上頭寫著「ＫＢ工作室」。一臺印表機放在桌底下的地板上，沒插上電源。

房間裡只有一扇窗，裝在上頭的捲簾是完全收起的狀態，能看到外頭的中庭。

在走廊的盡頭，面對前門的是主臥室。雙人床沒有整理，炭灰色的床單從最靠近門的那一側向後掀開，另一側則沒被碰過。她拉開床頭櫃的抽屜，發現裡頭只有灰塵。衣櫃裡放著兩個行李箱，一大一小，從重量來判斷是空的；一小疊摺起的牛仔褲；一排掛著的西裝和襯衫；抽屜裡是襪子和內衣。

都是男性的，尺寸都差不多。從衣服的風格來判斷，她猜這個人大約二、三十歲。裡頭還有一些跑步裝備、一個裝有體香膏的盥洗包、男士保溼霜，以及一瓶藍色的義大利香水「帕爾瑪之水」。

她估計，只有大約三分之一的衣櫃空間有被使用。

這裡還有另一扇窗能看到中庭，這扇更大，被百葉窗徹底遮住。床邊一盞檯燈開著。

走過走廊左邊的門，是一個開放式的起居空間，其中一側是廚房，是莉亞在Instagram廣告上常看到的那種——出現在都柏林新建案裡，但從沒在任何人家中看過：光滑、全白、乾淨得發亮。

這裡看起來好像從沒使用過。她覺得這裡的L形流理臺一定長達十四呎，但上頭空無一物，只有一臺喬治．克隆尼代言的咖啡機、一只孤零零的隔熱手套，以及一組附有塑膠卡的鑰匙。

塑膠卡串在環上，上頭印著「維瓦物業」的商標。

廚房和客廳之間以早餐吧檯為界，客廳裡只有一張大型的棕色皮沙發，以及一張小茶几。牆上掛著一臺平面電視，其下方是幾可亂真的人造火。牆壁漆成白色，掛著連鎖酒店大量購買的那種無意義的抽象圖畫，能在避免吸引目光的同時不讓裸牆一片空白。

薄薄的隱私窗簾蓋住落地窗，窗外是小小的露臺。她用一根手指把窗簾拉開一條縫，看到外面有一張桌子和兩把椅子，桌上有一根殘餘的香茅蠟燭。落地窗雖然關著，但她一拉就開。

客廳有兩盞頂燈，其中一盞開著。

這番調查花了她大約四十秒，她認為自己大概只能再調查二十秒左右，否則她早餐喝下的咖啡可能會從胃袋裡上湧。

莉亞回到走廊，把浴室門徹底打開，但避免讓門板碰到走廊的牆壁，以防門把上有值得蒐集的證據。

她這麼做的同時，瞥見正在等她的東西，覺得喉嚨後側收縮。

她從鼻孔吸氣，試著尋找殘留的薄荷味，試著說服大腦相信自己只聞到薄荷醇。在犯罪現場嘔吐在口罩裡，**真的**不好看。

該做的還是得做。

莉亞低頭查看。

浴室沒有窗戶，頂燈開著。屍體是跪在地板上，臉貼在瓷磚上，雙臂垂於兩側，就在蓮蓬頭的正下方。身上的衣物看似牛仔褲和T恤。赤腳。淡棕色的短髮。臉龐沒有面對她。是男性，她心想，但無法確定：這個角度沒辦法看清楚，如果看清楚就必須破壞現場，而且屍體的某些部位形狀很奇怪。有些區域膨脹，有些凹陷，表示高度腐壞。沒有明顯的外傷或血跡，至少從她所在位置來看是這樣。腐爛的液體如淤泥般包圍著屍體，像漫畫裡的對話泡泡一樣流向排水孔。至於皮膚——

她用力嚥口水，強忍膽汁，鼓起勇氣。

她只能看到腳底、頸後和最靠近她的那條胳臂——死者的右臂——肘部以下的皮膚，但已經夠她受了。腳部皮膚起皺，呈深紫色，胳臂上有皮膚滑脫的跡象：表皮已經分離，就像嚴重晒傷後脫皮。

至少這裡沒有蒼蠅，她告訴自己。如果落地窗是開著的……她這時候一定已經回到外面，想找個適合的地點嘔吐。

浴室是沒有乾溼分離的那種溼室，鋪著均勻的黑色大理石瓷磚地板。一塊玻璃淋浴板聳立在黑色金屬框裡，旁邊原本是一扇相配的玻璃門，如今成了無數鑽石狀的小塊，散落在地板上。她看到死者頭髮裡有幾塊閃閃發亮的碎塊。

她轉頭查看身後。

牆上有一個鏡面藥櫃。她打開，查看裡頭，很快就看完了，因為裡頭就跟公寓的其他區域一樣沒什麼東西。

幾副拋棄式口罩，鬆散地疊在一個架子上。一瓶能讓頭髮顯得更濃密的洗髮精。一盒膏藥，還有一包吸塑包的綠色小藥丸。

她小心挪步，靠近查看，看能不能看到吸塑包上印著什麼。她覺得上頭好像寫著「542」，確認了那是「羅眠樂」，約會強姦藥物。

她關上櫃子，轉向洗手槽。

洗手槽上方有一個小架子，除此之外沒有其他儲物空間，所以她很快確定浴室裡除了刷牙用具（一把牙刷）、幾卷衛生紙和一瓶洗手液之外，什麼也沒有。還有門邊掛在鉤子上的浴巾。

屍臭味正持續把她胃裡的咖啡抽上食道。

莉亞轉向屍體。如果再靠近一點，就會碰到地板上的玻璃，天知道還有什麼，但她還是盡力俯下身，試著更清楚看到死者的頭部，然後——

在這個新角度下，她看到死者左側太陽穴附近有個看似受傷處，一團拳頭大的蛆蟲在這裡蠕動，她出現作嘔反應。

她想逃跑。

她想嘔吐。

她想邊吐邊跑出去，但她叫大腦保持冷靜，再撐幾秒鐘，她只需要幾秒鐘……

她把視線固定在傷口正對面的牆磚上，然後以直線向上移動——

找到了。

大約在胸口的高度，在頭部上方：一團棕色汙漬。乾掉的血。

接觸點。

三十五天前

琦菈又在自己的公寓裡走了一圈，邊走邊計算步數。她從小廚房開始，站在流理臺前，手掌平放在不是爐灶或水槽的唯一一處表面上，這是一塊厚厚的米白色美耐板，原本的光澤早已褪去。她走三步就來到客廳，這裡既是用餐區，也是臥室。臥室與廚房之間以所謂的早餐吧檯相隔，她只有在房地產節目上看過這種吧檯。

走五步，來到沙發。從沙發走七步來到一扇門前。從這扇門前走兩步來到公寓的前門。她轉身，用了四步走進浴室。

奧利弗比她高一呎。他需要的步數一定更少。

她站在洗手槽上方的鏡子前，查看玻璃上是否有汙漬，接著打開藥櫃，試著用陌生人的目光打量裡頭的東西。她在不到半小時前已經做過同樣的舉動，但這時仔細一想，覺得水泡膏藥可能會讓他聯想到紅腫的皮膚和流膿的傷口，甚至是她的紅腫的皮膚和流膿的傷口，所以她把水泡膏藥挪到一包眼部凝膠後面，眼不見為淨。

然後，她臨時起意，也把脫毛膏藏了起來。

她在大學某年暑假曾在一家海濱酒店當清潔工，此刻想起了當時學到的一些東西。

坐在客人會坐的地方。躺在客人會躺的地方。看到客人會看到的東西。

她放下馬桶蓋，坐在上面，環顧四周。

跟公寓的其他部分一樣，這間浴室很小，風格是七〇年代，裝潢是酪梨色，地板上是漣漪圖案的油氈材質，浴簾掛在一根似乎不太穩固的彈簧桿上。在她住在這裡的短短幾天裡，它已經兩次掉下來砸到她，其中一次正中她的額頭，留下紅色印記。至少浴室的角落縫隙最近已經重新填縫，但其光澤只是襯托出牆磚多年來泛黃得多麼嚴重。

她查看地板上有沒有灰塵、毛髮、沾到蠟的棉花棒。

合格。

浴室沒有窗戶，風扇故障，只有浴缸上方的牆上有一道狹窄的通風口，她已經清除了這一處的灰塵。她買了一小罐無刺激性的空氣清新劑——它聲稱能讓空氣聞起來像「柔軟的棉花」，雖然她搞不懂人要怎麼聞到「柔軟」——但她現在有點懷疑，它目前放在馬桶水箱上面，這樣是不是看起來有像在採取「消極的積極行為」……這樣看起來是不是像在表達某種需求？所以她把清新劑移到洗手槽下方的小架子上，把標籤那一面向外，以便容易找到。

然後她走了四步回到起居室，再走七步回到沙發旁。

她小心翼翼坐下，以免碰到沙發上的毛毯或膨脹的靠墊，並仔細掃視房間裡是否有灰塵、蜘蛛網或任何違規事項。

合格。這間公寓在她搬來這裡的第一天都沒這麼乾淨。

她不禁再次想著，他對這裡會作何感想。就像剛剛那樣，她試著以他的眼光查看這裡。對於一間在老舊塔樓裡的工作室公寓來說，這裡其實不算太糟。一扇大窗能看到晴朗的天空，因為這間公寓在這棟紅磚建築的頂樓，而城中其他建築都比這棟矮很多。此刻，傍晚的陽光把自然光灑滿室內，被光禿白牆反射、增幅。一張小小的方形餐桌，旁邊放著兩把椅子；一張老舊的凹陷沙發，被她在彭尼百貨買的深紫色毛毯蓋住——應該是三**條**紫色毯子，因為它們都很小，需要三條才蓋得住沙發。一張兼作梳妝臺的書桌。其中一面牆大部分的空間是櫸木表皮的內置衣櫃，但它其實是一張摺疊起來的壁床，床單和枕頭是用魔術貼固定。廚房門口掛著一幅褪色的都柏林日出油畫，但它對這個空間來說太大，而且掛得有點歪斜，看起來高了半呎。這裡沒有任何裝潢是彼此搭配的，個人物品也很少，除了被降級為筆筒的太空總署馬克杯，以及整齊地擺在旁邊的幾本老舊書籍。

她已經仔細檢查過每本書的書脊，想過它們會讓他對她作何感想。這些書籍是關於阿波羅登月計畫、一家壯烈失敗的科技初創公司、九〇年代發生於「和平號太空站」的危機、一部庸俗的驚悚小說、一部似乎暢銷了很多年的千禧世代文學小說，還有一本《傲慢與偏見》，因多年重讀而變得脆弱泛黃。

她把自己其實正在讀的書——一部歷史浪漫小說——藏在書桌抽屜裡。

她還從餐桌花瓶裡的粉紅百合中剪下了花藥，以防他不知道不能碰它們，以防他穿著一件繡有小馬球運動員標誌的針織套頭衫，來到這裡，俯身嗅聞花朵的氣味。

她再次掃視，沒發現任何地方不對勁。這應該讓她感到自信才對，結果卻適得其反：這種完美讓她感到格外脆弱，無法維持，就連幾分鐘也沒辦法。

她瞟向電視上的數位時鐘。

快八點了。他隨時會到。

她走了五步回到廚房，打開一個櫥櫃，再次確認裡頭的兩個酒杯很乾淨，沒有汙漬或殘留物。她確認了冷凍室裡有冰塊，打開烤箱門時不會聞到烤箱清潔劑的化學氣味，這種氣味會讓人懷疑這將以某種方式汙染熟食的味道；她也確認了烤箱裡不會看到一塊被遺忘已久、燒成黑灰的薯條。

「妳覺得他有沒有為了妳而這樣大費周章地打掃他的公寓？」她詢問空無一人的廚房。

他當然沒有這麼做。可是他的公寓是全新的，而且龐大。

她必須付出一番努力才能給他留下好印象。

門鈴響起。

她快步來到對講機前，朝麥克風說聲「喂？」，彷彿有人會做出回應，彷彿按下門鈴的人是個神祕客，彷彿那個人不是他。

然後她深吸一口氣，叫自己**他媽的冷靜點**。

「嘿，」隔著揚聲器，他的聲音聽來微弱。「是我。」

她按下開門鈕，透過揚聲器聽到相應的機械咔噠聲。

「六樓。」她提醒他，雖然她已經傳了兩次簡訊讓他知道她住六樓。她只聽見沉重的門扉被甩上。

她放開按鈕，回到主廳。她檢查最後一次，然後在鏡子前最後一次查看自己。

但檢查完畢時，她還沒聽到電梯的叮聲，也沒聽到走廊盡頭的防火門關上的咔噠聲，所以她有時間再檢查一遍。此刻，她在左眼下方發現一抹睫毛膏。這是怎麼發生的？**什麼時候**發生的？

她小心翼翼地用指尖擦掉。

叮。

喀啦。

開始了。

她打開前門，把頭探進走廊。他穿著牛仔褲、T恤和黑色皮夾克，拎著一個棕色紙袋，裡頭探出一瓶葡萄酒。看到她的時候，他露出微笑。

每次這樣看到他——近距離，朝她走來，**接近**她——她都不太敢相信這真的正在發生。

過了三星期**還在**發生。

她回以微笑。「你找到我了。」

「這一次有找到。」他顯得不好意思。「我剛剛**好像有**走錯路……」

她發笑，因為她警告過他，如果不仔細遵守她提供的路線就可能走錯公寓。這個住宅區有幾棟外觀一模一樣的公寓大樓，缺乏告示牌，而且有很多個出入口。

他來到她面前時，她後退，好讓他進來。

他停下腳步，彎下腰，用嘴迎接她的唇，他這麼做的同時舉起酒，冰涼的瓶身因此碰到她的側身。令她暫時嚇一跳的，不只是因為隔著身上的薄襯衫感覺到冰涼的酒瓶，也因為這名高大強壯的男子出現在她這個狹小擁擠的公寓裡。

就在這時候，走廊對面那扇門解開門鎖。

媽的。

門開了一條頂多兩、三吋的縫，生鏽的門鏈甚至沒拉緊。一名老婦出現在門縫裡，其身後只看到陰影。她瞇著眼睛，白髮緊緊地盤成一個髻，她用一隻指節腫脹、色澤藍白的手拿著醫療口罩摀住嘴。

莫菈，六樓的自行任命的首席執法官。

「禁止訪客！」她咆哮。

琦菈把奧利弗推進屋裡。「這項規定應該是從今晚半夜才開始生效，莫菈。」

「噢，所以他在那之前會離開？」

「這個嘛，其實……他，呃，他要搬進來。我跟他會一起生活。沒事的，」琦菈擠出笑臉。「妳不用擔心。」

莫菈的眼睛瞇得更細。「他沒帶行李。」

「他的家當晚點會來。明天。」

「妳的公寓擠不下兩個人。」

「我們會想辦法。」

「奈爾已經知道這件事了？」

「他確實知道。」琦菈揮手道別，用另一隻手拉上門。「祝妳有個美好的夜晚，莫菈。妳如果需要什麼幫助，跟我說一聲。」她關上門。

她轉過身，看到他站在多功能的客廳中間，正在好奇地打量一切。她默默咒罵莫菈打擾、壞了她細心安排的計畫。

她原本想看到他初次目睹這裡的時候出現什麼反應。她原本想測量他的反應。

「所以我成了這裡的住戶？」他咧嘴笑。

「剛剛那是我美好的鄰居莫菈。如果這裡是東德，她一定會隨時聯絡祕密警察。」

「奈爾是誰？」

「我的房東。」

奧利弗假裝擦拭額汗。「呼。」

「我的意思是，他**其實**也是我的前夫——」

「原來如此。」

「——也是我不為人知的孩子的父親。」

「噢，我有猜到。」

「你猜到我有小孩？還是猜到他是父親？」

「應該兩個都猜到了。」

「可是他讓我免費住這兒，只要我繼續陪他睡覺，所以……」

「很好的交易。」

「其實，」琦菈說：「你如果知道奈爾長什麼樣子，這個笑話就沒那麼好笑了。」

「所以奈爾長什麼樣子？」

「長得像他的年紀。好像大約八十五歲。」

奧利弗發笑。

兩人已經討論過以前交往的對象。她跟他說，她只有一個值得一提的前男友，名叫傑克，他們在大學相遇，一開始是朋友，在畢業後交往了十八個月。感情轉淡時，他跟她說問題在於她不想要好男人，但真正的問題其實是他不是好男人。

奧利弗說自己在大學時認識了一個女孩。有很長一段時間，他以為她就是他的真命天女。但她後來去海外工作了一年。他們維持了遠距離戀情，至少她原本是這樣讓他以為——但她在回來的那天，跟他說她認識了別人，這段關係就這樣結束了。

如果跟室友的短暫火花不算數（他們倆都有過），那麼她和他嚴格來說都沒跟任何人同居過。他們倆對約會應用程式都毫無信心，而且已經交換了最精采的恐怖故事。兩人都聲稱自己很不擅長調情——只要是關於「試著說服別人跟自己交往」，他們倆都不擅長——但兩人目前已經交往了三個星期。

「所以，」她說：「要不要我帶你參觀一下這裡？我該警告你，這麼做所花費的時間可能會長達十秒鐘。」

「我喜歡這裡，」他環視周圍。「這裡很……」

「幽閉恐懼症？」

她其實不覺得這裡讓人產生幽閉恐懼症，至少目前為止沒有。但這是她這裡第一次有訪客，而且訪客是他，六呎高的他，她滿腦子只擔心這裡一定讓他感到幽閉恐懼，這裡跟他住的地方多麼不同，而且她想讓他知道她知道這點，她並不天真，並不愚蠢。

還有那張床。那張該死的床。她幾乎能確定那張床對他來說太小。她現在幾乎能預測今晚會發生什麼事：今晚會很順利，他會留下來過夜，但從現在開始，他們應該會住在他那間更大也更好的公寓。

而且她不會抗議。

「我原本要說**小巧**，」他說：「而且這裡其實設計得很好。這年頭的公寓很少有這麼大的窗子。」他把袋子和酒瓶放在餐桌上，然後舉起雙手。「那個，呃，浴室在哪？」

她指出方位。「就在那兒。」

他前往浴室，她拿起袋子和酒瓶，拿進廚房。

此刻，浴室在她身後的牆壁的另一側。她拿出食物的同時，聽見水龍頭的流水聲。水聲持續了很久，看來他洗手洗得很仔細。他回來時，散發著她的抗菌洗手液的味道。

「妳在哪裡睡覺？」他問。

她指出方位。「床在那兒。」

「從牆上放下來？」他跟小孩子一樣興奮。

「相信我，那份新鮮感在五分鐘後就沒了。」

「這裡到處都整整齊齊。妳的，呃，東西都在哪？」

她解釋說，自己從科克搬來都柏林的時候，只有帶著一個大型行李箱，還有裝在袋子裡的筆記型電腦。她有個朋友原本會開他爸的廂型車把她的剩餘家當送來，但現在……**請勿進行不必要的移動**。這裡原本已經有一些零星用具——鍋碗瓢盆、熨斗和熨衣板之類的東西——至於其他需要但缺乏的東西，她已經在彭尼百貨暫停營業前買到了。在天下恢復太平之前，她的東西會暫時放在她爸媽家車庫裡的紙箱裡。

「不過說真的，我其實還滿喜歡這樣過日子，」她說：「我可能已經懶得搬那麼多東西過來了。」

來這裡的路上，他在他家附近一家高級熟食店買了兩人份的現成飯菜，只需在烤箱加熱就能吃。鋁箔容器看起來像是裝滿了千層麵，但標籤上寫著「bobotie」。琦菈根本不知道「bobotie」是什麼。標籤上也寫著價格，而她不禁心想：如果願意自己做飯，同樣的錢不知道能在超市買到多少食物。一個塑膠碗裡裝著「居酒屋沙拉」，還有兩份「柚子餡餅」。葡萄酒則是贏得了某人頒發的金色貼紙。

她偷瞄他一眼。

他彎著腰，頭歪向一邊，瀏覽她那些藏書的書脊。

她把烤箱設置到「bobotie」標籤上要求的溫度。加熱需要很長時間，也許她應該在他抵達這裡之前先做這件事。她把酒瓶放在流理臺上，用抗菌溼巾擦拭，接著也同樣處理食物紙盒。然後她把溼巾丟進垃圾桶，洗了手。她拿出酒杯，倒了兩杯，再把酒瓶放進冰箱。

然後她又洗了手。

這道手續是新常態，雖然絕對不正常。

她其實不相信酒瓶或食物紙盒會帶來危險，但他相信。他告訴她，他在這星期的廣播上聽到了一些關於疫情的消息；她也在網路上閱讀了幾篇相關文章。商店現在都很忙，貨架上的東西可能是剛剛才放上去，而某個顧客拿起來又放回去的時候咳嗽了……

「小心駛得萬年船。」奧利弗這麼說過。他有哮喘，這就是所謂的**慢性疾病**。他不想染病，她當然也不想成為那個傳染給他的人。

她拿著兩個酒杯（走了五步）走向他，說聲「來」，遞出其中一杯。他接過時，用另一手摟住她的腰，輕輕把她拉近。

「妳還好嗎？」他問。

她聞到他的氣味。「現在比較好了。」

「妳有看轉播嗎？」

她點頭。

那場公告是在不到兩小時前。愛爾蘭總理說他不想用「封城」這個字眼，但現在進行的手段其實就是封城。從今晚午夜十二點開始的兩個星期，每個人都必須待在家裡。你可以外出購買食物，或在住處的兩公里範圍內「稍微」運動，但除非你是某種不可或缺的人員，否則不能外出。人們不能造訪其他人的家中，不能計畫跟外人見面——就算在戶外也不行。

琦菈知道自己應該安撫胃袋裡沸騰的恐慌，因為一些非常、非常糟糕的事正在發生，但她太忙於處理胸口的緊張擔憂，因為她不知道這對自己和奧利弗來說意味著什麼。

她察覺到，他有著同樣的疑問但沒說出口。

她等了一秒，然後又一秒。

然後她覺得等不下去了，於是問道：「我們該怎麼辦？」

看他聳肩，她覺得胃袋下沉。

她和他是不是缺乏某種共識？她是不是徹底誤判了什麼？

驚慌失措的她開始回溯，還沒來得及思考就吐出話語，盡可能輕描淡寫。

「我的意思是，這裡離你家不到兩公里，所以……我們可以來一場有著社交距離的散步……？也許？我知道嚴格來說我們不該這麼做，可是這樣應該沒關係吧？」

看他皺眉，她匆忙說下去。「如果我去你家，你來我家，這樣應該也不會很糟吧？我們倆都暫時不用上班，也沒跟其他人見面。」她立刻對這番用字感到後悔，更因為自己臉紅。她只是**認定**他沒跟其他人見面。「如果我們倆只跟彼此互動，就不會散播疾病，甚至不會被傳染……不是嗎？」她為自己的語氣充滿強烈的希望而感到後悔。

她意識到自己最害怕什麼：儘管這一切進展得非常順利，但她只要做出一個愚蠢的舉動，就會徹底毀掉一切。

他從她身邊退開，而在可怕的幾秒內，她認為他現在認為她可能具有傳染性，她在無意間向他透露自己是個粗心的人，她的洗手和社交距離都不到醫療級別。

但他牽起她的手，帶她走向沙發。

兩人坐下，她灌下一大口酒，阻止自己再吐出任何話語。

「其實……」他依然牽著她的手，輕輕一捏。「其實，琦菈……」

老天，有話就直說吧。

他要甩了她？這就是他要說的？

他能甩了她嗎？畢竟兩人幾乎連交往都不算。

「我不太想違反規定。規定之所以是規定，是有原因的。」

她突然因為無奈的情緒而覺得四肢沉重，感覺就像她的內心正在洩氣，就像氣球在硬紙漿外殼裡爆裂。她現在唯一想做的，就是脫掉鞋子，躺在沙發上，一個人喝光剩下的酒。

她希望他離開。

她希望他留下。

事實是，不管事情看起來多麼順利，他們彼此其實並不認識，不算是。當前的疫情也揭露了這點，就像近距離在刺眼光線下看到真相。

他們不知道對方在這種時候會做什麼。他們是在政府強制要求之前就會戴上口罩、給手機和買回家的雜貨消毒的那種人？還是在陽光明媚的星期六和朋友們在公園裡喝啤酒，對斜眼瞪他們的路人回以譏笑的那種人？

他們問過彼此最喜歡什麼電影、在大學學什麼、今年夏天想去哪裡，卻忘了問彼此「你在全球疫情中是什麼樣的人？」。

「如果……？」他開口。

她轉向他，拚命希望事情還有轉機，但也不想表現出這種情緒。但他顯得不太確定，好像對自己要說的話有點羞於啟齒。

「什麼？」她催促。

「也許……」他慢慢地深吸一口氣，接著滔滔不絕地說出口。「這個嘛，我那裡不是有兩間臥室嗎？我們如果住在同一屋簷下，就不用擔心違規，不用擔心規定。加上我現在沒在工作的時候都跟妳在一起，所以這樣不會算是很大的變化，不是嗎？」他嚥口水。「而且也不需要把這想成什麼**正式的安排**。這只是暫時的安排。兩星期。我們到時候再靜觀其變，過一天是一天。如果事情不順利，妳還是有這個地方，所以……」

他停下來，滿懷希望地看著她，她很想微笑，想說「我願意」，但還是想先確認。「你究竟想說什麼？」

「我想說的是……」他又捏捏她的手。「琦菈，妳何不搬來跟我一起住？」

五十三天前

「而且很**沒必要**，」琦菈說：「我覺得，提供好喝的飲料，對客人親切點就好了，別搞這種神祕兮兮的狗屁。而且那種事——**那**才是祕密。祕密的意思是不讓人得到某個東西。沒錯，祕密的意思是真相，但也包括體驗、知識……隱瞞祕密就是避免讓人們進入酷圈子。這麼做就是試著決定誰能進入酷圈子，我覺得這樣很……」她欲言又止，已經不確定自己在說什麼。「我喜歡的不是祕密，而是發現了對我來說新鮮但其實一直存在的東西。祕密則不一樣。祕密具有破壞力。」

祕密具有破壞力。

這番話打開了某種開關。

因為琦菈推薦的雞尾酒，奧利弗原本開心地享受著一波溫暖的微醺感，但現在覺得這轉變成一種令他不舒服的熱度。

他的太陽穴冒出冷汗，臉頰泛紅。

他突然確定自己犯了可怕的錯誤。

他選擇這家酒吧，是因為它位於酒店深處，不太可能有路人光顧；這裡的客人大多是來自其他地方的旅人，很快就會回老家去。但現在，它與外界的距離，加上缺乏新鮮空氣，讓他恐慌得胸口收縮。

他能感覺她的視線在他身上。

一滴汗珠即將離開他的右太陽穴，她看到的那一側太陽穴。

「我明白妳的意思。」他心不在焉地說。

這次原本是調查真相的任務。他決定見她，盡可能蒐集情報，然後一勞永逸地確定她是不是他需要擔心的麻煩。

至少他原本是這樣告訴自己。他刻意否認自己其實非常**期待**這麼做。

首先，一切原本都按計畫進行。他其實根本沒訂那部紀錄片的票。這樣冒險跟她互動，就為了在黑暗中靜靜坐在她身邊？這麼做根本沒意義。他需要跟她談話。他打算故意「意識到」自己弄錯電影開始放映的時間，並建議他們在等待時先去喝一杯，但她提到了雞尾酒，讓他有切入的話題。

她顯然缺乏時間觀念，也沒注意到他們喝得太晚了，而且更好的是，她發現這點時並不在意。這一切都很順利。

順利得讓他忘了自己原本的**目的**。

每次能表現得像個正常人，就會對他產生這種效果。每次演戲，就可能給他產生強烈影響。而且他**喜歡**她，喜歡跟她相處，喜歡她給自己帶來的感受。

這很糟，因為他不能讓自己擁有美好感受。

他每次感到愉快，就會發生壞事。

「抱歉，」他從她身邊挪開，滑出包廂座位。「我又要去廁所。」

她微微皺眉。「一個晚上去三次？」

「我打破了封印。」

「其實我也要上廁所。我等你回來再去。」

「妳先去吧，我可以等妳。」

他等不了。他覺得顫抖、發燒，有點難受。

他讓這個晚上失控了。

「我能等更久，」她揮動一手。「你去吧。」

＊　＊　＊

他匆匆走下鋪了地毯的樓梯，一隻手扶著金色欄杆。他腳下的階梯感覺柔軟、不穩定，就像漂於水面、沒綁在碼頭上的小船。大門就在最後一道階梯的正對面，但門衛就在那裡，連同一對正在從計程車裡拉出行李箱的夫婦。奧利弗突然左轉，進入一條閃閃發亮的大理石通道，走向盡頭的自動玻璃門，走下幾級大理石臺階，希望電子感測器動作快點，讓他出去——

門以極其緩慢的速度分開，他側身穿過門，來到一條空無一人的黑暗街道。

這裡看起來像是由最糟糕的景象組成的地方：裝載區、後門、垃圾箱。正對面是一家擠在健身房和醫療用品店之間的日光浴沙龍，這類商店會把窗戶遮住而不是當成展示櫥窗。他在附近只看到一名停在遠處的角落、騎著自行車的「戶戶送」送餐員，她的臉被手機的藍光照亮。

他靠在一堵牆上，大口吞下冰涼凜冽的夜晚空氣。

他受夠了這一切，受夠了**當這種人**。他希望自己能安於現狀，能接受現狀。因為他每次嘗試建造石棺來蓋住過去時，石棺總是在完工前裂開。

既然嘗試只是自我折磨，又何必嘗試？

他被自動門第二次滑開時發出的嗖聲嚇得愣住，以為琦菈跟著他出來了，但出現在黑暗中的是另一名女子。

她年紀較大，身形瘦削緊繃，一條長長的金色馬尾在她的後背上晃來晃去。她穿著非常細的高跟鞋，一隻胳臂下夾著一個大信封造型的皮包。

就在她轉身看到他，她的五官因恐懼而抽搐的時候，他突然意識到，自己是個六呎高、滿身是汗的男人，站在一條黑暗空街的陰影中。

「抱歉，」他舉起一手，走向室內灑出來的光亮處。「抱歉。」

她站得一動不動，對他眨眼。

她連衣裙的深V領口，以及門上方的明亮光線，共同展示了她喉嚨底部一條三吋長的蒼白薄疤，顯然是很久以前的手術留下的痕跡。

這讓他想起自己的傷疤，還有他被迫為此撒的謊。

「我不是有意嚇妳。」他說。

女子的表情變得柔和，發出介於笑聲和吐氣之間的聲響。

「老天，」她說：「我剛剛好像真的心臟病發作。」她拉出胳臂底下的皮包，開始從中翻找。「行，我知道，抽菸對我的健康不好。」

「抱歉。」奧利弗重複。

她從皮包裡找出一盒香菸。這包菸顯然有些老舊，封口早已被扯掉，紙盒的其餘部分皺摺扭曲。她從盒子裡抽出兩根扭曲的香菸，舉起來，邀請他抽一根。

「我不怎麼抽菸。」他看著香菸。

她聳肩。「我也是。」

他接過一根菸，用她提供的火柴點燃，是個小小的黑色火柴盒，上頭印著酒店的名字。

實際的抽菸行為總是比不上期待抽菸的感覺，但即使如此，第一口菸還是讓他感覺更好些。他決定在上樓後找個理由向琦菈解釋自己身上的菸味，就說他剛剛為了接聽電話而走出室外，結果有個傢伙來到他身旁抽菸。

「今晚還順利嗎？」女子問。

他根本不知道該怎樣拿出真正的答案。他朝旁邊吐口氣，避免吐出來的煙接觸女子。

他說：「還行。」

「喝酒還是用餐？」

「喝酒。」他又抽一口。「可能喝太多了。妳呢？」

「用餐。」

「還愉快嗎？」

「餐點很好，」她說：「可是夥伴很糟。」

「約會的對象很差勁？」

她發出尖銳的笑聲，彷彿自己不可能約會。

「差勁的老闆。差勁的工作。這次餐會是因為工作。」

「妳是做什麼的？」

她短促地抽一口。「我算是獵頭者。」她吐出濃烈的一口煙。「招聘、金融，很無聊的那種事。」她把菸拿在眼前，看著尖端的橘色火光燃燒菸紙。「總之，今晚有免費的飯菜，還能讓我出來走走。疫情再這樣下去，我們恐怕過了復活節就沒辦法出門了，所以……」

她又抽口菸，皺起眉頭。

「妳其實**不**抽菸吧，」奧利弗說：「是不是？」

「這麼明顯？沒錯，我不常抽。我只是喜歡菸味——而且抽菸是個很好用的藉口，能讓你在耗盡了『上廁所』這種理由後離開人群。對我來說，抽菸是個非常昂貴、非常不健康的逃生艙。」她在牆上按熄香菸，朝他手上的菸點個頭。「如果菸嘗起來像信封上的膠水，是因為我在去年聖誕節前就把這包菸放在我的皮包裡——至少有那麼久了。」

「嘗起來沒問題，」他說：「謝謝妳。」

「你今晚是來約會？」

她提出這個問題時，投給他的眼神表示這不僅僅出於無聊的好奇心。

「其實，」他說：「我也不知道。」

但他默默在心中加了一句**我希望是**，而這令他驚訝。

也令他擔心。

「那麼……」她對他微微揮手，轉身走向門扉。「總之，享受今晚剩餘的時光吧。」

＊＊＊

他回到樓上，打算盡快找個機會結束這個夜晚。為了能盡早離開這裡，他趁琦菈在洗手間時付清了帳單。他請男侍拿走他剩下的雞尾酒，而且他果斷地拿起水杯裡喝下，試圖稀釋他血液中目前占主導地位的酒精。他決心保持清醒，直到有個自然的時機能跟她提議離開這裡；他僵硬地坐著，身體的不舒適提醒他：現在不是他應該放鬆的時候。

琦菈就算發現他有什麼變化也沒做出反應。她一定也有點醉了。她的眼神跟之前不一樣，瞳孔比以前大，而且她在說話時偶爾會結巴。

也許她的觀察力減弱了。她沒質疑他為什麼離開了這麼久，也沒發現他衣服上或鼻息中的菸味。他甚至不用撒謊解釋自己身上為什麼有菸味。

不用**再次**撒謊。

他看著她玻璃杯裡的水位時，她開玩笑地說她公司的迎新活動有點像邪教。她把杯子舉到唇邊，喝完最後一口時，他建議離開這裡。

她熱情地點頭。「沒問題。咱們走吧。」

她似乎有點站不穩，所以他輕輕引導她走下樓梯，一隻手放在她的背上。她把外套搭在胳臂上，他隔著她薄薄的衣料感覺到她皮膚的熱度。

他不禁好奇，她能感覺到什麼。

兩人在門扉的深色玻璃上面對自己的倒影，他被彼此多麼登對而感到震驚。

接著令他感到震驚的是，這一切發生得有多快。

三天前，他們還不認識彼此。而現在，她走在他身邊，允許他觸碰她，跟他說著關於自己的事。事情發生的速度感覺很危險，就像一輛煞車失靈的賽車接近一個急彎。

他們離開酒店的溫暖光芒，穿過旋轉門，進入夜色。

「能不能幫我們叫計程車？」他對門衛說，這個門衛不是先前那位。

他偷偷看琦菈一眼，但她這次似乎毫無反應。

門衛走到街上，向拐角處看不見的某個東西揮手。一束車燈照亮他的下半身，然後一輛計程車來到門口。門衛正想打開車門，但奧利弗搶先一步，打開了後車門，示意琦菈上車。

她上車時對他微笑道謝，但看他關上車門，沒打算走到車子另一側的時候，她的臉一沉。

他俯下身子，一隻手扶在車頂上，直到他的臉跟她的臉齊平。

「我走路回家。」他說謊。

「噢。」她似乎大失所望。「嗯，了解。」

「妳星期四晚上有空嗎？」他問：「我們到時候去看那部電影。」

他其實根本沒打算再次見到她，可是這項邀約能讓這一刻更好受，這是他目前唯一的考量：盡可能滑順地抽身。

她點頭，微微一笑。「嗯。」

「我再傳簡訊給妳。」

「嗯，好。」

「晚安。」

「晚安。」

他關上車門，來到車窗開著的副駕駛座前，從口袋裡掏出二十塊鈔票，丟在座椅上。司機對鈔票皺眉，然後納悶地抬頭看著他。他揮個手，表示自己沒有要上車。司機聳個肩，開始鬆開手煞車。

車子離去時，奧利弗對琦菈揮個手。

他覺得自己在某方面滿幸運的。她關於祕密的那番話，將他抽離了……他今晚原本所處的某種心境。一種虛假的安全感。自滿。某種催眠狀態。

他原本其實樂在其中，而這就是問題。他享受**她的陪伴**。

他走向格拉夫頓街，打算另外攔一輛計程車。他原本是可以跟她共乘，可是他不確定她住在哪裡，他也不能讓她知道自己住哪。

陶醉地享受那半個小時是一回事，做些非常愚蠢的事情、迫使他重新開始是另一回事。

重新開始。

今日

克羅辛公寓門口的馬路開始越來越忙碌。莉亞的支援團隊已經到來，連同科技局的人馬——她看到一群鑑識人員從一輛廂型車後側卸下裝備，也看到助理病理學家湯姆‧希爾森在一旁著裝。她朝他揮手，他也揮手致意。藍白條紋的警戒帶在微風中搖晃，末端綁於欄杆、路燈柱和交通錐。穿著短袖制服的警員們四處忙碌，儘管清晨的太陽下依然有點冷，不太適合短袖。幾個看熱鬧的民眾雙臂抱胸，站在馬路對面，不過媒體記者還沒出現。然而，這裡發生這種事，加上除了衛生部每晚提供死者名單之外，國內其他地方都沒發生任何事情，記者在這裡出現也只是遲早的事。

她驚訝地得知，麥克‧科瑞登警員奉命在警戒線外面拿著筆記板——這副模樣充滿威嚴感——她不禁有點自豪，卡爾可能做了什麼好事，而且這是因為他真的有聽她的話。

又或許，她的祈禱有獲得垂聽。

麥克正在跟另一名制服警員說話，莉亞靠近時認出那人，他是德克蘭，口罩掛在下巴處，臉色已經沒有先前那麼灰白。她對他點頭，彎腰鑽過警戒帶，轉頭時看到他們倆交換眼神，迅速得讓她差點沒看到——但他們倆無聲溝通的訊息清楚得就像寫在臉上。

麥克：**告訴她**。

德克蘭：**才不要，給我他媽的閉嘴**。

她在幾呎外停步，點個下巴，示意德克蘭過來。他在照做前又跟麥克無聲交流幾秒。

棒透了。謝謝你把我攪和進來。

你嫌事情還不夠麻煩？

「你在裡頭站崗的時候還順利嗎？」她問他。

他聳個肩，避開她的目光。「還行。」

「你有沒有碰任何東西？」

「我有戴手套。」

有問題。

「你沒回答我的問題，」莉亞說：「手套也會留下痕跡，影響到歹徒留下的指紋，甚至破壞其他有鑑識價值的證據。不過，聽著，每個人都會犯錯，而且你可能很幸運，因為如果要我現在就猜，我猜那傢伙給自己注射了毒品，在茫然狀態下跌進浴室裡，撞到腦袋。所以，也許你有沒有碰到什麼東西也不重要。不過，你沒資格決定什麼重要，那是我的工作。所以，告訴我：你碰了什麼？」

過了一秒後，他原本的強硬態度消失無蹤。

「我覺得我可能犯了一個錯。」德克蘭清清喉嚨。「我知道我有。」

「那麼，現在就別再犯錯。」莉亞期待地看著他，等他說下去。

「蓮蓬頭那時候滴著水，」他說：「我沒多想，那比較像是反射動作——」

「你把它關上了。」

「是的。」他難過地說。

她想像淋浴間的水龍頭：一個扁平的銀色拉桿，往下按就能切斷水流。

「示範給我看。」

他把一隻手握成拳頭，輕輕按壓一個看不見的表面。他很可能只是用手的側面觸碰了拉桿。

「我很抱歉，長官。」

「現在別擔心這個。我自己也可能做出同樣舉動。」她跟他一樣是個菜鳥的時候，是有可能這麼做。「要不是裡頭瀰漫臭味，你當時其實可能讓醫護人員進去，把他翻過來之類的，結果我們就會受到更多干擾。同樣的錯誤你不會犯兩次，所以下一次，在真正重要的時候，你就不會犯同樣的錯誤。」為了彼此著想，她希望他這次犯的錯也只是無傷大雅。「總之以後小心點。而且我很佩服你沒吐出來。裡頭真的滿臭的。」

她從他身後看到卡爾走來。她結束了跟德克蘭的談話，走開一段距離，以免跟卡爾的談話被別人聽見。

「你們剛剛談了什麼？」卡爾劈頭就問。

「沒什麼重要的。你剛剛在哪？」

「停車場。地下室的。」

「有沒有任何發現？」

「要有門禁卡才進得去，不過裡頭的感測器能讓人出去。每個車位都是指定的，一號車位沒停車，但也不是空無一物——這附近的利多超市少了一輛購物車，而那輛購物車缺了一個輪子。這讓我懷疑——」

「那個車位已經空了一陣子。」莉亞說完。

「所以要麼有人把車開走了，要麼那個車位從一開始就沒停車。我們只能調閱監視器畫面來確認。管理公司有沒有傳來任何消息？」

「還沒有。如果我在接下來的五分鐘內還沒收到他們的消息，就要派一輛該死的警車去他們的辦公室。他們那算是什麼狗屁緊急號碼？」

「他們算不算是——」卡爾用手在半空中畫引號。「**不可或缺的人員**？因為他們不是，辦公室裡就不會有人在。」

「其實，我覺得一號公寓不像是永久住處。裡頭幾乎什麼東西也沒有，沒有私人物品，也沒什麼裝潢……我覺得它比較像Airbnb。如此一來，車位沒停車也很正常吧？而且沒人注意到這傢伙這兩星期都沒出現。也許他根本不該在這裡。也許他是因為封城而被困在這兒。」

「**兩星期**？」卡爾皺眉。「妳有沒有吐出來？」

「屍體腐壞的程度看起來像兩星期，聞起來也像。我很感謝你的關心，不過我沒吐。換作你一定會吐。」

「沒錯，我還在宿醉，大概會吐出來。所以，現場是什麼狀況？」

「一具男性屍體，」莉亞說：「應該是男性，面朝下地倒在淋浴間裡，嚴格來說是跪著。玻璃門徹底粉碎——那是安全玻璃，所以碎片散落得滿地都是。頭部有傷口，目前成了蛆蟲的盛宴。從傷口看來，他應該是撞破淋浴間的門，腦袋撞到浴室的牆壁。」

「所以是意外？」

「也許吧。」

「蓮蓬頭是開著的嗎？」

「不是。」莉亞遲疑一秒後說道。這嚴格來說是事實——沒關緊的蓮蓬頭滴著一點點水，這樣不算開著。「而且猜猜看他的藥櫃裡有什麼？你一定意想不到：羅眠樂。」

卡爾挑眉。「他拿這種藥做什麼？」

「我猜撞破淋浴門。」

「可是怎麼會有人想弄暈自己？」

「我也不知道，」她說：「因為封城太無聊？也許他不喜歡香蕉麵包。但令我不安的是，那間公寓的門沒鎖，而是大約開了一吋。」

「這又怎樣？」卡爾聳肩。「他可能最後一次進公寓的時候順手把門拉上，但沒注意到門沒鎖上。」

「而且他是穿著衣服，在淋浴間裡。」

「他可能是在暈眩狀態下跌進淋浴間裡。」

「也許吧。」

「現場一定會有些讓人說不通的發現。」卡爾說。

「總之，現場已經被正式宣布是犯罪現場。我已經打給了警司，我認為他也覺得這是意外，不過還是小心為上。」

「妳有沒有跟他說現場一開始是由兩個菜鳥處理？」

莉亞搖頭。「我沒提到這點。」

「這件事遲早會被提起。大便遲早會浮到水面。」

「但這並不表示我現在得把手伸進去撈大便吧？挨家挨戶的盤查呢？」

「剛剛開始，」卡爾說：「所有住戶都在家裡，所以會花上一些時間。」

「我們目前都問些什麼？」

「他們知不知道誰住在一號公寓，如果有的話最後一次是什麼時候看到該住戶，這幾個星期有沒有注意到什麼異狀……之類的。標準的那些提問，一共好像有五題吧。」

「多少人員在處理這件事？」

「六個人，兩兩一組，每一組負責一層樓。」

「你有沒有提醒他們不要進入住戶的公寓？只在走廊上進行訪談？而且要戴口罩？」

「我又不是他們的老媽子。」卡爾盯著莉亞身後某處。「等等。那個彷彿從Instagram 裡走出來的傢伙是誰啊？」

莉亞不知道他在說什麼，但轉身看到一名男子走向警戒帶旁的麥克。那人看起來快三十歲，穿西裝打領帶，手上戴著厚重的銀錶，腳踝能瞥見圖案新奇的襪子。他身上每件衣物都非常合身，害她擔心只是看著他就等於犯下性犯罪。他應該一坐下就會撐破褲襠吧？他究竟是怎麼穿上那麼緊的褲子？

「如果那不是房地產管理人，」卡爾說：「我就是滴酒不沾的聖人。為什麼他們總是穿得好像他們有更好的工作？」

「為了讓人覺得他們有錢又可靠。房地產是人們一輩子最昂貴的買賣。而我剛剛被迫在疫情期間進入一個封閉的空間，看著一具已經蒸煮了兩個星期的腐屍，所以能不能麻煩你不要找房地產管理人麻煩？」

麥克指向她和卡爾，身穿超緊身西裝的男子因此快步走來。

「凱文·歐瑟利文，」他自我介紹。「維瓦物業管理層。」他正要伸出一手，但意識到這麼做不適合而抽手，接著為了保持社交距離而後退。「抱歉，我總是忘了。」他環視周圍。「這裡怎麼了？發生什麼事？」

「裡頭有一具腐屍。」卡爾淡然道。

「歐瑟利文先生。」趁卡爾繼續多嘴之前，莉亞向前踏出半步，牢牢地站在兩名男子之間。「我是莉亞·萊爾頓警探，這位是我的同事卡爾·康諾利警佐。我們今早收到報案，說一號公寓裡傳出臭味，而且門沒鎖。很遺憾地，我們趕到現場時，發現裡頭有一名死者，似乎已經死亡一段時間。」

凱文的表情既驚恐卻又著迷。

「我靠。」他把一手摀在嘴上。**別再碰你的臉了**，莉亞心想。「發生了什麼事？」

「我們還不知道。」

「可是裡頭是……**犯罪案件**嗎？」

「我們很快就會查明。你能不能告訴我們，誰住在裡頭？我們現在的當務之急，是查清楚死者的身分，通知家屬。」

「啊，的確……」凱文從西裝內側口袋掏出幾張摺起的紙，掃視上頭的名單。「啊，其實，我沒辦法告訴你們——我沒有那一戶的住戶姓名。那是由企業承租，承租者是巴格特街上的KB工作室。他們好像是建築師……？他們會知道誰住在裡頭。誰，呃，生前住在裡頭。」

莉亞看著卡爾，對方點個頭，走到一邊。

「意思是？」她問凱文：「他們只租了幾個星期，一個月？」

「不，他們租了很久了，應該從一開始就租下了，差不多是兩年前的事了。他們租了兩戶。租期是十二個月，可是他們會讓自己的員工在公寓裡短期居住。」他對她說話時不斷瞟向她身後，她知道那裡是科技局的廂型車。「他們是隨心所欲地使用那兩戶公寓，像是員工搬遷、探望客戶之類的。他們的人員可能一次住三個月，也可能只住一個晚上。」

「清潔怎麼辦？在人員交接之間的時候？」

「嗯，他們有安排清潔工作，」凱文說：「是透過我們。不過現在沒有，從封城之後就沒有。」

「跟我說說這裡的監視器系統。」

「是的，我們是有監視器。」

莉亞逼自己別衝口說出她知道這裡有監視器、她親眼看到公寓各處安裝了魚眼監視器。

「我得親自看看，」她把話說清楚：「監視器畫面。」

他面有難色。「法律有規定我，呃，應該提供嗎？妳不是需要，呃，搜索票之類的——」

「那只是電視上那樣演，凱文。」

「噢。」他臉紅。「了解。我，呃，得幫妳弄到影像檔。監視器畫面是上傳到別的地方。」

「你需要多少時間？」

「他們在機場附近，所以我來回大概需要一小時？可是我不知道下載需要多久。妳需要多少檔案？」

「影像最早是多久以前？」

凱文皺眉沉思。「大概七天？」

「你能拿到的我都要，而且每一支監視器的畫面都要。如果有誰阻止你，就說出實情和我的名字，行嗎？這個給你。」她從西裝內側口袋掏出有點破舊的名片，遞出來。「把這個給他們看。這裡有沒有什麼現場維護人員，能打開任何上鎖的門，知道怎樣關閉火災警鈴之類的？」

「我們有個專人負責這種事，」凱文說：「他會待命。」

「他能不能現在就過來一趟？我們會需要他的協助。」

「我會叫他來。」

「請他盡快趕到，好嗎？」

凱文點頭，彷彿接獲一項救人的命令，接著俐落地轉身離去。

他離開後，卡爾來到她身旁，把手裡的手機塞回口袋裡。

「看來KB工作室真的是建築公司，」他說：「我打了他們的辦公室號碼，被轉去一個在家工作的接待員的手機。她什麼也不知道，還說這種資料只有辦公室經理知道。她會請他回電給我。」

「我們有個問題。」

卡爾嗤之以鼻。「只有一個？」

「這裡的監視器畫面只保留七天。」

「這個嘛，如果死者是死於意外，我們就不需要監視器畫面。而且就算只有七天的畫面，也意味著我們得看完將近一百七十個小時的影像檔？我可真等不及了。」

莉亞嘆氣。「我原本還打算今晚買些外帶，躺在沙發上當植物人……」

「為什麼？因為妳早該擺脫忙碌的社交生活？其實，我今早就在想著這件事，莉亞——妳有沒有注意到我們在封城？說真的，妳的人生究竟有什麼變化？」

「你是什麼時候想著這件事？是在我幫光著屁股的你解開兩副手銬之前還是之後？」

「如果那兩副手銬當初更靠近我的屁股，妳我現在都會受到更大的情緒傷害。」

「感謝上帝賜下的小小慈悲。」

「所以，且慢，我們沒有死者的身分？沒有皮夾之類的——」

「信箱裡有一封信，」莉亞想起這件事。「不過，既然這裡不是永久住址，那封信搞不好根本不是寄給他的，可能只是垃圾信件。」她朝公寓大樓點個頭。「我們去看看。」

卡爾示意警戒帶。「妳先請，老大。」

三十四天前

隔天一大早，琦菈在奧利弗的溫暖床鋪上醒來。

昨晚在她家吃過晚餐後，兩人喝光了葡萄酒，然後她表示真希望有更多酒喝。奧利弗提議走路去酒類專賣店，然後提議他們應該去他家。她花了一整天的時間徹底打掃公寓，還花錢買了她其實不需要的東西——像是三條難看的紫色毛毯——因為他雖然從沒去過她的住處，但這十天來一直表示想去拜訪。他的請求有點煩人，所以她讓步了。接著，他在來到這裡的兩小時後，提議離開這裡。

「妳可以看看妳的新房間。」他開玩笑地說。

她其實已經看過那個房間，但不能讓他知道這點。幾天前，在他的公寓，她趁他洗澡的時候偷看了那間似乎永遠關著的房間。門後面只是一間客房，並沒有什麼很刺激的東西。

裡頭有一張彈簧床，靠在遠側的牆邊，沒有床頭板，其對面是某種內置衣櫃。床墊的狀況就跟新的一樣，其中一端放著整齊摺疊、裝在塑膠包裝裡的床墊保護套。窗戶上的捲簾被完全放下，房間裡的空氣瀰漫著淡淡的新油漆味，彷彿裡頭一直沒人住過。

「你其實就是不想睡在我那張『從天而降』的床上吧，」她當時對他說：「這才是原因？」

他咧嘴笑。「噢，要我睡在上頭當然不是問題……」

她發出笑聲，撇開視線，以免被他看到自己突然臉頰泛紅。

兩人之間的性愛不像一開始的那兩、三次那樣尷尬又笨拙；在一開始的那幾次，琦菈知道晚上接下來會發生什麼事，所以她確保自己喝下夠多的酒，好讓性愛能夠成真，好讓她腦子裡的反對聲浪安靜下來，以免奧利弗的觸摸讓她覺得彷彿皮膚出現過敏反應。她開始閉上眼睛，試圖關閉自己的大腦；她告訴自己，這也是另一個令人痛苦的開始，但如果她設法克服它，就能換來更好的事物、更好的感覺、更好的**人生**。而隨著兩人每次發生關係，她確實變得更適應，就像學習舞步，這些動作慢慢地變成了肌肉記憶。但儘管如此，奧利弗冰涼的裸露皮膚、他壓在她身上的重量、他身體的某些部位讓她體內感覺像遭到外來入侵，這還是會偶爾讓她受到驚嚇。

此刻，她翻身側躺，看著他。

他還在睡覺，赤裸的背脊對著她，雖然躺在同一張床上，但盡可能跟她拉開距離。他的呼吸深沉又規律。這是她每次在他家過夜時的結局：兩人之間彷彿彼此排斥，就算一開始是在彼此的懷裡，她的頭靠在他的胸膛上。

她看到那條疤痕的頂部探出床單。

她翻身仰躺，瞪著潔白的天花板。她很討厭昨晚之後的隔天凌晨。白晝不是任何人的朋友，而且她確信白晝是她的宿敵。她知道，在毯子之上，她浮腫的臉上只剩下昨天的妝容，而在毯子之下，什麼也沒有。

她覺得脆弱又暴露。

她希望自己能在睡覺前穿上內衣和T恤，並告訴他這就是她的需求，但她就是說不出口。她想像自己能感覺到大腿之間的潮溼，她擔心這些分泌物可能會轉移到他的床單上。她真的很討厭不知道現在是幾點。

從她醒來的那一刻起，她就等著能回到自己的住處，按照自己的步調重新振作起來。淋浴，重新上妝，穿上乾淨衣物，變回準備好在當天晚些時候再次跟他見面，一起吃午餐或晚餐、啜飲葡萄酒的女人，而彼此都知道這些步驟的後續是她又回到他的住處。

她會穿上衣服，而她知道——她**希望**——他會脫掉她的衣服，因為如果他這麼做，這就意味著他們的關係還在前進，還在發生，還在運行。

但從明天開始，這一切都將發生在這裡，在這間公寓裡。沒有其他地方。她還沒準備好，但這已經開始了。她同意了。

因為她想繼續見他，而就目前而言，這是唯一的辦法。

＊＊＊

這三週的星期六，她看著都柏林的生命力逐漸流逝。

第一個星期六——奧利弗在特易購超市門口跟她談話的隔天——諸多酒館仍在營業，就算遊行被取消，而且前來慶祝聖派翠克節的遊客們還沒離開。他們在聖史蒂芬綠地走動，手裡拿著iPhone和「凱蘿愛爾蘭禮品店」的購物袋，身上的層層衣物對溫和的春季天氣來說過於暖和。他們開心地餵鴿子，順便餵海鷗。看在琦菈眼裡，他們都莫名其妙地無憂無慮。他們做著自己的事，彷彿一切都很正常，彷彿沒注意到周圍唯一的非遊客都是獨自走動，這些人緊張地匆匆走過，手裡抓著購物袋，斜眼瞥他們，盡可能避免靠近。就連義大利人似乎也無憂無慮，就算他們這時候一定很清楚接下來會發生什麼事。唯一的異常，是一個快二十歲的男生戴著口罩，把手機舉在面前，轉動身子，讓鏡頭三百六十度拍攝他身後的街道。他用聽似德國腔的嗓音描述現場，並指出這裡只有他戴口罩。在這時候，琦菈覺得他有點大驚小怪。

一星期後，遊客們離開了這裡，大多數的商家為了應變而提前暫停營業。街上的人不多，但警戒程度不一。她看到兩名二十幾歲的女子坐在少數幾間還在營業的露天咖啡館外面，她們倆交換眼色，因為有一名男子匆匆走過，戴著乳膠手套和口罩——琦菈當時注意到，他戴的是**呼吸面罩**，而不是**醫療口罩**。那兩名女子腳邊放著印有高級服裝店商標的上蠟硬袋，她們倆坐在相距根本不到兩公尺的椅子上喝咖啡。

如此看來，彷彿有些人認為末日即將到來，而另一些人甚至根本沒看報紙。

但她發現，在這當中的一個奇怪現象是，你其實可以同時成為這兩種人。某天下午，琦菈穿上漂亮的裙子，梳好頭髮，在寒冷的陽光下動身前往奧利弗的住處。天空一片藍，鳥兒啼鳴，她覺得愉快。她今天比平時稍微提早出發，是在《RTÉ六點鐘新聞》播放期間而非播放結束後，所以她錯過了每晚的儀式：坐在沙發上等著得知「最新的死亡人數」、「最新的確診案例」、「總死亡人數」，以及「總確診案例」這四項末日統計數字。

她**忘了**這件事，就算只是暫時忘了幾分鐘。

但就在運河對面，是一個由藍色圍板包圍的建築工地，板子在一夜之間被貼上新的標誌。

那是同一幅海報的眾多複印，其表面因匆忙貼上而起泡皺摺。唯一大得能讓她從一段距離外看見的字體，就寫在標題上：「只有**你**能幫忙阻止新冠疫情的擴散！」

這感覺就像好萊塢的病毒驚恐片裡的劇情來到現實人生。這才是真實的，而且這令人驚恐。

今天早上，實質性的封城行動開始實行後，感覺就像晚上發生了什麼可怕的事件。

路上的零星車輛根本算不上是「車潮」，它最大的聲響是她自己的腳步聲。

沿著運河行走，靴子的空心鞋跟撞擊路面，她經過一家藥局，窗前的手寫招牌上寫著「五十毫升乾洗手有現貨，每瓶四．九九歐元，每人限買三瓶！」。但如果你想買也必須等，因為裡頭沒開燈，而且門被鐵柵擋住。屋頂上聳立著一排絲毫不動的起重機，就像天上的靜止鐘擺。

琦菈來到自己的公寓大樓時，路上只經過一名行人，那是一個年長的男子，遛著一隻小狗，他為了跟她保持兩公尺的距離而走進公車道。

她走進公寓大樓時只看到另一個鄰居，一個穿著萊卡緊身衣的健身狂，在沾染露水的草地上做平板支撐。

大廳裡出現政府發布的新冠疫情資訊表，貼在緊急號碼列表旁邊。大門旁邊的凳子上放著一大瓶洗手液，噴口下方聚著一小池透明液體。

她把鑰匙插進鎖孔的時候，想著這棟大樓所有的住戶，以及每一隻接觸過她現在接觸的這扇門的手。她想到奧利弗那棟公寓的戶數比較少，並提醒自己這就是為什麼暫時住在他那裡並不是個很糟的主意。

她進入自己的公寓，踢了一腳，關上身後的門，接著徑直來到浴室的水槽前洗手——還沒開燈，因為她要等洗手後才會碰電燈開關。

奧利弗說應該先洗手再開燈，而現在他們倆正在一起度過這個難關，她覺得有義務跟隨他的帶領。

她也發現，這些清潔儀式其實意外地令人感到平靜。任何簡單的一系列步驟都可能產生這種效果，就算這麼做是為了盡量減少感染致命病毒的風險。

她脫下衣服，站在淋浴間的滾燙水流中，直到浴室裡充滿蒸汽（他那裡的淋浴設備也比較好——這也是她該暫時住在他那裡的理由之一）。然後她用毛巾裹住身子，走過客廳，進入廚房，任憑身上的水滴落。她給自己泡了一杯茶，做了一片奶油吐司，接著心想該打包什麼東西？

因為全球發生緊急情況，這個國家進入封鎖狀態，而且她的公寓小得跟火柴盒一樣，所以她現在要搬去一個她幾乎不認識的男人家裡，而她究竟需要打包什麼東西？

她的決定是：打包所有東西。她的東西本來就少得能塞進唯一一個行李箱裡。就算在此刻，她把內衣從抽屜裡移到行李箱裡的時候，還是不敢相信自己真的要**跟他同居**。但她又給了自己一個理由：她其實不是跟他同居。不算是。

她只是**去他那裡住**兩個星期。她並沒有要放棄這間公寓。她搬去他那裡，這並不是長期或無法改變的決定。

至少目前還不是。

這項安排其實幸運得令人難以置信，或至少會被時間證明是幸運的。這些**前所未有**的奇怪處境——等這一切結束後，她發誓再也不會使用「前所未有」這個詞彙——可能只是密謀著像特快車一樣讓她獲得她曾經想要的一切，就算原本根本沒有這條路線。

只有時間能證明。

＊　＊　＊

奧利弗打開門，伸出一隻手，遞出一套鑰匙：一把標準的銀色鑰匙，能打開公寓的門，還有一塊黑色的小型塑膠門禁卡，能打開公寓大樓的大門。

「我原本打算把鑰匙放在禮品盒裡，或是用絲帶之類的東西綁起來，」他說：「可惜我沒有這種東西。」

她微笑，朝鑰匙伸出一手，把另一手伸向他——但他突然抽手，後退一步。

他臉上閃過難以判讀的情緒，然後被一個更容易判讀的情緒替代：尷尬。

「妳的手，」他說話時看著地板。「抱歉。」

「不要緊。我只是忘了。」

她已經走向浴室。

「我不是故意找妳麻煩，只是因為我有哮喘——」

「不，我很高興你有提醒我，」她說：「真的。」

她不太明白他在抽手前為什麼試著**把東西遞給她**，但她不在意，無所謂。在任何怨恨開花之前，她控制住自己的腦袋。**他有哮喘。這是慢性疾病。而且不管他會不會因為這件事責備她，她本來就該洗手**。

她用手肘推開浴室門，來到水槽前。

她給手沖水時，摸到原本沒有的狀態：她的手指邊緣出現變硬的乾燥肌膚。她用手巾擦乾手後，轉動手腕，以便看得更清楚。這一處的皮膚脫皮紅腫，對她做出抗議。她提醒自己：買些護手霜。這讓她想到去藥局，也因此聯想到在藥局還要買些什麼，畢竟現在大多數的商店都停止營業。

聽說新冠病毒的症狀是乾咳、發燒、疼痛。聽說有些人也會肚子痛。在奧利弗公寓裡唯一的浴室裡嚴重腹瀉或嘔吐，而他就在門外，這會造成什麼樣的惡夢？她盡量不去想這個問題，而是專心想著哪些藥物可能有所幫助。

乙醯胺酚、咳嗽糖漿、莫瀉痢應該都會有用……或許也該買些能補充電解質的水溶性粉末，雖然她並不清楚電解質是什麼。還有抗菌洗手液——雖然應該買不到了。她家附近那間特易購的貨架，已經空了兩星期。

她抬頭看著鏡子，注意到身後的牆上有另一面鏡子：藥櫃的門。她之前已經窺探過裡頭——她在這裡的第一個晚上就看過了——但現在還是打開，查看裡頭有什麼東西。

裡頭只有兩面架子，大多似乎都是私人用品。一瓶能讓頭髮更顯濃密的洗髮精。刮鬍刀。刮鬍油。兩盒保險套，其中一盒是平躺而且開著，她看到裡頭只剩兩個套子。

一包大多已空的吸塑包海綠色藥丸，上面印著「542」的數字，她猜這大概是抗組織胺藥。唯一稱得上醫療用品的，是一包超市膏藥和一管痠痛藥膏。

她關上藥櫃的時候，腦海裡不經意地出現一個想法。

這裡沒有哮喘用的吸入器。

＊　＊　＊

她在客房找到奧利弗，他正在把她的行李箱搬到床上。這裡的空氣瀰漫著家具拋光劑的味道，看來他有在她不在的時候打掃這裡。

「我發誓我真的不是在疑神疑鬼，」看到她在門口，他說道：「雖然我看起來就像在疑神疑鬼。」

她揮個手。「別在意，真的。」

百葉窗完全往上拉，透過樹葉能看到中庭，窗戶被打開一條縫。她上前查看，發現窗戶已經開到極限，這是某種安全功能。

奧利弗來到她身後，用雙臂摟住她的腰，朝她的頭髮說話。

「我只是想確保我們安全，」他說：「確保**妳**安全。」

「我知道。說真的，別在意。我也希望我們安全。」她轉過身，面對他，把嘴唇湊向他。

他簡短吻了她一下，然後後退。「說到這個——妳最近應該沒有吻別人吧？所以妳不讓我今早跟妳去妳家？」

「我沒有吻別人，不過我來這兒的路上確實舔了每一個行人號誌的按鈕，所以……」

他哈哈笑，又吻了她，這次更長也更深。

然後他把她拉近，直到兩人相貼，她轉開頭，以便把臉頰靠在他的胸膛上。她用雙臂摟住他，心滿意足地嘆口氣，在他的懷裡放鬆。

「說起來，外頭是什麼模樣？」他問。

「很怪。從昨天開始就讓人覺得怪。」

「我猜這算是好事吧？表示人們有認真看待疫情。」

「但我不知道是不是**每個人**都在認真看待疫情。」

她後退，來到行李箱前面，開始拉開蓋子的拉鍊。他已經幫她打開了內置衣櫃的門，甚至在架子上掛了幾個衣架。雖然她一定會睡在他的房間裡，但還是很高興他提供這個房間讓她擺放她的私人物品，就算她沒多少東西。

她開始拿出行李箱裡的東西。

「妳剛剛那麼說是什麼意思？」他問。

「這個嘛，我在我公寓的時候打了電話給我媽，結果花了很多時間跟她解釋，她也必須遵守兩公里的移動限制的規定，而且解釋**為什麼**。」琦菈翻白眼。「她認為每個人都在反應過度。」

奧利弗過了幾秒後問道：「妳有沒有跟她說？」

「跟她說什麼？」

「關於我，關於**這個**。」

「很顯然的……」琦菈從箱子裡拿出一件黑色連衣裙，把它甩直。「你沒見過我媽，所以我**當然沒**跟她提到你，更不可能讓她知道我跟你在交往。她甚至不希望我搬來都柏林。她如果知道這件事，大概會開車來這裡，揪著我的頭髮把我拖回科克。其實……」她把衣服掛進衣櫃，轉身看著他。「我還沒跟任何人說。你呢？」

「我**原本打算**告訴我哥，不過我也不用這麼做。」

「你想說就說吧。這並不是什麼最高機密，只是——」

「——仔細想想——」

「——不說比較輕鬆，不是嗎？」

奧利弗點頭。「我就是這麼想。」

「不只是我們因為封城而同居這件事，也包括——」

「其他的一切。」他說完。

「我只是很討厭那一套，你知道？只要一跟人說你在跟誰交往，你就必須**清楚說明**一切，接著就是該死的大審判。」看奧利弗聽得一頭霧水，她說：「好吧，也許只有我的家人是這樣。可是這樣挺完美的，不是嗎？我們要共處……兩個星期？隨心所欲，靜觀其變，不用解釋這是什麼，不用貼上標籤，不用向任何人說明什麼。我的意思是，我們是真的不能見到其他人。沒有任何人能來拜訪我們——雖然我根本不認識這裡的人。而且沒人知道我在這裡。有誰知道我根本不在我自己的公寓裡？」

奧利弗咧嘴笑。「所以我們在交往？」

「你有聽到我在那之後說了什麼嗎……？而且嚴格來說，兩個人之間有任何互動就算是有所往來，所以……」

「有道理。」

「我是這麼認為。」

「不過我們是在交往。」

她看著他的眼睛。**「是嗎？」**

「妳希望是嗎？」

「你呢？」

「是我先問妳的。」他說。

「看來我們要玩**這種**遊戲……」

「這個嘛，我們真的沒有別的事能做。」

她發笑。

「如果我們是在交往，」他說：「我會很高興。」

「我也是。」

「那我們就是在交往。」

他們看著彼此，臉上帶著期待、尷尬和害羞，直到兩人都移開視線，笑出聲。

然後琦菈回到打開的行李箱前，拿出更多衣服，臉頰灼熱。

奧利弗上前幫忙。

她的太空總署馬克杯放在幾條牛仔褲上面。他拿起杯子。

「看來妳是肉丸女孩。」他說。

她聽不懂這是什麼意思。她的第一反應是他以某種方式羞辱了她，她應該感到被冒犯，但她想到他以前從沒說過類似的話，所以她的第二反應是一頭霧水。

「**什麼**女孩？」

奧利弗指向杯子上的徽章，藍色圓圈布滿白色小星星，被紅色箭頭劃過。

「這個徽章，」他說：「叫做肉丸。他們在八〇年代的標誌，只有字母的那個──那個叫做『蚯蚓』。」他停頓。「妳從沒聽說過？」

「好像沒有。」她轉身，從行李箱裡拿出更多衣物，拿進衣櫃。「既然如此，我**絕對是**肉丸女孩。我討厭八〇年代那個標誌，那個很難看。」

她花了至少十五秒才掛起一件連衣裙，摺起兩件T恤，疊在其他T恤上，奧利弗這段時間都沒說話。她轉向他時，發現他低頭看著拿在手裡的杯子。

「嘿。」她說。

他抬頭。

「你還好嗎？你好像出了神一樣瞪著那東西。」

「我只是在想，」他說：「這個紅色箭頭到底是什麼意思？」他指著馬克杯上劃過藍色圓盤的V形線條。「它究竟代表什麼？」

「它不是翅膀嗎？」

他挑眉。

「藍色圓盤是行星，」她說：「白色繁星是太空，小小的白色軌道線是指太空旅行。紅線是翅膀，是指太空人。」

話。

她想補充一句「我猜是這樣」，但她知道自己是對的，所以強迫自己吞下這句

奧利弗微笑。

「這個嘛，」他說：「看來人活到老，學到老。」

五十天前

上午十點左右，消息傳遍辦公室：李歐・瓦拉德卡總理即將在華府發表現場演說。

唯一能播放電視頻道的螢幕在會議室。大夥聚在這裡，帶上咖啡和黏糊糊的糕點，如此一來就能邊喝上午茶邊看這場史無前例的駭人新聞。

奧利弗是最後一個進來。跟他同期的瑞典人喬納斯就站在門口內側。

兩人互相點頭致意。

「開始了。」喬納斯輕聲道，眼裡閃過興奮。

根據奧利弗的觀察，這一個月來，喬納斯在網路上搜尋冠狀病毒相關故事所耗費的時間，至少是他做任何實際工作的時間的兩倍。過去這兩星期裡，這傢伙完全著迷於北義大利的疫情。奧利弗之所以知道這點，是因為喬納斯耗費大把時間做的**另一件事**，是鉅細靡遺地跟他描述自己在網路上找到的資料。

稍早的時候，他在《紐約時報》網站上讀到一些東西，斷斷續續地搖頭，喃喃自語著「我的天啊」和「哇靠不會吧？」。奧利弗原本拒絕上鉤，但這麼做也沒用，因為喬納斯最終還是俯身靠向彼此的電腦螢幕之間，把這一切都跟他說了。他說，義大利已經進行了兩天的全國性嚴厲封鎖，除了藥局和雜貨店外，所有的商家都關閉了，而有營業的商店當然排起了長隊。因為呼吸器不夠，醫生們真的被迫決定誰生誰死，而死的人總是老人。

「而愛爾蘭只比義大利慢了兩星期，」喬納斯嚴肅地說：「**兩星期。**」

奧利弗不認為《紐約時報》在發布假新聞，但這些事實還是讓人覺得像假新聞，因為這種新聞實在離奇又瘋狂。

義大利離愛爾蘭沒多遠，那裡的狀況不可能那麼糟吧？

他原本不是很擔心疫情，直到這一刻。他原本只是假設，在義大利發生的任何疫情，會早在到達這裡之前就停止。這就跟其他新聞故事一樣：相關報導鋪天蓋地，讓你覺得媒體在這件事發生前是不是沒有其他新聞可報，直到有一天，你意識到你已經有一段時間沒聽到任何相關消息。

就跟奧利弗自己以前的故事一樣。

但現在，他們在這裡，在一個工作日的早上聚在一起，聽著愛爾蘭領導人談論病毒來到愛爾蘭，而且狀況如此嚴重，他沒辦法等回國再發表演說。

電視畫面原本是一名主播坐在攝影棚的桌子後面，接著變成愛爾蘭總理在某座宏偉建築外面走上講臺，這時會議室裡一片寂靜。華府那裡天還沒亮，他一臉嚴肅；在他的身後，愛爾蘭三色旗在微風中翻騰。

「封城，」喬納斯呢喃：「一定是。」

其實不是。

瓦拉德卡開始說話，說得緩慢而清晰，流暢地閱讀在畫面上看不見的提詞器文字，看起來就像直接對著鏡頭說話，好像他對每個人單獨講話的同時對整個國家講話。

病毒遍布全球。它會繼續散播，但速度也許能被減慢。我們說過，我們會在正確的時機採取正確的行動。我們必須現在就採取行動，才能產生最大的影響。

如果可以，你們應該繼續上班，但如果可能，應該在家工作。為了減少工作場所不必要的面對面互動，休息時間和工作時間應該錯開，會議應該透過遠距或電話進行。

會議室裡的氣氛頓時變得緊繃。大夥挪動身子，原本靠很近的人分開。幾個傢伙交換緊張的微笑和笑聲。奧利弗數了數，現場有十三個人，並肩站在這個通風不良的房間裡，於是他後退一步，走出會議室。

他真的不想被傳染。

他不能被傳染。去找家庭醫生，接受檢查，住院——只要他接受任何官方程序，被調查身分、證件和**歷史……**

這個病毒對他來說特別危險，但不是出於任何醫學原因。他擔心的是另一種「曝光」。

奧利弗走回辦公室的時候，聽見身後的電視被轉成靜音，常務董事肯尼斯開口說「各位各位各位」，語氣表示要大家注意。

「你們先回自己的位子。阿利斯泰剛剛去勘查現場，正在回來的路上，他和我會在今天下午坐下來解決這個問題。但我認為我們接下來幾星期應該會在家工作，所以你們可以開始做些相應的計畫……」

奧利弗回到自己的位子，放空腦袋。

他敲敲放在鍵盤旁邊的手機的螢幕，喚醒這個裝置。

沒有新訊息。

他以為她會傳個「我們今晚還會依約行事嗎？」之類的訊息；也許她還沒看到新聞。

但他必須承認，打從星期一晚上開始，他就不經意地常常想到她——又或許其實是想到星期一晚上。

只是坐在酒吧裡喝一杯，享受談話，這是他很久、很久沒感受到的輕鬆。感覺就像有人在黑暗洶湧的水面上為他架起一座橋，他終於暫時能從糾結泥濘的深淵中爬起來。

而且他喜歡這種感覺。

他喜歡能**活在當下**的感覺。

在自己想太多之前，他拿起手機打給她。

他沒想到自己多麼喜歡聽見她的聲音，知道今晚還是會依約見面而感到喜悅。

但在掛斷電話後，他覺得顱骨底部有一種刺痛感。

這幾乎總是表示他在做他不該做的事，表示他在跟原始的生存本能抗爭，但他就是憑著生存本能活到現在。

他告訴自己，他會小心行事。

他正在小心行事。他已經做出決定：這是他最後一次見她。過了今晚，他不會再見她——他大概也**沒辦法**見到她，所以他甚至連這個決定也不用做。

只不過，他喜歡跟她在一起的感覺，喜歡在她身旁當**奧利弗**。

而且他想再感受一次。

三十三天前

星期天一大早，他們開車去 Google 地圖上能找到的最大的特易購超市，這家店在他們原本不應該離開的兩公里範圍外的八公里處。奧利弗為了這趟購物而租了一輛車，此刻緊繃地坐在駕駛座上，雙手緊緊握住方向盤，眼睛始終盯著前方的道路。她多次跟他說過，兩公里的移動限制只適用於運動健身，人們其實可以為了購買民生必需品而去更遠的地方，但他深感懷疑。

「老天，你**真的**不喜歡違反規定，是不是？」開車上路十分鐘後，她問他：「聽著，我們如果被攔下來就被攔下來，沒什麼大不了。不會有人逮捕我們。他們甚至不會逼我們回頭，因為我們這麼做並沒有違規。而且就算他們真的逼我們回頭，這又怎樣？我們回頭開一段路再掉頭就行了。」

她原本還想說一句「而且我們這麼做純粹是為了你」，但咬住舌頭。

他們倆不僅要弄到一星期份的食材雜貨，也想弄到一臺印表機。販賣印表機的零售店都被勒令暫時歇業的二十四小時後，奧利弗意識到自己需要一臺。在線上訂購，可能意味著要等一星期或更長的時間才能出貨，所以他們想碰碰運氣，開車離開活動區，前往一家大賣場，希望能在燕麥粥和衛生紙當中也找到電子設備。

兩星期前，奧利弗剛開始在家工作時，買了一臺貴到讓人掉淚的咖啡機，它只能用同樣貴到讓人掉淚的咖啡膠囊來製作咖啡。琦菈不禁認為，他在購買咖啡機的時候就該把其他工作所需的設備都買齊，但她在這方面也保持沉默。

「問題不是這個，」他說：「而是我不習慣開車。」他在一個T字形路口打方向燈，雖然路上只有他們這輛車。「可是妳說得沒錯，我不喜歡違規。」他對她迅速笑一個。「不過主要是開車的部分。我在倫敦的時候從不開車。」

「我現在該擔心嗎？」

「只要路況是這樣就不用。」

路上車流極為稀疏，他們幾乎每次都是孤零零地等紅燈。沿著行車路線，他們經過空曠的郊區；諸多車輛停在自家車道上，柵門關著，屋子窗戶被窗簾遮蔽。

琦菈心想，這感覺就像都柏林做出決定：既然大家無處可去、無事可幹，全城民眾就該在家裡躺平。

但她想錯了。他們來到靠近利菲谷的特易購大賣場入口時，發現全城民眾都打著跟他們一樣的算盤。

一長串車輛等著進入停車場。他們等了將近二十分鐘才到入口處，一名穿著反光背心、臉色不耐煩的少年指揮他們跟在前面的車後面，彷彿他們沒看到他揮動胳臂就不知道該這麼做。他們又花了十分鐘才找到一個停車位，得到的獎勵是加入想必有五、六十人的排隊人龍，每個人之間都相距兩公尺，從大賣場的正門蜿蜒而出，沿著建築側面延伸，然後自我摺疊。又過了將近一個小時，他們才排到隊伍的最前面，一名面無表情的保全告訴他們，今天一名顧客只能推一輛購物車。

琦菈以為他的意思是，他們在進去前必須每個人都推一輛購物車——這怎麼會是規定？——直到奧利弗對她說：「沒關係，我去推一輛過來。」然後她才恍然大悟：規定是他們倆必須分開購物。他們倆不能同時進去。

奧利弗已經走離她，走向大門。

她正想說「可是……」但還是住口，因為她不知道這句話該如何說完。

他們身後某處，一名女子誇張地嘆口氣。

另一處，有人低聲咕噥髒話。

「妳用電子郵件把購物清單寄給我吧？」奧利弗回頭對她喊道。

他消失於大賣場之後，琦菈一個人站在外頭，完全不知道現在該做什麼。

她甚至沒辦法回車上坐著，因為鑰匙在他手上。

「妳也可以進去，」保全說：「可是你們必須分開購物。」他舉起一手，做個別動的手勢，讓她知道她還不能進去，她必須先等另一個客人出來。她的表情想必對此傳達了反應，因為他補充一句：「這是為了盡量減少走道上的人數，好讓人們之間能盡量保持距離。」

聽見身後傳來嘖嘖聲，琦菈覺得有必要大聲說出：「嗯，當然，我了解。」

「妳很快就能進去。」保全說。

她掏出手機，查看記在備忘錄裡的購物清單。奧利弗的手藝還行，她自己主要是倚賴微波爐，所以餐飲計畫主要都是由他負責。她不知道他打算拿羊排、新鮮薄荷、葛拉姆馬薩拉（？）還有塔西尼（？？）要做什麼，但他保證她不會餓到。他們還列了一份奧利弗戲稱為「末日求生者」的清單。聽說如果感染了病毒，就必須自我隔離長達兩週，所以他們倆都試著列出不易腐爛的食材，而且必須能大量囤積，以防萬一。

從某種怪異的角度來看，這還滿有趣的。這是個挑戰。他們想到乾麵條，還有能放好幾年的即食醬料。能隨時烘焙的麵包粉——但只能挑棕色或蘇打麵包，因為這種只需加水而不是牛奶。燕麥粥。添加了一大堆防腐劑的甜食，這種東西能撐到**下一次**全球災難。罐裝水果。罐裝魚肉。罐裝豆類。也許幾瓶綜合維他命，有備無患。即溶咖啡，混合了新鮮研磨咖啡的那種高級貨。紙盒裝的燕麥奶，因為這種東西不需要冷藏，也不會讓咖啡太難喝。瓶裝水；不過奧利弗說過，他要在商店重新開張時買個濾水壺。牙膏和沐浴乳。衛生紙、衛生紙、衛生紙，因為跟一個你不算熟悉的人一起生活在密閉空間裡，對方搞不好有**腸胃問題**，如果沒有大量衛生紙該怎麼辦？

琦菈一點也不相信他們倆得靠乾麵條和罐裝葡萄柚才能過活，但擁有這些東西確實令人安心。

她把清單寄給奧利弗，聽見手機發出確認信件寄出的颼颼聲。

又過了三、四分鐘後，一名四十幾歲的男子從門裡出來，推著一輛堆了好幾箱啤酒的購物車，保全才允許琦菈進去。

現在去追上奧利弗，似乎是很幼稚的違規行為，他也會不高興，況且他一個人能搞定購物。他們倆已經約好，她會負擔一半的購物費用，而且給他現金，她在購物結束後再給他就行了。但既然都進來了，還不如在裡頭逛逛，總好過站在外頭等他。

自動門在她身後關上的瞬間，她就因為裡面多麼寂靜而感到震驚。她以前從沒注意到龐大的賣場裡通常有多少聲響——像是說話聲、購物車的車輪輾過地板，還有橡膠鞋底吱嘎作響——但她確信這是她第一次聽到遠處一些隱藏的揚聲器播放音樂。一人一車的規定顯然有效；她唯一能看到的另一個人，是一名穿制服的工作人員，他指示她跟著貼在地板上的大型紅色箭頭走。

琦菈抓起一個購物籃，假裝要買東西，按著指示前進。花架和雜誌架是空的。一個自有品牌服裝區被圍起來，上面寫著：「這個區域暫時關閉，很抱歉給您帶來不便。」即使琦菈走進食品走道，也沒遇到其他顧客，只看見工作人員匆忙地把成堆的藍色箱子裡的東西搬到貨架上。

牛奶冰箱和麵包籃裡堆滿貨物，但在其他地方，原本應該堆著商品的架子空無一物。店裡有衛生紙，但告示牌上寫著每名顧客限購一包；琦菈拿了一包放進自己的籃子裡，因為只有笨蛋才不這麼做。義大利麵的區域已經被拿得一乾二淨，她在走道上也找不到麵包粉，看來很多人都跟他們倆一樣有著同樣的想法。

需要什麼就必須現在**在這裡**弄到，這種感覺實在很怪。除了像這樣的商店，以及產品選擇較少的小型商店外，沒有其他選擇。

如果這種狀態持續超過兩星期怎麼辦？

她在文具區拿了一包圓珠筆，在美容區拿了幾把除毛刀和一瓶潤髮乳。她發現一些打上折扣標籤的平裝書，依次拿起幾本，查看封底上的文字，直到她想起自己不該觸碰不必要的東西。她隨便選了兩本，扔進購物籃，在心裡計算總花費。

她到達走道上最後一道紅色箭頭，來到一排收銀臺前，才找到奧利弗。他跟她相隔三個收銀臺，正在把商品塞進他的背包裡。他後面沒人排隊，收銀員在一面塑膠布後面，所以她快步來到他身邊。

輸送帶上的最後一個商品，是一個裝著佳能印表機的大型紙箱。她匆忙地把籃子裡的商品倒在輸送帶上。

「看來你買到了？」

奧利弗轉過身，看到她的時候顯得驚訝。「噢，是啊，謝天謝地。」看到琦菈的衛生紙，收銀員稍微翻白眼，顯然對她的違規感到不高興。

「不過沒買到麵條。」奧利弗補充一句。

「我有看到那裡的貨架。誰想得到愛爾蘭居然缺麵條？」

「嘿，至少我們已經不再靠馬鈴薯過活了。」

他把一個發皺的塑膠袋遞給她，她在他們今天出發前有看到他把幾個塑膠袋塞進他的背包裡。

問題是，現在背包裡有什麼？

她相當確定的是，就在他轉身前，她看到他急忙拉起背包拉鍊，顯然表示裡頭放了他不想被她看到的東西。

＊　＊　＊

購物任務花掉了今天大半的時間。排隊停車，排隊進大賣場，然後開車回哈羅德十字路口，這樣就耗掉了兩個小時。他們倆在車子和公寓之間往返了兩趟，才把所有東西搬進公寓，然後兩人花了漫長的時間擦拭所有東西，找到囤放的地方。回到歸還車輛的地點時，奧利弗似乎明顯鬆了一口氣，而且路上沒遇到任何警察臨檢。他的肩膀和脊椎似乎終於放下扛了一整天的重擔。他雖然大概會聲稱這是因為他不習慣開車，但在回去的路上，他們遇到兩輛正在設置路障的警車，琦菈相當確定他握著她的那隻手冒出冷汗。

但她沒問他為什麼。

她還在想著背包的事。

回到公寓時，她已經注意到了：他把背包匆匆拿進臥室，回到廚房時沒拿著背包，所以不管裡頭裝著什麼，顯然不是食物。

他在大賣場裡買了什麼不想被她看到的東西？他可能買了什麼？

而且為什麼要向她隱瞞？

在開車回家的路上，她心不在焉地跟他要收據，藉口是她想知道欠他多少錢。但他說他不知道把收據放在哪了，就算她在收銀臺看到他把收據收進外套內側口袋。

他是真的忘了？

還是睜眼說瞎話？

兩人回到公寓後，奧利弗開始打開印表機的箱子，琦菈宣布自己要去洗個澡。

她拿著一條浴巾走進浴室，鎖上身後的門，脫掉衣服。她把大型蓮蓬頭的水流開到最強，水溫剛好低於燙傷程度，在加壓的降雨下站了三十秒，確保弄溼髮梢。然後她走出淋浴間，用浴巾裹住身子，盤腿坐在瓷磚地板上，背靠著門。

她需要獨處一分鐘。

需要思考。

背包不是什麼大問題。人有隱私權，而且可能會在超市裡買些不想讓剛開始交往的對象知道的東西。例如……

她唯一能想到的是痔瘡軟膏，她不確定大賣場有沒有賣，但一定有很多類似的難以啟齒的東西。

厚重蒸汽開始在她上方聚集。

問題是，這讓她懷疑背包裡可能有一套菜刀。或是一小瓶伏特加，他會在中午之前就裝在水瓶裡喝下。也可能是醫藥區的某個商品，因為他有某種不能說出來的醫療狀況。

但問題是，她不知道他可能買了什麼，因為她跟他其實並不熟。

至少沒熟到讓她確信自己在這裡很安全——跟他一起住在這裡，沒有第三人知道她在這裡。

她想待在這裡。她確實想。

可是她應該待在這裡嗎？

響亮的敲門聲傳來，嚇了她一跳。

「妳還活著嗎？」奧利弗的嗓音因為隔著門板而模糊。

琦菈急忙起身，拿掉浴巾，回到淋浴間裡，好讓自己的「怎麼了？」聽起來像來自正確的位置。

「我正在煮晚飯，」他說：「大概十分鐘就好。」

「好，」她喊道：「好極了。」

她這時聽見喀啦聲——是門把嗎？他想進來？

還是他只是想看看她有沒有鎖門？

她等候。

「一切還好嗎？」他在幾秒後問道。

「嗯，我沒事。為什麼這麼問？」

她等他回話，但沒聽到任何聲音；幾秒後，她好像聽見通往客廳的門喀啦關上。

她在浴室裡又待了幾分鐘，確保自己就像真的有洗澡，然後收拾東西，打開門。

蒸汽從她身後溢出，飄進大廳的冷空氣裡——她看到客廳的門確實是關著的。

她在門旁邊停步，側耳聆聽。門的另一邊完全沒有聲音。

他在裡頭做什麼？

她靠得更近，直到她的左耳幾乎貼到木板上。

還是沒聲音。然後——

她好像聽見金屬刮過水泥。

這表示他在外面，在露臺上。

然後她聽見滴水聲，距離很近，她過了一秒才意識到這來自自己身上，她身上的水滴在走廊地板上，標示出自己所站位置，她潮溼的髮梢透露了自己的蹤跡。

她快步進入主臥室，抓緊身上的浴巾，把門在身後關上，發出輕柔的喀啦聲。

然後她把門鎖上。

鑰匙一直插在鎖孔裡，但她從沒聽過它轉動的聲音，現在才發現它發出的聲音多麼響亮。希望他還在室外。她現在為什麼鎖上這扇門？她想不出任何看似合理的理由，她當然不能說出真實的原因：她想找到那個背包。

她先穿上衣服——她值得信賴的牛仔褲和一件純黑色T恤，因為揉成一團丟在浴室地板上而起了皺褶——然後掃視房間。

只有兩個地點能藏背包：衣櫃裡，或是床底下。她依序查看這兩處，在翻找奧利弗的東西時避免留下明顯的痕跡。

可是她找不到背包。

他趁她在洗澡的時候進來這裡、拿走了背包？他為什麼要這麼做？裡頭究竟有什麼他不希望被她看到的東西？

她再次檢查，確保沒遺漏任何東西，但背包確實不在這裡。這裡搜索起來很容易，因為奧利弗沒多少家當，大概只有一些衣物、鞋子和盥洗用具。

不過他確實說過，這裡只是個暫時的住所。也許他離開倫敦時，只帶著能帶上飛機的行李。

「琦菈？」

她愣住。

奧利弗的嗓音聽來像是從客廳傳來。她急忙轉動鑰匙，把臥室門完全打開，快步來到掛在衣櫃旁的全身鏡前，從這裡能看到客廳的門。

淋浴的熱氣已經卸下她臉上所有的化妝品，只有眼睛例外，暈開的睫毛膏弄髒了睫毛。她弄溼一根手指，輪流觸碰每隻眼睛的下方，試著修復眼妝，也假裝自己在這裡一直忙著這麼做。

客廳的門迅速打開，奧利弗現身。

注意到她在臥室裡，他對她淘氣地露齒而笑。「妳準備好了嗎？」

「呃……」她現在注意到，自己的頭髮看起來就像黏在頭皮上。「嗯。」她按摩頭皮，徒勞地試著挽救髮型。

「妳看起來很美。」他說。

「這是睜眼說瞎話。」

「在我眼裡很美。」

琦菈對他翻白眼。

「來吧，」他朝她伸出一手。「我們走。」

「去哪？」

「跟我來就對了。」

「怎麼回事？」

「看在老天的份上，我想給妳一個驚喜，稍微配合一下吧。」

她握住他的手，在他的帶領下穿過客廳，走出敞開的露臺門，來到露臺——露臺經過一番改造。

欄杆上纏繞著一串串微型LED燈，在夕陽下綻放溫暖的光芒。桌上鋪著紅白格紋桌布，放著供兩人享用的晚餐，連同香檳杯和搖曳燭光。她忍不住發笑，因為她看到廚房裡一把椅子被當成平臺，上方放著孩童在沙灘玩耍所用的塑膠黃色水桶，但裡頭放著冰塊，還有一瓶布滿凝結水的普羅賽克氣泡酒。奧利弗的手機放在桌上，播放某種溫柔的民俗音樂。

她轉向他。

「既然只能在特易購買東西，」他說：「我只好隨機應變。別太靠近看那些燈——它們其實是小小獨角獸。桌布是紙做的，酒杯是塑膠的。而且那些蠟燭是用來驅趕蚊蟲的。不過我覺得我做得還不錯，不是嗎？」

她不太確定該說什麼好，只是勉強開口：「這是為了什麼？」

「這個嘛，**為了妳**。」他把手放在頸後，心不在焉地揉著；她開始注意到，他每次感到尷尬或害怕即將要面對什麼的時候，總是會出現這個舉動。「我是說妳搬進來這件事。就算這只是暫時的，也因為發生了前所未有的全球緊急狀態——先跟妳說一聲，我選擇不親自參與那個部分。我只是覺得……我們應該為這個場合慶祝一下。而且既然我們哪裡都去不了……」他咧嘴笑。「不過我得事先警告妳，我在晚餐菜色上沒投入那麼多努力，應該說完全沒有。晚餐就是披薩和大蒜麵包，冷凍的那種。」

「謝謝你，」她終於找回聲音。「這真的……很美。」

她言之由衷。

他向她伸手，她允許他。

「妳也很美。」他在她耳邊呢喃。

就在這時候，她看到了。在他身後，敞開的門後面，在明亮的客廳裡。

那個背包躺在沙發旁的地板上，裡頭空無一物。

四十八天前

星期六早上，他們在鎮上閒逛了一會兒，想找個地方吃早餐。她指向道森街口一家熙來攘往的咖啡館，外面有座位，但他真的不想讓幾百個路人在經過時有機會看清楚他的臉，不喜歡可能被哪個看不見的人盯著的感覺。他建議去旁邊一家小型的地下室餐廳，她皺眉說也許在更寬敞、更開放的地方用餐會是更安全的選擇——畢竟從全球疫情的角度來看？最後，兩人決定在格拉夫頓街的布利咖啡廳用餐，一方面是他們倆都隱約意識到它應該是個特別的地方，另一方面是一群人在門口排隊等著進去，這是個好兆頭。

兩人一踏進門，奧利弗就發現這確實是完美的選擇。店內採用與大型歐陸咖啡館同樣的通風、挑高天花板的設計，而且更好的是，店員把他們帶到後側，繞過拐角，來到一張不會有人經過的小桌子。他讓琦菈坐在面向店裡的座位上，自己坐在背對店裡的座位上。

他不在乎食物或咖啡，只想確保心裡後悔的程度不會進一步攀升。

他拿起菜單，假裝在看。

「我**餓壞了**。」她也拿起菜單。

星期四晚上原本應該是兩人最後一次見面。他打算跟她見面，一起喝一杯，然後徹底消失。他需要這麼做，也決心這麼做。

因為這場疫情的關係，想搞失蹤應該再簡單不過。她可能對此根本不會多想，更不會懷疑他有什麼想法。

但那天晚上的結局是，兩人回到他的住處，脫下彼此的衣服。這種事還是發生了。現在，她不但知道他住哪，還睡過他的床，看到他身上的疤痕。

他在被問起的當下不知道該怎麼做，於是對她說出他在倫敦給露西的同一套說詞。他希望這不會暗指著事情將如何發展。

他有點不敢相信事情發生了，但其實還是知道事情之所以發生是因為他希望它發生。

因為他喜歡她。

他喜歡她，而這會毀了一切。

又一次。

「你要點什麼？」她問：「我大概會點焗蛋。」

他知道自己在玩火。他能看到火舌舔拭自己的皮肉。過去的經驗告訴他，高溫隨時會從外皮燒到末梢神經，讓他墜入一個痛苦的世界。

他知道事情不可能有別的結局。

但他就是沒辦法把手從火裡抽出來。

他喜歡這種高溫。

「聽起來不錯，」他說：「我也點一樣的好了。」

兩人放下菜單。他在這一區沒看到任何服務生，但猜想他們遲早會出現。

「別往那個方向看，」琦菈輕聲道：「你右手邊那個角落。」

然後她點個下巴，表示他**應該**往那個方向看。

有個女客人搖搖晃晃地站在椅子上，用一臺小狗大小的相機拍攝桌上精心擺設的餐點和飲料。這位攝影師檢查了相機螢幕上最新拍攝的結果，然後彎下身子，把一個咖啡杯往左邊挪了幾吋，她腳下的木椅搖晃了一下。

在公共場合以一種吸引龐大注意力的方式行事，而且似乎不在乎誰會看到，這對奧利弗來說是一種無法理解的行為，他將其歸類為某種精神病。

「有些人願意為 Instagram 付出任何代價。」琦菈咕噥。

兩人今早在同一張床上醒來，但之後就沒再近距離接觸；他提議走路進鎮上吃早餐後，她說她會在鎮上跟他會合，因為她需要回家「做些準備」。她要換衣服，化妝，做女人要做的事。這讓他有一個小時在家獨處，他利用這段時間在社群媒體上搜尋她，這次找得更徹底，使用他蒐集到的所有情報——但這次也毫無收穫。

他在推特、臉書和 Instagram 上拚命搜索，但都找不到跟她有關的任何資料。他輸入了她的全名。她的名字加上「都柏林」。她的名字加上「科克」。

而且都加上她的姓氏和名字的第一個字母。

他尋找所有跟「酒吧」、「雞尾酒」和「法式七十五」有關的近期貼文，因為她的使用者名稱可能是一串隨機數字或其他名字。

還是一無所獲。

他也沒看到任何可能屬於她的私密帳號。沒有她被標記其中的任何舊貼文。

她不只是不在社群媒體上而已，而是根本不在網路上。

除了他在認識她的第一天找到的 LinkedIn 資料，沒有任何一筆 Google 搜尋結果跟她有關。她**就是不在**網路上，這點令他起疑。

除非刻意努力，否則現代人的名字很難不出現在網路上。

應該吧？

如果你是個普通人，這麼做不會很難。

也許琦菈就是**不用**社群媒體。確實有這種人。畢竟現在不是流行「數位排毒」？而且在他們一起度過的幾個小時裡，他從沒見過她用手機拍過一張照片。他每次瞥見她的手機螢幕時，她似乎在檢查她的電子信箱或瀏覽新聞標題。

而現在，既然她提到這個話題，他就必須把握這個機會。

「所以妳沒在用 Instagram？」他問。

她搖頭。「沒在用。」

「現在沒在用，還是從來沒用過？」

「我好像在幾年前開了個帳號，但從沒發表過任何文章。問這個做什麼？你有在用？」

「噢，所以妳想騙我說妳沒上網搜過我？」他咧嘴笑。

「我才沒這麼做！我發誓……說真的，我根本沒想到這麼做。」

「真的？」

「真的。」

「所以妳沒跟酷孩子一起混？」

「我認為，」琦菈說：「既然你說出『跟酷孩子一起混』這種話，大概就表示你沒在跟酷孩子一起混……？」

「很公平。而且回答妳的問題，我確實沒跟他們一起混，我沒在用 Instagram。」

「真可惜。你在 Instagram 上一**定**會成為紅人。」

「是嗎？」

「你**那張**臉？」她說：「你當然會紅。而且看在老天的份上，你是建築師——」

「不算是。」

「你在那個平臺上就會被當成建築師。社群媒體才不注重細節。你得好好利用蓋房子之類的身分。」

「其實這就是我的學位名稱：『蓋房子之類的學士學位』。」

她發笑，然後說：「所以你為什麼沒在用 Instagram？」

「說真的……？」他吐口氣，爭取時間。跟上次解釋疤痕相比，他這次必須掩飾得更好。**保持簡單**。「其實，我就是不懂這麼做有什麼必要性。我不是反對社群媒體之類的，只是不知道在這種平臺上要做什麼。」他停頓。「**妳**為什麼不用？」

「因為我看過幕後。」

「聽起來令人毛骨悚然。」

「我是故意想讓你毛骨悚然。」她俯身向前，雙肘撐在桌上。「聽著，天下沒有白吃的午餐，對吧？我們為這些應用程式付出的代價，就是我們的資料。沒人看的使用者授權合約講的就是這些。但是該擔心的不是這些科技巨人蒐集關於我們的資料——恐怖的是他們拿這些資料**做什麼用**。我能列出一串紀錄片——其實都是恐怖片——可是那些冗長得沒人看的使用者授權合約，其實講的是他們把我們的個人資料交給人工智慧，而人工智慧正在侵蝕我們的自由意志。我沒辦法阻止他們——我覺得任何人都沒辦法阻止，已經太遲了——但我也不需要積極地幫他們。所以我只願意用 LinkedIn，因為在我們這一行，不用 LinkedIn 就等於不存在，不過我只使用這個平臺。我們的機械統治者們遲早會來，但我不會幫它們開門。」

他暫時允許自己相信這番說詞，思索如果這是真的、琦菈真的不使用社群媒體，這對他來說意味著什麼。他試著想像。如果他的名字和臉孔不會透過她而在網路上流傳開來，促使一群推特上的私刑暴徒舉著火把和乾草叉上街，引起八卦媒體的注意？

這意味著，他可以繼續跟她見面。至少再見面一小段時間。

只要她繼續相信他。

今日

大廳裡的氣味比之前更糟。

透過對面的玻璃門，莉亞能看到這裡和命案現場之間的住戶們已經明智地退到露臺上。就目前而言，除非他們有緊急原因，否則不能離開這裡，而全球疫情讓大多數人都拿不出這種緊急原因。換作平時，警方可能會把住戶們安置在酒店，但在目前情況下恐怕沒辦法這麼做。一旦法醫人員完成了工作，病理學家也離開後，接下來就能移除屍體並清理公寓。在那之前，她只希望天氣能配合。

莉亞戴著口罩，試圖用嘴呼吸，用一把鑰匙打開了一號公寓的信箱，鑰匙是一名制服警員從四號公寓那個女人那裡借來的。其實這裡每把信箱鑰匙都是一樣的；她不禁好奇，住戶們是否知道這點，而如果知道會作何感想。她用戴著手套的手拿出信箱裡的東西。制服警員匆忙歸還鑰匙時，莉亞把戰利品拿到外面——也讓自己遠離屍臭。

卡爾在車子旁邊等，為自己弄到兩杯外帶咖啡而顯得自鳴得意。

兩人坐在前座上，車門開著，以防有人要找他們。

他把兩杯咖啡放在儀表板上，從手套箱裡拿出一個透明的證物袋，打開袋口，讓莉亞把證物丟進去。

信封很薄，是奶油色，質地光滑僵硬，是高級紙料，很像婚禮邀請函會用的那種。

信封的正面只有用藍墨水寫下的一個手寫名字。

奧利弗．聖萊傑。

莉亞總覺得這個名字好像勾起什麼回憶，但不確定為什麼。這個名字對她來說沒有任何意義。她想不起以前在哪個場合或情況下聽過這個名字。

「那是啥？」卡爾指向信封上的某處。

莉亞翻轉證物袋，看到信封背面的封口上方有著更多手寫字體。

這不是你在擔心的那個東西。

「我敢打賭這就是他在擔心的那個東西。」卡爾說。

他們不能打開這個信封，這件事得由鑑識小組處理，以防萬一。莉亞把證物袋放在儀表板上，寫著名字的那一面朝上。

兩人都靠向椅背，瞪著證物袋，啜飲咖啡。

莉亞皺眉。「你有沒有在咖啡裡放糖？」

「三包，」卡爾說：「妳可別跟我說妳嘗不到甜味。」他搖頭。「妳真的該去檢查血糖。」

「把一罐紅牛和兩包萬寶路當早餐的人不是我。」

「那妳早餐吃了什麼？蛋白歐姆蛋和濃縮小麥草汁？」

「我什麼也沒吃，」她說：「我在斷食。」

「最好是。」

「你對那個名字有印象嗎？」莉亞朝儀表板上的證物袋點個頭。「奧利弗・聖萊傑？」

「我該對它有印象嗎？」

「我也不知道。我覺得聽起來有點耳熟，而且聖萊傑在這兒是個挺罕見的姓氏。不過我好像從沒見過有誰姓這個。」

「也許妳想到哪個演員之類的。」

莉亞費勁地用單手從口袋裡掏出手機，打開瀏覽器，在搜尋欄位裡輸入**奧利弗・聖萊傑**。搜尋結果是典型的那一些：社群媒體資料、訃聞、某個大學網站列出的職員名單。

但完全匹配的結果很少，沒幾筆在都柏林，而且沒有任何一筆能解釋這個名字為什麼讓她有印象。

「信封上沒有郵票，」卡爾說：「是寫信的人親自送來的。」

「我很佩服你注意到了。」

「除了咖啡因開始發揮作用之外，我還能說什麼？」

莉亞伸手翻轉證物袋，兩人看著信封背面的訊息。

「『這不是你在擔心的那個東西』，」卡爾朗讀：「這是什麼意思？」

「你問我，我問誰。」

「我猜是分手分得很不愉快，」他說：「不然就是監護權大戰，再不然就是有個煮兔子的瘋婊子在騷擾他。」

「我收回前言。請提醒我送你去參加說話藝術課，好嗎，卡爾？」

「是不是在課堂上玩角色扮演那個？我已經上過了。」

「我不確定你有學到任何東西。」

「那妳覺得信封上的訊息在說什麼？」

「這個嘛……」莉亞嘆氣。「我認為我們對它的判斷有偏見，因為它所在的信箱是屬於一個有人腐爛了兩星期的公寓。這封信可能沒有惡意，搞不好內容很正面，甚至**親切**，像是……邀請函。」

「看來妳是波麗安娜效應的化身。」

「那些建築師回電給你沒有？」

「還沒。我再試試。」卡爾掏出手機，用拇指解鎖，在這個過程中把幾滴咖啡灑在牛仔褲上。「咱們來問他們有沒有不見了哪個奧利。」

奧利。

奧利．聖萊傑。

這個姓名及其所有含意，從莉亞的大腦後側迅速湧進正前方。

她突然想起在哪聽過這個名字，而這項認知讓她覺得胸腔裡卡著冰冷的石塊。

「我很快回來。」她對卡爾說，對方已經把手機貼在耳邊。

莉亞下車，把咖啡放在車頂上。她走離幾步，打電話去桑德萊路警局的總機，詢問已退休的比爾．歐萊利警探的手機號碼。總機說有人可能有號碼，所以她在他們詢問時等候。

奧利．聖萊傑。

老天，如果公寓裡那人真的是他……

那她恐怕到**下週五**之前都沒辦法買外帶、宅在家。

莉亞在電話上繼續等候，拿起咖啡啜飲，在警戒帶外面來回踱步。

透過汽車的後擋風玻璃，她看到卡爾打完電話，正從後照鏡的倒影中困惑地看著她。

她轉身背對他。

她在確認之前不會妄下結論。

奧利・聖萊傑。他不太可能還在用這個名字。他不可能還在用這個名字吧？他一定有改名。一般人在這種情況下，會改用母親的姓氏。通常是這樣。

雖然他這種案例並不多見。

電話那頭說他們查到了比爾的電話號碼，會傳簡訊給她。

莉亞停步，低頭查看手機，以意志力命令傳簡訊過來的那人打字快一點。

如果他不是用這個名字——他確實很不可能這麼做——這表示把信封放進他信箱裡的那人知道他的真實身分。

不然就是自以為知道他的真實身分，而如果那個信封跟他陳屍於浴室地板有關，而警方判斷有誤，情況就更糟糕。

叮。

莉亞按下簡訊裡的號碼，手機自動撥打。

響了令人難受的幾聲後，一個年長男子以沙啞嗓門接聽：「喂？」

「比爾，我是莉亞・萊爾頓。你好嗎？」

他沉默幾秒後說道：「我擔心妳不是打電話來問候我。」

不說廢話——他在十五年前跟她共事時就是這種個性。她當時還是個小警察，才剛從坦普爾莫爾警校畢業，而比爾已經是個乾癟的老前輩，因為參與了幾個重大案件而聲名大噪。

「確實不是，」莉亞說：「很不幸的。」她離車子、警戒帶和其他人又走遠一步，壓低嗓門。「比爾，我在哈羅德十字路口的案件現場，我得問你一個敏感的問題。我有個名字，我只是想知道這個名字對你來說有沒有任何意義。為了咱倆著想，我現在只問這個。你只需要回答『是』或『否』就行。好嗎？」

「好……」

莉亞深吸一口氣。「奧利．聖萊傑。」

接下來的沉默太過漫長，所以她把手機從耳邊拿開，確認線路沒斷。

比爾開口：「是的，對我來說有點意義。」

「謝謝你。跟我想的一樣，但我還是想確認。」

「妳如果需要我——」

「我可能會。這是最方便找到你的號碼？」

「只要我有聽到鈴聲。我的聽力不如以往。不過就算我沒聽見，我老婆也會聽見。」

莉亞遲疑不決。她是可以現在就掛斷，不過……

既然他幫了她，她覺得有必要給他一點回報。

她說：「我覺得他可能死了。」

又一陣漫長沉默。然後：

「很好。」

喀啦。

莉亞回到車裡坐下。

「ＫＢ工作室確實有個奧利弗，」卡爾說：「可是他姓甘迺迪。跟我談話的那個人說，他們公司在這兒確實有間公寓，而且住在裡頭的應該是甘迺迪，但他不確定。這似乎是這家公司的座右銘。」他模仿電視廣告旁白的口吻。「**ＫＢ工作室：我們啥都不確定**。能不能麻煩妳提醒我別找他們幫我設計房子？我在他們網站上或任何社群媒體上都找不到相片，不過那傢伙描述甘迺迪是快三十歲，身高六呎，淡棕色頭髮，模樣很帥。不過他也說他耳朵很大，下巴很方，所以……我知道甘迺迪現在腐爛得挺嚴重，**而且**是臉朝下，不過裡頭那人符合這番描述嗎？」

「裡頭那團東西，」莉亞說：「是徹徹底底的屎尿風暴，潛在來說。」

「噢？」卡爾皺眉。「妳剛剛跟誰講話？」

「我們目前不能讓這件事的風聲走漏出去。」

「我是很愛妳搞神祕啦，莉亞，不過——」

「至少等我們確認再說。」她嘆道：「說真的，我原本**真的**很期待買外帶、宅在家。」

「看在老天的份上，妳到底想說什——」

她轉頭看他。「你記不記得米爾河那個案子？」

三十二天前

經過溫暖的星期天夜晚後，星期一感覺就像正式開始所帶來的冰冷尖石。

琦菈睜眼看到黑暗，但過了幾秒後看到微弱灰光從百葉窗邊緣入侵。和之前一樣，奧利弗背對她，睡在旁邊。他還在熟睡，輕輕打鼾。昨天晚上，她確保有把衣服疊好、放在如今屬於她這邊床位的地板上：一條波爾卡圓點睡褲，還有一件充當睡衣、沾到漂白水而褪色的舊T恤。她拿起衣褲，躡手躡腳地走出房間，輕輕把門關上，在昏暗的客廳裡穿上。

時髦的咖啡機發出的聲響跟拖拉機的引擎差不多，所以琦菈改用熱水壺煮水，在水嘶嘶沸騰前關火，從「末日求生者」的囤貨裡拿出即溶咖啡，倒進熱水裡，用湯匙攪拌。

她其實並不在意咖啡嘗起來怎麼樣，她在清晨最需要的其實是咖啡的氣味。通往帶欄杆的小露臺的門，輕輕咔噠一聲被她解鎖，但在她關門時發出更大的嗖嗖聲。桌上還放著昨晚的格紋桌布，小燈還纏在欄杆上。想起昨天懷疑他的背包裡藏著險惡的東西，她覺得自己很傻。她究竟以為裡頭可能藏著什麼？

她想起在得知真相後奧利弗是什麼表情，他當時因為食材是從特易購湊來的而道歉。他臉頰上的一絲熱度，緊張的笑容，他尷尬時低下頭的模樣，就好像他在抬頭看著你，就算他明明比她高……

想到這段回憶，琦菈綻放笑容。

她選了一張能更清楚看到中庭和周圍其他公寓的椅子，用兩隻手捧著咖啡。天空逐漸變得更亮。這裡寂靜得令人驚訝，但這種寂靜瀰漫著一種**焦慮**。這座城市的活力已經減弱多久了？兩個星期？而在上個週末，整座城市徹底停擺。最大的變化是交通喧囂的消失，像是引擎、汽車喇叭、輪胎壓過柏油路的聲響，而這項變化也最令人不安。她離位於河南邊的市中心只有十分鐘的步行路程，但這裡除了遠處的鳥叫聲和微風吹過庭院樹木的沙沙聲外，沒有任何聲音。

她心想，我可能是地球上最後一個人，而我自己不知道。

她可能是地球上最後一個人，而且根本沒人知道她在這裡。

動靜。

琦菈先是看到那雙亮粉色的大腿，而在那麼一瞬間，她搞不懂那雙腿為什麼似乎在膝部消失，但隨後她眨眨眼，意識到自己在看什麼：那不是一個飄浮在空中的女人，而是一個穿著緊身褲的女人——褲子從膝部以下是灰色——在她的陽臺上做瑜伽伸展運動。

奧利弗跟她說過，這棟大樓裡有個健身房，但它在上週提前關閉了，而現在，因為封城狀態，它在可預見的未來必須繼續關閉。他說過他會再次開始跑步，而她對他說「去吧」，還說她自己只有在被追逐、為了**逃命**的時候才會奔跑。但她喜歡散步。這附近的環境很好，樹木茂密，還有運河，而且城裡有些區域依然在他們的兩公里活動範圍內。如今路上空無一人，這個區域的模樣一定很有意思。而且走路能讓她有機會思考。

她又啜飲一口咖啡。

瑜伽女子現在做著弓步。她一頭金髮，體型輕盈。雖然相隔一段距離——女子在建築群的另一邊，比她高一層樓——琦菈也能看到衣料是如何黏在她的肌膚上，以及那身肌膚是如何黏在身體上。她猜這就是為什麼這名女子有自信在自家陽臺做瑜伽，讓所有鄰居觀賞。她不禁好奇，這名女子是不是想讓人們觀賞，讓她在早上覺得愉快的究竟是瑜伽還是眾人的目光。

彷彿聽見琦菈的想法，女子站直，來到玻璃圍欄前，雙手放在上面。

然後她轉頭，朝琦菈的方向看來。

至少琦菈覺得她在看著自己。隔著這麼遠，很難看清楚，加上彼此之間被中庭的樹葉阻礙，但琦菈覺得自己因為被注視而皮膚刺麻。

她以誇張的動作低頭看著手上的咖啡杯，好讓女子知道自己沒打算回瞪對方。

「唉，看在老天的份上。」

聽見奧利弗的嗓音從正後方傳來，琦菈嚇一跳，手裡的咖啡一晃，灑了幾滴在大腿上。她轉身看到他站在敞開的門口，拿著兩杯咖啡，把其中一杯遞向她。

「把妳手上那杯給我，」他說：「拿著這杯。」

「那是什麼？」

「咖啡，」他說：「而且我知道妳正在喝的不是咖啡——我看到了流理臺上的瓶子。那是留到**世界末日**用的，妳不需要現在就懲罰自己。」

琦菈開玩笑地翻白眼，乖乖把手裡的杯子放在桌上，從他手裡接過另一杯。

「妳為什麼不用咖啡機？」

「我忘了怎麼用。」她撒謊。她啜飲一口真正的咖啡，味道確實比較好。看來咖啡機的噪音沒她以為的那麼大。

「謝謝你，」她說：「而且早安。」

「早安。」他來到外頭，赤腳踩在水泥上，俯身吻她的頭頂。然後他坐在另一張椅子上，為了避免灑出咖啡而動作謹慎。「所以妳在上學日總是這麼早起？」

「現在很早嗎？」

「才剛過七點。」

「這個嘛，嗯……沒錯，應該是吧。我平時大概都是這時候起床。」

奧利弗掃視中庭。「老天，」他說：「這裡好安靜。」

「沒有車聲。我覺得這是今天最大的變化。」

「什麼聲音都沒有。那麼——我們今天有什麼計畫？」

「這個嘛，我在九點得登入公司系統，」琦菈說：「你介不介意我在午餐後使用客房？我到時候得接幾通電話，所以……」兩人在週末把餐桌搬進客房裡，充當辦公桌。他們的約定是，其中一人在早上使用臨時辦公室，另一人在下午使用。不能使用臨時辦公室的那人可以躺在沙發上，在茶几上辦公，或是坐在早餐吧檯前——或甚至躺在床上辦公。「我今天早上只需要處理電子郵件。我在沙發上就能做。」

「我不介意。」

「而且我中午左右大概會去散步。我甚至可能會大天去散步，而我之所以現在告訴你，是因為我想**逼自己**這麼做。所謂的問責制。」

「我們這麼辦吧，」奧利弗俯身向前。「我在上午使用客房，妳用沙發。妳去散步的時候，我做午飯。然後，如果妳不介意，我大概五點會去跑步，妳在那時候做晚飯？」

她露出苦瓜臉。

「好吧，」他說：「開始做晚飯。像是預熱烤箱之類的。」

「這我做得到。不過你可能得教我怎樣用烤箱。」

「至於晚上，我覺得我們可以從《從地球到月球》開始看？」

這是他提過的某個關於登月的節目。

她微笑。「聽起來不錯。」

奧利弗心滿意足地靠向椅背。

她注意到他這個特點：他需要事先安排計畫。他必須知道現在、接下來和之後會發生什麼，而且事情都必須有著某種架構。她能理解沒事做的週六或慵懶的週日為什麼需要安排計畫，但工作日似乎沒必要，畢竟工作日就是在工作。

儘管如此，她覺得封城的日子有些計畫也不錯。

琦菈偷瞄瑜伽女子的陽臺。

沒人在。

她消失了。

＊＊＊

琦菈來到哈考特街的盡頭時，看到聖史蒂芬綠地角落的柵門是關著的。她看不清楚用塑膠繩綁在欄杆上的霓虹黃色標誌上的文字，直到她穿過馬路，站在欄杆前面，不過她已經很熟悉這種標誌，提前猜到它在說什麼：公園因為新冠疫情而關閉。

這沒道理——關閉公園做什麼？——但這裡沒有可抱怨的對象。於是她從外圍欄杆開始走起，瞥見柵欄內側一片空曠的綠樹空間。這裡看起來很平靜，但聽起來不平靜；公園裡一直傳來嘎叫聲。看來，平時騷擾格拉夫頓街購物者的那些海鷗，如今占領了公園。

一輛都柏林輕軌列車從旁駛過，只載著三名乘客。兩名制服警員騎自行車經過，速度只比她走路快一點，在路上蛇行，悠哉地彼此閒聊，彷彿是在星期天出來轉轉。她是少數行人之一。

還有一種她無法判斷來源的不祥嗡鳴——一開始很安靜，然後逐漸變大。她認為某個地方被觸發了警報，直到她看到一名男子站在二十呎外，仰望上方，操縱著手裡一組控制器。她順著他的視線看去，看到一架空拍機，一個小型的黑色物體穩定地飛過正午的天空，就在屋頂上方，以鳥瞰鏡頭捕捉這座近乎無人的城市。

琦菈原本想像在公園的鴨子池塘邊的長椅上喝杯咖啡，但現在明白這種計畫多麼天真：公園被上鎖了，根本沒有地方可以喝咖啡。就連格拉夫頓街頂端的小型便利商店——因為是必要店家而還在營業——裡頭的自助咖啡機也貼上了「故障」的告示。

她每天都得想點別的事做，在別的地方坐下來思考。因為她知道自己需要這麼做，需要思考的時間。她不習慣一天二十四小時和另一個人在一起，而且這一切都發生得如此之快。

她覺得自己的人生突然出現重大變化。她來到都柏林，找到奧利弗。一場前所未見的全球緊急情況發生了。她和奧利弗開始同居。

而這一切都在這一個月發生。

昨晚，奧利弗睡著，滾離她身邊後，她在黑暗中躺了一會兒，無法讓飛快的思緒平靜下來。她並不是不想過著這種生活——恰恰相反，這就是她想要的生活。她在這裡的情況比她預想的更好——而且發生得很快。

但「速度」就是問題。感覺好像某種看不見的力量抓住她的雙肘，拉著她，就像在新聞上看到的畫面：示威者被身穿防暴裝備的警察拖走，腳趾幾乎沒接觸到地面。她並不是被拖去一個她不想去的地方，只是……

一切發生得實在太快。

她覺得，如果每天都能在外面有些時間獨處，那麼這些時間就會成為減速帶，讓一切都慢下來。

能稍微讓她覺得自己又恢復掌控。

但以今天來說，她只能這樣湊合。

琦菈繞著聖史蒂芬綠地的圍欄走了一圈，然後返回公寓。

* * *

她用鑰匙開門之前，就聽到說話聲。

聲音是男性，聽來憤怒，而且好像被揚聲器放大。她無法清楚辨認任何字句，但能立即辨認情緒：沮喪。

甚至憤怒。也許。

琦菈轉動鑰匙，**砰**的一聲關上身後的門，試圖藉此表明自己的存在，但聲音仍在繼續，沒有被打斷。

奧利弗應該在客房裡講視訊電話，她看到那扇門敞開著。他大概沒想到她這麼快就回來。另一個說話聲聽起來年紀較大，她走過走廊時聽見那人說：「我以為我們說好了，你不會對我隱瞞事情。」

她走到房間的門前，想把門關上，給奧利弗和線路另一頭的男子一點隱私。不過奧利弗似乎沒注意到她進來了。他背對著她，坐在臨時辦公桌前。她看到他筆記型電腦的螢幕上被一名男子的臉龐占據；那人有著一頭灰白頭髮和一張晒成古銅色、帶有皺紋的臉，他的網路攝影機位於下巴下方，對準鼻子，這種角度顯得尷尬而且不討喜。

男子搖搖頭，彷彿覺得難以置信，而奧利弗的姿勢——垂肩，低頭——似乎在傳達某種羞恥或失敗。

「你不能——」螢幕上的男子開口，然後住嘴，對奧利弗身後的某物皺眉。

琦菈過了一秒才意識到那個東西就是**她自己**。

奧利弗急忙轉身，臉上充滿問號。

她用脣形對他說「抱歉」，然後迅速把門關上。

她沒再聽到他們談什麼。

接下來的十五分鐘，奧利弗一直沒出來。

琦菈這時候已經做出一項行政決定：開始做午飯。而依據她的烹飪能力，午飯是能直接送進烤箱裡的雞肉乳酪吐司，連同從上週五就放在冰箱裡的剩餘沙拉。不過，她在其他地方做出了努力，在早餐吧檯設置了兩個座位，放好了整齊摺疊的方形廚房用紙，還有兩杯冰水，放在從抽屜裡找出來的造型各異的杯墊上。

「抱歉。」奧利弗走出客房，對她說道，顯得不好意思。

「一切還好嗎？」

「不，不算好。」他看到早餐吧檯上的準備。「這是什麼？」

「第一天的熱情努力。」

他面露苦笑。「妳覺得我們再過多久就會站在吧檯前，心不在焉地直接從盒子裡抓出玉米片吃下肚？」

「這個星期五吧。」

她把三明治放在烤盤上，送進烤箱裡。

「妳散步還愉快嗎？」

「不知道為什麼，他們關閉了聖史蒂芬綠地，這很討人厭。」她轉向他，雙臂抱胸。「剛剛是怎麼回事？你在跟誰講話？」

奧利弗抓抓頭髮。

「那是我老闆，」他對廚房地板說話。「剛剛是關於……」

如果琦菈要猜奧利弗要說什麼，大概是關於工作犯錯。他很少談到自己的工作，但他曾一、兩次提過「矽碼頭」附近的大型項目，她猜它們是在河流和港口隧道入口之間那些現代玻璃建築，美國科技公司在那裡設置歐洲總部，那些建築如今都空無一人，因為他們已經讓數千名員工回家工作。

但他的答覆是：「關於**妳**。」

她聽得一頭霧水。

「**我？**」

「還記不記得我說過，這個公寓是公司提供的？這是給員工的住宿，不是我自己的公寓。」他慢慢抬頭，看著她的眼睛。「所以嚴格來說，只有我能住在這裡。」

她過了一秒才聽懂。

「而你的老闆剛剛看到我了，」她說出想法。「在這裡，在封城期間。所以他知道我不是只是在探望你。」

「他其實沒看到妳，但他知道有人在這裡。他問起這件事，而我……沒說謊。我當時不覺得有必要撒謊，不過……」奧利弗顯得不自在。「他說這種事是不被允許的，現在也不行。然後他清楚地告訴我，我這間不是公司在這棟大樓裡唯一租用的公寓。其實有兩間。另一間住著一名資深合夥人。而且肯尼斯告訴我，那間能看到我這間的露臺。我真的很抱歉，琦菈，不過……」

她這時出現兩個想法。

第一個想法是，他很少說出她的名字，而且仔細想想，她多常說出他的名字？聽見他說出她的名字，讓她感到愉快。這讓她在胸腔深處感到溫暖。

這令她驚訝。

第二個想法是，她必須離開這裡。

她必須離開這裡。

這種想法讓她渾身發熱，伴隨著盲目的恐慌。

從她身後的某處，一股淡淡的麵包燃燒味開始在空氣中飄蕩。

「我是不是現在就該離開？」她說。

奧利弗皺眉。

「老天，不，不是。我的意思不是……」他來到她面前，抓住她的雙手。「妳哪裡也不用去。是他們太荒謬，反應太誇張了。我要說的是，我認為我們不能再坐在外面了，因為不管那個混蛋在哪間公寓裡，都能清楚看到我們的露臺。而我已經跟肯尼斯說了，妳今天會回去妳自己的住處。」

「噢。」琦菈垂下肩膀，鬆了一口氣，為自己胡思亂想而感到尷尬。她開始發笑。「噢。」

奧利弗也笑出聲。「妳剛剛**直接**想到末日情景了吧？」他把她拉近，溫柔地吻她。「妳哪裡也不用去。不過妳可能快觸發火災警鈴了。」

「靠！」

三明治已經不能吃了，表面燒得焦黑。奧利弗覺得這很好笑，而且提醒她今天應該是他做午飯，而且也許他**應該**這麼做。經過一番言不由衷的抗議後，她順了他的意。

午餐後，她拿著自己的筆記型電腦進入「辦公室」，進行下午的工作時，才想到一個問題：時間軸對不上。

奧利弗剛剛說，她去關臥室門的時候，他的老闆看到有人出現，於是問他公寓裡是不是有別人。然後他們開始談到員工住宿、另一間公寓裡有個資深合夥人。

可是琦菈走過走廊之前，接近臥室門之前，聽到線路另一頭的男子提高嗓門。

我以為我們說好了，你不會對我隱瞞事情。

你不能——

所以他們那時候在談什麼？奧利弗對老闆隱瞞了什麼？

而且他現在對她隱瞞了什麼？

三十五天前

剛走出淋浴間、圍著浴巾的奧利弗坐在沙發上，觀看愛爾蘭總理的現場演說。

從今晚十二點開始生效，李歐平穩的嗓門從電視機宣洩而來——全國各地每一臺電視機大概都發出他的聲音，**為期兩週，直到復活節週日，四月十二日，每個人在那之前都必須待在家裡，只有以下情況例外。為了往返於工作地點，為了工作，而且工作必須是必要的健康、社會服務或其他關鍵服務，不能在家中進行。為了購買食物或日用品，或為了領取餐點。為了看病、領取藥物或其他健康相關商品。為了重要的家庭因素，例如照顧兒童、老人或弱勢群體。為了在住處兩公里範圍內進行短暫的、單獨的健身活動。在單一住家或公寓之外進行的公共和私人聚會，無論任何人數，都被禁止。所有公共交通工具將僅限於必要的工作人員。除了我列出的活動之外，無論出於何種原因，都不該離開住處的兩公里範圍。**

總理並沒有用「封城」這個字眼，但這擺明了就是封城。基本上就是：接下來的兩星期，每個人都必須待在家裡。

待在自己的家裡。

他們不能跟家庭外的任何人見面，無論在室內還是室外。

奧利弗盯著電視螢幕，搖搖頭，感到難以置信。這對他來說太過完美，完美到簡直荒謬。就算他有機會設計出一套情境，也想不出比現在更好的。

他會邀請琦菈搬來跟他一起住。

或是邀請她在接下來的兩星期住在他這裡。他告訴自己：為了避免嚇到她，說成「暫時住在他這裡」比較好。

根據總理頒布的規定，他們倆只能透過這個辦法繼續見到彼此。如果他們保持現在這樣，以兩個獨立家庭的身分分開生活，就根本無法見面。

他不清楚這是法律立場還是只是建議，但他無意違反任何規則。他不會做出任何舉動導致愛爾蘭警察注意到他，但這不算是最嚴重的懲罰。他看到很多人在網路上分享了一些照片和影片，這些照片和影片裡的當事人被懷疑違反了規定，而且其中許多人的身分清晰可辨。他不能冒這種險。

他會跟她說他不能冒險，因為他捏造出來的哮喘問題；他會說規則的存在是有原因的，而且他想遵守。

既然她實際上就住在他的公寓裡，所以他不認為她會拒絕；她回去自己的住處純粹是為了工作。他還沒去過她的住處，但他今晚會去。依據她告訴他的情況，加上他在Google上搜索她那棟公寓目前的出租資料，他發現自己的公寓面積是她那間的兩倍大——而且她那間應該沒有陽臺或私人的戶外空間。

當然，除非她**不想**跟他一起住。他確實有可能對她誤判了，他以為正在發生的一切其實都只是他的錯覺，她對他的感受並不符合她的行為。

但他很懷疑。

所以，理論上來說，接下來的兩個星期，他們能時時刻刻在一起。

只有他們倆。

他們不會見到其他人。不會見到同事、朋友或家人。因為他們不能見其他人。他感到相對安全，因為她剛搬到都柏林沒幾天，而且正如她自己說的，在大家被告知要在家工作之前，她其實根本沒機會認識同事們，不過這將是完全不同的安全級別。

她不僅沒辦法把他介紹給任何人，她也不期望他把她介紹給任何人。她沒見過他的朋友、同事、家人或任何認識他的人，這一點都不會令人起疑。

加上他已經確認她不使用社群媒體，所以不用擔心她會在他的公寓或其他地方拍攝標記了地理位置的相片。

也許他甚至有機會鼓勵她不要把這件事告訴任何人，鼓勵她保守祕密。因為搬去一個才剛認識的男人的家裡，這麼做有點瘋狂吧？

而且，說真的，她只是來住幾個星期，為了度過封城期間。說真的，這種事不需要告訴任何人。

這可能是他的機會。他一直在等候的機會。

我們不是命運的階下囚，李歐．瓦拉德卡在電視上說道，**沒有命運這回事，事在人為**。

愛爾蘭總理在宣布為了阻止致命病毒擴散而需要採取的重大措施時，引用了《魔鬼終結者》裡的臺詞——這麼做明智嗎？——但撇開這點，奧利弗這輩子第一次同意這句話。

他也許不用再當自己的命運的階下囚。這場全球緊急情況可能能讓他擺脫命運。

接下來發生什麼，取決於我們每個人。

兩星期，奧利弗心想。只要他能說服琦菈相信這是好主意，他就擁有整整兩星期。

這段期間，沒有任何人能反駁他說的任何話。

他能時刻跟她相處，扮演任何身分。他能扮演她想要的男人，她以為自己認識的那個奧利弗。

他能徹底變成那個男人，把他其他的身分——那些名字、黑暗的錯誤——拋諸腦後。

二十九天前

上一秒，琦菈陷入了無夢的睡眠，但在下一秒，她完全清醒，整個世界都在燃燒。

警鈴呼嘯。

聲音如此之大，以至於每次聲響的高峰都感覺像是有什麼東西伸進她的耳道，捏住頭顱中心的深處。

而且這無休止的噪音就在**這裡**。

在她所在的黑暗房間裡。

但她轉身，發現奧利弗不在這裡。

琦菈的的大腦花了片刻才吸收衝擊，將碎片拼湊起來：大樓的火災警鈴在半夜響起，而奧利弗不在她旁邊的床上。他那半邊的羽絨被疊在她身上，她伸手觸摸暴露在外面的那一邊床單，感覺不到暖意。

可是警鈴聲蓋過了她的思緒，她現在沒辦法想著奧利弗在哪。她完全無法思考。她只有一個目標，就是躲去一個聽不見警鈴的地方。

她掀開被子時，臥室的門打開了，走廊裡溫暖的燈光迅速驅散了大部分的黑暗。奧利弗站在門口，被走廊的燈光映成剪影。

她看得見他穿上了衣服。運動褲和T恤——他早上起床時會暫時穿上的衣服。他睡覺時只穿著四角褲，所以無論他剛剛在哪裡，顯然不僅僅是昏昏欲睡地去廁所。

他在做什麼？

因為臥室門敞開，警鈴聲更加響亮，看來警報器就在走廊裡。她伸手拿起昨天穿過、昨晚掛在椅背上的牛仔褲，把赤腳伸進她整齊放在地板上的運動鞋裡。

她依稀注意到，自己這麼做的時候，奧利弗完全沒動。他站在門口，一動不動，面部表情被陰影遮蔽，他似乎不受刺耳噪音所擾。

即使她來到他身邊，他也保持著這個姿勢，沒打算讓路給她。

她呼喚他的名字，但他毫無反應。她懷疑他可能在夢遊，但她的瞳孔適應後，發現他其實非常清醒。

他清醒又警覺，而且擋住她走出臥室的路。

「奧利弗。」她重複。

然後他彷彿突然醒來，點個頭，站到一邊。

她從他身旁推擠而過，進入走廊，從門邊的鉤子上抓起自己的外套。她的鑰匙在門廳的桌子上，她把它們塞進口袋。**我的手機**，她這時想起。公寓可能真的發生了火災，天知道他們必須疏散多久。她也該帶著手機。**手機在哪？**她通常不會把它帶進臥室，所以她衝進客廳——那裡的燈亮著——然後尋找它。

它在茶几上，在奧利弗的手機旁邊。

就在這一刻，奧利弗的手機螢幕發亮，出現一條通知。

她拿起自己的手機，只稍微瞥了他的手機一眼，覺得那應該是一條簡訊。

她觸碰自己的手機，螢幕發光，顯示現在是凌晨四點零一分。

誰會在早上四點傳簡訊給奧利弗？

她轉過身。

「妳在做什麼？」奧利弗在警鈴聲下喊道。

她指向門口。「我要出去！」

整個世界開始感覺就像由噪音組成，琦菈再也無法忍受。設計警鈴的人，真的把它設計得很有效。她需要離開這裡，需要到外面去。但她開始走過走廊時，感覺胳臂被抓住，被拉扯，這股力量強大得足以逼她轉身。

奧利弗把她拉進浴室，關上門。

幸好警鈴聲因此降低了幾個分貝。她能聽到他說話，但遠處傳來嗡嗡聲，感覺像來自她自己的耳朵裡。

「警鈴很快就會停止，」他把雙手放在她的肩膀上。「這只是警鈴在亂叫，這種事經常發生，例如有人燒焦晚餐的時候。放輕鬆。」

但他的手勁並不符合他的說詞，感覺不一樣。

他不是在安撫她，而是控制她。

她開口：「誰會在凌晨四點煮晚飯？」

「不然就是有人喝醉回家，在電梯裡點了菸。」

「從哪裡回家？現在在封城。」

他的反應是聳個肩。他背對著門板。

「奧利弗，」她平靜地說：「火災可能是真的，我想出去。」

「可是沒這個必要。」

「奧利弗，」她再次說道，這次發出緊張的笑聲，因為這個狀況既荒謬也令她愈加不安。

他究竟在做什麼？

她的思緒飛到陰暗之處。他比她高一呎，比她強壯，而且在半夜可能發生火災的時候阻止她離開這個小空間。他用蠻力把她困在這裡。她雖然有帶手機，可是……

她能想像他從她手裡搶走手機，摔爛在瓷磚牆上。他們倆在公寓裡最小的空間裡，位於走廊的盡頭，這時警鈴大作。就算她尖叫——

她冷靜下來。**不**。她只是在反應過度。

因為**他**反應過度。

「我不想再聽到這個聲音。」她開口，伸手繞過他的側身，想去抓門把。

「它很快就會停止。」他調整位置，再次擋住她。

「你怎麼知道？」

「我就是知道，這種事經常發生。」

「你才剛搬來這裡。」

「而自從我搬來後，這種事經常發生。」

「這個嘛，在那之前……」

她再次伸手，稍微彎下身子，抓住門把。

奧利弗抓住她的手腕。

她低頭看到自己的皮肉被他的手指握住，然後她慢慢抬頭看著他的臉。

「你在做什麼？」

令人緊張的幾秒鐘經過。

然後他放手。

「那個資深合夥人，」他說：「KB工作室那個，他會看到妳。」他語氣絕望，閃爍的眼睛彷彿快掉淚。「而且現在是凌晨四點，既然妳這時候在這裡，就不可能只是臨時來訪。」

琦菈的的喉嚨裡湧出對他這句話的諸多反應——外頭很黑，我們可以遠離他；我們可以分開行動，反正他也不認得她；她哪在乎被看到？因為她快被這種噪音吵得發瘋，不然就是**被大火燒死**——但她沒說出這些話，而是掙脫了他，轉身面向藥櫃。

她打開櫃子，拿出奧利弗幾天前帶回家的一包口罩，不小心碰到其他東西（一罐除毛膏、一盒膏藥），但她任憑它們掉到地上。

袋子裡的口罩也全掉在地上，除了她拿在手裡的那一片。她把口罩的鬆緊帶套到耳朵上，粗魯地拉扯口罩，直到它舒適地貼在臉上，然後她刻意用力關上藥櫃。

她意識到，自己的雙手在顫抖。

「好主意，」奧利弗說：「可是妳真的不需要出去——」

「讓我走。」

這聽起來就像俘虜對挾持者做出的懇求，她也是刻意採用這種語氣。

這番話立即對奧利弗產生影響。他似乎洩了氣，垂下頭。

他站到一邊，以便琦菈走出去。

她沒浪費任何時間，直接拉開門。警鈴全力運作，她覺得大腦內部正在被這波恐怖音浪焚燒。她跑過走廊，跑向前門。

她沒回頭看他有沒有追過來。

她不在乎他有沒有追過來。

＊　＊　＊

在公寓門外，噪音更加嚴重，因為每間公寓的警鈴透過安裝於走廊的揚聲器發出合唱。走廊成了一條折磨聽覺的隧道，琦菈只恨自己跑得不夠快。她來到通往中庭的雙扇門前，按下開門鈕，然後推門出去，來到夜色下。

一小群住戶聚在庭院裡。他們跟彼此保持著不同的距離，輪流用單腳支撐身子的重心，雙臂交叉於胸前。每個人的臉色都蒼白浮腫，顯然是在熟睡中被驚醒，身上是睡衣和外套，而且彼此偷偷互瞄。住戶被關在一起已經有一段時間了，但這次是第一次近距離地聚在一起。有些住戶站在自己的陽臺上，穿著短袖，打著哆嗦，一臉不悅。

沒人戴口罩。琦菈立刻摘下口罩，塞進外套口袋。她戴著口罩只會**更**可疑。

外頭也響著警鈴，但在可容忍的音量範圍內。沒看到任何火焰或煙霧的跡象。她看到每個人的陽臺門外都有個紅色的鐘形裝置，都在閃爍著一個藍色的小燈。她為住在這裡的人深感遺憾。

一名女子在中庭一張長椅旁來回踱步，朝著手機大罵**又發生了這種事**，**這種打擾讓人完全無法接受**，並說明為什麼**每次警鈴亂叫只會產生「狼來了」的效應**。

其他居民大多保持沉默，甚至沒跟彼此說話。有些人揉揉眼睛，其他人翻白眼。有人點起一根菸。

她看不出哪個人可能是奧利弗很害怕的那個建築師公司合夥人，也似乎沒人對她投來不尋常的關注。

講電話的女子把手機夾在脖子和肩膀之間，朝非特定對象宣布：「他們說我不能關掉警鈴。他們叫我等消防隊的人來。」

住戶們唉聲嘆氣。

「咱們會在這兒**等一輩子**。」某人呻吟。

琦菈的右太陽穴出現悸痛，在警鈴作響一陣子後才出現。她站在寒冷的環境中，感覺這陣疼痛在前額和右眼上方擴散，但她不確定頭痛是否真的變得更糟，還是自己是因為「想著頭痛」才有這種感覺。

她只想吞顆頭痛藥，躺在陰暗房間裡的床上。她不想再聽到這該死的噪音。在這一刻，只要能得到其中一項，她也樂意。

琦菈走回剛剛那扇雙扇門，穿過大廳，然後走出第二扇門，來到路邊。

在大樓的這一側，夜色下一切靜止。路上空無一物，天空是一團陰暗的雲團，看不見星光。對面有一排排屋，就在狹長的無燈公園外面；她數了數，有八棟，從這裡能看到它們的窗戶，沒看到任何人影。晚上看不到人是正常的，但這種寂靜還有一種更深的層次，是一種她未曾體驗過的濃縮感。感覺就像，這座城市被簡化為無生命的部分，磚塊、鋼鐵和玻璃。原本應該流過其中的人流，減慢成涓涓細流，在夜間不再留下餘波。

感覺**空無一人**。

她雖然還能聽見警鈴，但已經沒有剛剛那麼吵。

然後她聽見一個聲音說：「老天，外面安靜多了，不是嗎？」琦菈轉身，發現眼前是那名瑜伽女子。

至少她認為應該是她。她近距離的模樣，跟從遠處看到的那個陽臺女子很像。金髮，年齡看似三十好幾、四十出頭，一身只有上健身房才能維持的好身材。和琦菈不一樣，這名女子換好了衣服——牛仔褲、襪子和運動鞋，過大的開襟衫——臉上毫無睡意。

她一開始面帶微笑，但笑意開始消失，琦菈這才意識到自己完全沒有對這名女子做出反應，沒說話，只是茫然地看著對方，而現在或許該——

「抱歉，」琦菈衝口道：「我精神很差，大概還沒完全醒。妳說得沒錯，裡頭吵得要命，我根本沒辦法思考。」

「我叫蘿拉。」

「琦菈。」

「我是很想跟妳握手，不過……我們可以互碰手肘。」

琦菈以為女子在開玩笑，直到她舉起一條胳臂，遞出肘部。

「妳剛搬進來？」蘿拉問道。

「噢，我不——我不住這兒。我只是借住在一個朋友家裡，暫時，在……這段期間。」

「算是封城麻吉？」

琦菈不太確定這是不是委婉說法，而蘿拉的笑容表示**是**。所以她咕噥一聲：「算是吧。」

「我也該找個封城麻吉。我是一個人住，有點快發瘋了。」蘿拉回頭望向公寓大樓，面向最近的一根路燈，燈光照亮了她的臉孔，連同她喉嚨底部的一條細長白疤。她微微皺眉。「看來妳那個麻吉一定睡得很熟。」

一想到要跟他說話，在發生**那種事**後要回去**他**那裡，她就覺得難受。

他把她拉進浴室，用蠻力阻止她離開。

也許他只是很不擅長表達意圖？

而且誰在早上四點傳簡訊給他？

琦菈注意到蘿拉身後有個光芒：玻璃門敞開時反光。

奧利弗來到路邊，掃視周圍。

他在找她。

但他轉身看到她時，突然轉身回大樓裡。

搞什麼……？

蘿拉轉過身，順著琦菈的視線看去。

「一切還好嗎？」她問。

「沒事。」琦菈心不在焉地說。

「我在想——」蘿拉開口的時候，警鈴聲驟然停止。「噢。」她微笑。「停了。感謝上帝。」

「終於。」琦菈朝門扉走近一步。「我頭痛得很厲害。說真的，痛得受不了。」

「我有些乙醯胺酚，也許能——」

「噢，不用了。謝謝妳。」琦菈轉身，露出感激的笑容。「我有藥。」

「妳確定嗎？我有好東西。」

「不不，真的不用了，但還是謝謝妳。」

「是奧利弗嗎？」

琦菈停步。

她相當確定自己聽錯了。

「抱歉？」

「是不是奧利？」蘿拉問：「妳跟他住在一起？」

兩名女子都不在原本的位置。此刻，蘿拉被陰影籠罩，琦菈則清楚知道自己被路燈完全照亮。

她試著維持表情完全中立，同時試著判斷自己究竟該說什麼。

這女人**究竟**是誰？

而且她怎麼認識奧利弗？

「妳如果需要幫忙，」蘿拉接著說：「我在十四號公寓。任何時候，不分晝夜，歡迎妳來敲門，或是按電鈴。好嗎？」

琦菈困惑地對她眨眼。

「妳如果需要任何幫助，」蘿拉專注地瞪著她，彷彿試著無聲傳達不能說出口的訊息。「什麼忙都行。」

這場互動以怪異方式結束。

蘿拉沒一起回大樓，而是待在路邊，向她說晚安。

琦菈走離時，感覺女子盯著自己，接著**總覺得**哪裡不對勁。

她的腦海裡出現另一種無聲警鈴，但她不知道它是被什麼觸發，而且怎樣才能關掉。

＊＊＊

在警鈴響起前的幾分鐘，奧利弗坐在客廳的沙發上，心不在焉地閱讀手機上的電子書。他發現自己經常走神，必須重讀已經看過的段落，結果看了幾行又走神。

他沒辦法專心閱讀。

他的心思在其他事情上。

然後他手上的手機震動，螢幕上出現他在等的簡訊——但訊息跟他期望的相反。

寄自：理奇

暫時看不出別的辦法。太危險。快離開那裡。

奧利弗對這些文字眨眼的時候，震耳欲聾的哭嚎聲突然從四面八方傳來：火災警鈴。

這表示——

他驚慌地把手機丟在茶几上，快步來到走廊。透過敞開的臥室門，他看到琦菈已經醒了，她下床穿上衣服和運動鞋。

他沒動，不知道該怎麼辦，無法思考。

彷彿理奇的話語就像電擊槍一樣令他動彈不得。

暫時看不出別的辦法。太危險。快離開那裡。

他確定理奇是錯的。

但奧利弗也確定，理奇絕不會相信自己是錯的。

琦菈從他身旁推擠而過，快步進入客廳。她的身體對他的觸碰，將他從發呆狀態中喚醒，切換到行動模式，他跟著她。她顯得慌亂，瞪大眼睛，在尋找——

原來她在找她的手機，就放在茶几上，離他的手機不遠。

她彎腰拿起手機時，發生了預料之外的事：他的手機收到理奇的簡訊而發光。他沒點開剛剛那條簡訊，所以這次是手機第二次發出通知。

奧利弗覺得自己的心跳好像漏了一拍。

但琦菈只是拿起自己的手機，朝他的方向走來，走向門口。她似乎根本沒看到他的手機收到訊息。

「妳在做什麼？」他在警鈴干擾下喊道。

她指向他身後。「我要出去！」

然後她再次從他身旁推擠而過，來到外面的走廊。

這是他搬來後第三次碰上火災警鈴，半夜發作則是第二次。第一次的時候，他做了該做的事：疏散去室外。其他人也是；中庭很快擠滿了住戶。他待在陰暗處，低著頭，假裝在看手機。他避開了禮貌談話的邀約，避免跟任何鄰居互動。他不想認識他們，也絕對不希望他們認識**他**。

經過四十五分鐘後，發現只是虛驚一場。

警鈴第二次響起是在白天，所以他不太願意離開公寓。他公寓旁的那扇門就是消防出口，通往路邊，所以除非火災就發生在他自己的公寓裡，否則他沒有任何危險。他猜根本沒有火災，而且他猜對了，又是虛驚一場。他透過窗簾縫窺視中庭，直到能忍受噪音的一些住戶開始返回室內，其他人翻白眼，雙臂抱胸，把手機貼在耳邊，大概是打給沒人在的管理公司。然後他進入浴室——警鈴在這裡聽起來比較小聲——戴上耳機，等警鈴結束。

他不需要再次冒險。

但是琦菈不像他那樣需要保護自己的隱私和面貌。他們如果現在一起出去，她就可能跟任何人談話，跟**每個人**談話，說出不該說的話，指向他，把他叫來，介紹給鄰居認識。

他不能讓這種事發生。

＊＊＊

琦菈離開後，奧利弗等了四分鐘。五分鐘。六分鐘。

警鈴還在響個不停。

他拉開客廳的窗簾，只看到聚在中庭的其他住戶。他打開落地窗，探頭出去，但沒聞到煙味，也沒看到火災的跡象。他觀察距離不遠的那些臉孔，只看到不耐煩。

看來又是虛驚一場，正如他所料。

他回到室內。

他的手機還躺在茶几上。他刪掉理奇傳來的訊息，並確保刪掉的不只是這條訊息而已，而是最近整個討論串。他原以為深夜這時候很安全，但沒料到火災警鈴發作。

他覺得她應該沒看到這條訊息，但他無法確定。如果她回來的時候問起這件事？

暫時看不出別的辦法。太危險。快離開那裡。

他要怎麼解釋？

他這時意識到，他在中庭裡沒看到琦菈。他回到露臺上，這一次來到欄杆前，尋找她，但一無所獲。

她在哪？

他迅速回到室內。警鈴依然大作。他知道這是心理作用，但警鈴聽起來比剛開始發作的時候還大聲。

她如果不在外面，會跑去哪裡？

也許她只是想確保安全，躲在某個遠離其他人的角落。

又或許她跟誰聊了起來，正在跟某個鄰居談到他。

他在走廊來回踱步，以意志力命令該死的警鈴關閉。如果警鈴現在關閉，她會回來，他就能開始修補這混亂的一夜……

但警鈴還在響個不停。

最終，他從浴室地板上抓起一副口罩，從門廳的桌子上抓起鑰匙，進入公寓外面的走廊，警鈴聲因此聽來更吵雜。奧利弗快步來到大廳，透過玻璃門，看到住戶們在外面聚成幾個小圈子。他們跟彼此保持著不同的距離，輪流用單腳支撐身子的重心，雙臂交叉於胸前。每個人的臉色都蒼白浮腫，顯然是在熟睡中被驚醒，身上是睡衣和外套。

但沒人戴口罩。

趁任何人注意到之前，他立刻摘下口罩，塞進口袋——如果只有他戴口罩，只會引來注意，讓他更難保持低調。

琦菈不在這些人當中。

他轉身望向公寓大門，外頭就是馬路。她出去了？她如果真的相信他的說詞，以為他編造出來的那個資深合夥人是個威脅，也許就真的會這麼做。

他推開門——

看到她站在一小段距離外。

他一開始鬆了一口氣。

但接著，他看到**另一個人**站在陰暗處，是個看不清楚臉孔的剪影。是個女人。琦菈提過的那個女人。她穿著白天穿的衣服，但她顯然是住戶之一，為了逃避無情的警鈴聲而出來。琦菈的目光越過這名女子的肩頭，發現他。

但就在這一刻，女子轉身查看琦菈在看什麼，因此被路燈照亮臉孔，而且——

奧利弗急忙躲進門口的陰暗處，避開她的視線。

搞什麼——

不可能。

不可能這麼巧。

現在很暗，是大半夜，他只穿內衣內褲，只看到她半秒鐘……

但路燈很亮。而且他已經醒了兩個鐘頭。也許這根本不是巧合。

那名脖子上有疤的抽菸女子。奧利弗在韋斯特伯里酒店的後門外面，不小心嚇到的那名女子。三星期前，他帶琦菈去那裡喝雞尾酒。

在凌晨四點多，在他的公寓大樓外面，琦菈就是跟那名女子說話。

今日

「米爾河，」卡爾重複這幾個字。「我靠。妳覺得他是**他們**之一？」

莉亞做個**別說了**的手勢。

「稍安勿躁，卡利小子。我們還沒確認身分。我只是說，信封上的名字符合那些男孩的其中一個，而他們的姓名未曾公諸於眾。他們的名字受到法律保護，至今也是。而是那發生在什麼時候？二〇〇三年？那時候還沒有推特和臉書。那時候的人們還沒坐在家裡滑手機，違反法庭命令。所以除了親友、學校和當地幾個人之外，民眾其實不知道這個姓名。我之所以知道這個名字，純粹是因為我在葬禮那天負責管制交通。我其實**不應該**知道。正式來說，我不知道這個名字。」

「妳剛剛打給誰？」

「當年的資深刑警。」

「他確認了？」

「嗯。」

「我靠，」卡爾又咒罵一聲。「這會不會是巧合？」

「當然有可能，可是你覺得這種名字在二十幾歲的愛爾蘭人當中很常見嗎？」

卡爾搖頭，感到難以置信。

「所以我們該如何對待這筆情報？」

「非常、**非常**小心對待，」莉亞說：「我們讓越多人知道，就越可能讓消息走漏。而且我們要隱瞞的，不只是**公寓裡那人可能是他**，也包括**那個名字**。如果那個名字被公諸於眾，我可不想負責。」她咬著下脣，陷入沉思。「我們先不要採取任何行動。我一有機會就當面向警司說明這件事。」

「他是哪個？A還是B？」

「**信封上那個名字**，」莉亞口氣尖銳：「是B。」

「A在哪？他該不會——」

「他在觀護所自殺了。」

「為什麼這傢伙——」卡爾改口：「為什麼**信封上那個名字**不在觀護所裡？」

「他的刑期比較輕。他滿十八歲的時候就獲釋了。」

「我不記得聽說過這個消息。」

莉亞聳肩。「他們不會讓你知道。」

「可是那間公寓**很高級**，」卡爾說：「在一個很高級的環境。我的意思是，房租每個月大概要兩千塊吧？而且他是**建築師**。」

「**拜託你**告訴我，你不是想說他看起來不像殺人犯。」

「可是他——」

「大多數做壞事的人之所以做壞事，是因為一連串的事件導致他們走上那條路，促使他們採取行動，做出一些不符合性格的事。我們有多少次聽過『噢，我的小強尼絕不會做出那種事，他就是做不出來，你們一定找錯人了』，不然就是『我跟他多年交情了，我知道他不會殺人』？沒錯，他原本做不出那種事，他原本不是殺人犯——直到他**做出那種事，成了殺人犯**。沒人知道自己在適當的情況下——或者該說不適當的情況下——做得出什麼樣的事情。」

卡爾挑起一眉。「妳的意思是，妳也可能殺人？」

「這個嘛，我**是沒這個打算啦**——」

「真讓人安心。」

「——可是我不知道我以後會發生什麼事。例如，想像一下：有一天你在你的家門外，坐進你的車裡，然後——假設——你媽從車子的另一邊走來，要坐進副駕駛座。」

「我沒辦法想像。」卡爾說：「因為妳知道諾菈會堅持要開車。」

「可是她還沒上車前，一個開車兜風的酒醉少年開車撞上她，就在你面前，把她整個人夾在兩輛車中間，撞到人之後還哈哈大笑，他覺得這是他見過最好笑的事，他根本不在乎。你隔著擋風玻璃看到他，他笑得樂不可支。想像一下。用心想像一下，那種憤怒、那種怒火、那種**笑聲**。而你湊巧帶著槍，周圍沒有其他人，你知道你可以把現場安排得像是為了阻止車禍而開槍。你會怎麼做？我的意思是，也許你不會想**殺了他**，可是你不會想朝他的卵蛋連開兩槍？你不會想在他臉上看到他給你造成的痛苦？你不會想讓他該死的**笑聲**停下來？」

一陣沉默。

然後卡爾說：「妳描述得太**黑暗**了，莉亞。我的天。」

「我只是想說，小時候殺了人的兒童殺手，長大後也可能成為建築師，住在高級公寓裡。」

「諾菈有得罪過妳嗎？」

「懶人才會把人分成好人和壞人。」

「妳**真的**需要找個室友。」

「警探？」一個聲音從車外面傳來。莉亞朝聲源轉頭，看到克萊兒・歐賀利警員，剛剛幫忙進行挨家挨戶盤查的制服警員之一，她站在幾呎外，彎下腰，以便對上視線。「妳現在方便嗎？」

「當然。」莉亞下車——卡爾也照做——繞過車前面，來到女警面前。「怎麼了？」

「有個住戶想跟妳談談，」克萊兒說：「只想跟妳談，『負責這個現場的警官』。有些人可能覺得她有點瘋癲，可是我自己不這麼覺得。她說她有關於一號住戶的敏感情報，她只想跟現場階級最高的警官談談。她看起來有點焦躁、緊張。她住在十四號公寓。」

莉亞跟卡爾交換眼神。

「妳已經跟她談過了嗎？」她問克萊兒。

「她拒絕回答我們的制式提問。她說她需要先跟妳談談。」

換作平時，莉亞會派另一個人假扮現場階級最高的警官——畢竟這就像有人要求跟主管談——不過考慮到信封上的名字……

「好吧，」她對克萊兒說：「我去。」然後對卡爾說：「能不能幫我把那個信封送去證物室，而且看看案情室的狀況？等病理學家看過現場後，我要大夥在案情室集合、討論目前的狀況，所以這方面先做好準備。也盯一下咱們那個掌握監視器畫面的朋友。還有，在電話上跟KB工作室裡能提供情報的人取得聯絡。我們得通知死者的家屬，但目前還不清楚他的家屬有誰。」

卡爾點頭。「我這就去辦。」

「而且別洩漏──」

「我知道，我知道。」

莉亞示意克萊兒帶路，兩人一同回到警戒帶內側，邊走邊戴上口罩。

十四號公寓位於命案現場的相對側──所以兩人在大廳左轉──在二樓。兩人進入電梯，裡頭一張A4紙張以粗體字警告：一次只有一個家庭能搭乘電梯。

電梯在二樓走廊開啟時，莉亞很慶幸這裡聞不到任何臭味。她叫克萊兒在電梯旁等候，自己去敲了十四號公寓的門。

門立刻打開，看來裡頭的女子一直站在門後面等候。

她一頭金髮，體型精瘦，大概是清楚知道自己體脂肪數字的那種人，而且天天積極地讓數字持續降低。

她看起來快四十歲，穿著寬鬆的運動褲，破舊的T恤肩部縫線有許多小洞。

莉亞注意到女子的T恤領口上方有一條白色細疤，但女子立刻伸手遮住，漫不經心地拉拉衣料，掃視走廊，彷彿擔心被第三人聽見這場談話。

「早安，我是莉亞．萊爾頓警探。」她亮出證件。「我的同事說，妳有些情報想跟我分享。」

「能不能請妳進來？我實在不想在外面談這件事。」女子後退，把門完全打開，顯示一條走廊，看起來跟一號公寓的一樣。「這裡只有我。我們可以站在客廳的兩側，而且我會把窗戶打開。」

莉亞遲疑不決。「妳有陽臺嗎？」

女子點頭。

「那我們在陽臺上談，壓低說話聲。」

女子轉身，沿走廊離去。莉亞跟著她進去，讓身後的門扉轉動關上。她注意到門沒上鎖——沒聽見鎖具**喀啦**就位——這表示一號公寓的門可能也是同樣狀況，不一定是被刻意打開，可能有人以為自己有關上門，但不知道門沒鎖上。

這間公寓的內部構造就像命案現場的鏡像，客廳在走廊的右側。女子快步走向客廳盡頭的陽臺時，莉亞迅速掃視現場。

內部陳設都一樣。同樣閃閃發亮的整潔廚房，同樣的棕色皮沙發。就連牆上的抽象畫作也完全一樣。

更怪的是，這裡也瀰漫著一種缺乏個人風格的氛圍。跟命案現場一樣，這裡看起來像是被霸佔幾天的樣品屋。廚房流理臺上幾乎空無一物，沒有私人物品，沒有住戶自己帶來的裝飾品。

這間公寓甚至沒有喬治·克隆尼代言的咖啡機。

「妳住在這裡？」莉亞問道，來到陽臺。

陽臺空無一物。這裡能清楚地看到中庭，跟左邊另一戶的陽臺之間以霧面隔板分開。一棵枝葉茂盛的樹幾乎遮住一號公寓的露臺，但莉亞稍微彎下腰，發現視野毫無阻礙。如果在這個陽臺上坐下，就能清楚看見一號公寓的露臺。

「這裡，呃，算是企業承租。」金髮女子站在陽臺最遠的角落上，盡量拉開彼此間的距離。「我只是在這裡住幾個星期。」

莉亞拉下口罩。「妳平時住哪？」

「這個嘛……」女子輪流用單腳支撐重心。「鄧德拉姆。」

從這裡開車去鄧德拉姆，花不到半小時。

「那妳為什麼……？」

「這是我想跟妳談話的原因之一。」

「了解。」莉亞拿出筆記簿和筆。「妳何不先告訴我妳叫什麼名字？」

「蘿拉・曼尼克斯。曼尼克斯有兩個『n』，字尾是『ix』。」

女子從身後的口袋裡掏出手機，手機背面裝了個信用卡大小的側袋。她從中抽出一張黃色的小卡片，舉在半空中，方便莉亞閱讀。

莉亞注意到，女子有咬指甲的習慣。紅指甲有缺損。

然後——

NUJ。

全國新聞記者工會。

這是記者證。

莉亞闔起筆記簿。

「所有媒體相關的詢問，都必須經過我們的新聞辦公室，」她說：「妳應該很清楚。」

她轉身要走。

該死的騙子。

「不不，等一下，」蘿拉抗議：「求求妳！事情不是……不是妳想的那樣。」

她的下巴顫抖，看起來好像快哭了。

「我什麼也沒做，好嗎？我**發誓**。不過我認為，那裡發生的事情……我覺得那可能是我的錯。」

二十八天前

隔天早上，奧利弗醒來時，發現床的另一邊空曠冰涼。這本身並不反常，因為琦菈在工作日經常比他早起。但前一天晚上的事件像子彈一樣回到他的腦海，雖然一次一枚，但接連不斷，每一枚都加劇了前一次打擊的痛苦。火災警鈴響起。她可能看到理奇傳來的簡訊。他一直試著阻止她出去。她跟他在韋斯特伯里酒店見到的那名女子談話。

她回來後根本沒跟他說話，只說她要去另一間臥室睡覺。片刻後，她鎖門的聲響，對他造成的傷害幾乎就跟多年前那塊劃過他身上的鋸齒狀玻璃一樣大。

但他不能一直想著這件事，因為他一直想著，他幾星期前在酒店門外隨機交談的那名女子恰好住在同一棟公寓大樓裡，就算這個城市裡有五十萬人。

他一次只能處理一個問題。

但現在，他擔心昨晚沒跟琦菈談話、為自己辯解，這麼做是個錯誤。她可能今早起床後就離開了，不只離開這間公寓，也離開他——

聽見客廳傳來鋼鐵觸碰瓷器的聲響，奧利弗全身肌肉放鬆。

她還在這裡。

他發現她坐在沙發上，靠近露臺的門，門敞開幾吋，帶進新鮮涼爽的空氣和鳥兒啁啾聲。她跪坐著，一杯咖啡放在膝上。她的手機就在沙發的扶手上，觸手可及。

「早。」他開口。

她轉頭看他，面無表情。「早。」

他在沙發的另一端坐下。

「現在幾點了？」他問。

「剛過八點。」

「聽著，」他接著說：「關於昨晚——」

「也許這是個錯誤。」

她的語調既不生氣也不沮喪，只是平淡又疲倦。

但他覺得她好像提出了邀請，彷彿她不是在發表聲明，而是提出一個他受邀討論的提案。

又或許，這只是他的一廂情願。

「我對你一無所知，」琦菈說：「只知道你的現在式。你喜歡什麼。你是什麼樣的人。你跟我在一起是什麼樣子，你怎樣**對待**我。在一般情況下，我獲得的這些情報量可能算是正常的。我的意思是，你我認識多久了？一個月？可是這一點也不正常。我們一起生活，在一起，二十四小時形影不離，我卻沒見過任何一個認識你的人，沒見過你的家人、朋友、同事。我剛剛一直在想，如果我要證明你是你說的那個人——」

「妳哪有必要這麼做？」

「——我拿得出什麼證據？一方面，你就像個神祕人，但在另一方面，你現在是世上離我最近的人。感覺就像，我們在這條路上，有兩條車道往同一個方向行駛，其中一條會加快車速，另一條會減速，而我左右兩邊的車輪各卡在一條車道上，我被困住了。而昨晚……你讓我害怕，奧利弗。你讓我感到害怕。」她咬脣。「害怕你。」

這番話讓他的胸口疼痛緊繃。

「我不是故意的，」他說：「我只是欠缺思考……不，我有思考，但我只想著我跟肯尼斯說了妳會回去妳自己的住處，而他如果發現我說謊會有什麼下場……而且我是對的，不是嗎？火災警鈴確實是虛驚——」

「別說了。」她的口氣立刻讓他住嘴。

幾秒經過。

「對不起，」他開口：「但我沒辦法改變已經發生的事。我也不是在找藉口。我只能解釋我當時腦子裡在想什麼，而且保證不會再犯。」奧利弗停頓下來，深吸一口氣。「那麼，妳我現在是什麼狀況？」

她撇開視線。

「說真的，我對妳的瞭解也一樣，」他試探地說：「我只知道妳的現在式。」

「但差別在於，我想知道更多。」琦菈把咖啡杯放在茶几上，接著靠回沙發，雙臂抱胸：戒備姿態。「你似乎對我人生的其餘部分都不感興趣。我並不是說我那些部分特別有趣或令人興奮，只是……我有時候真希望你會問問。」

他當然不能讓她知道自己為什麼不問，因為他不能讓她知道關於自己的真相。她分享得越多，他就越有責任跟她分享自己的事，也就不得不說更多謊話。如果她分享跟她家人有關的細節，他就會被迫承認他只跟一名家庭成員有聯繫。如果她描述她十幾歲有過的冒險，他將不得不隱瞞他十幾歲那些歲月其實一片空白。如果她列出她的夢想，他將不得不想出一個充分理由，解釋自己為什麼不敢懷抱任何夢想。

謊言是細長又笨重的東西。纖細的細絲，就像身體裡的一束束神經。易扭曲，難控制，抓不住。

他盡量不在非必要時說謊。

他說：「那妳希望我問什麼？」

「這個嘛……」她臉上帶著一絲笑意，這讓他心裡稍微放鬆，他的胸腔裡宣洩了一點恐懼。「我猜我一直在等一個機會，想抱怨我媽是世界上最糟糕的人。我也想說說我最好的朋友是如何起身前往澳洲——她就那麼拋棄了我，去那裡享受不可思議的美好時光，我有點為此埋怨她，因為她沒邀請我一起去，雖然我知道我會拒絕。我也想說說我不確定我是否喜歡現在這份工作，或是想不想要它。我不知道我想要什麼。我不知道我對什麼事情懷抱熱忱，我擔心我根本沒有熱忱。」她沉默幾秒。「好吧，我現在意識到，我給了你不要問我問題的理由。」

「不不，」奧利弗微笑。「這些都是好話題。我非常期待聆聽細節。」

「你裝作感興趣的功力**滿遜的**。」

「我**是真的**感興趣。」

她的臉色又變得嚴肅。「那你為什麼不問？」

最好的選擇，就是說出某種版本的事實。

「我只是覺得，我現在不需要知道那一切，」他說：「我滿喜歡我們現在一片空白的狀態。沒有過去的包袱，沒有東西拖住我們。我們根據過去發生在我們身上的事，或是我們做過的事，或是我們做過的決定，向自己和其他人講述這些關於我們自己的故事，然後這些故事因為我們說出口就變成了我們的未來。這就像……」

「自我實現的預言？」她提議。

「沒錯。我們希望事情有所不同，但我們首先告訴別人事情上一次是什麼情況，而這算是……限制我們再次成為那個人……我覺得我想說的是，一次也好，我想從頭開始，沒有任何故事限制我們可以如何發展、成為誰。」

「我好像不太懂你的意思。」她皺眉。

「如果妳跟我說妳很害羞？這只是舉例。我原本不會覺得妳很害羞，至少從妳的行為來看不這麼覺得，但因為妳說妳很害羞，所以我現在覺得妳很害羞，也因此用不同的方式對待妳。也許我們不再做某些事，不再去我們原本會去的地方，因為我擔心這會讓妳覺得不自在，就因為妳跟我說妳很害羞。可是如果妳其實並不害羞呢？如果這是妳對自己的錯誤理解，或是別人讓妳這麼覺得，或他們誤以為妳是這種人？那麼，我不知道妳害羞，妳也沒跟我說妳害羞，這樣不是更好嗎？」

我只是希望，在妳發現我做過什麼、他們說我是什麼樣的人之前，我能有個機會說服妳相信我是什麼樣的人。

「你在家裡工作的時候，」琦菈指向客廳：「是真的有在工作？還是都在看《歐普拉》重播？」

他露齒而笑。「看得目不轉睛。」

「我想也是。」

「還有，琦菈……」他深吸一口氣。「聽著，真相是，我真的沒有哪個親友能讓妳見面，至少在都柏林沒有。我的家人都不在這裡，公司那些人年紀都比我大，結了婚有小孩，而且挺無趣的，我也沒多少機會認識其他人。我來這裡才幾個星期，而一般人除了工作、大學之類的環境，還能怎樣認識人？我不是上這裡的大學，也不參與體育活動，加上我們**現在**哪兒也不能去，不是嗎？」

她微笑。「你真的很幸運，有遇到我。」

「我是很幸運。」

「而且從很多方面來說，」她說：「我也是在同一條船上。你是我在這裡唯一認識的人，所以我完全瞭解你的意思。不過……嗯，有些事情我還是想知道，我希望你告訴我。」

「例如？」

他屏息等候。

「例如，誰在凌晨四點傳簡訊給你？」

「我哥，」他說：「理查。我叫他理奇。」

她點頭表示明白。「在澳洲那個。因為時差。」

「那裡當時是午餐時間。」

「好吧，那你幹麼半夜起來看簡訊？那只是一條簡訊。而且你當時已經穿上了衣服；你不是因為聽見通知而剛跳下床。」

他心想，自己得給她一**部分的真相**。

「我不是為了看簡訊而起床。我那時候已經起來了。我在那時候通常已經起床了。我其實不怎麼睡覺。」承認這件事，讓他想起自然紀錄片中警告氣候變化的片段之一：冰層破裂，冰崖突然從巨大的冰川上脫落，持續向下滑動，沉入大海。他覺得比較輕鬆，但剛剛發生的事是一件很糟的事──他洩漏了一個祕密。「我有失眠症。」

琦菈瞪大眼睛。他覺得她的表情更像是關心而不是懷疑，但他無法確定。

「順利的時候，」他說：「我大概能睡兩個小時。能睡三個就更棒了，三個鐘頭很罕見。跟一般人一樣，我躺在床上入睡，但我在某個時候會醒來，然後就這樣，我再也睡不著，不管我做什麼。通常到了凌晨五、六點的時候──這取決於季節，似乎跟外頭的亮度有關──我如果幸運的話，能勉強再睡一、兩個小時，但這不是良好的睡眠，絕對不是讓人精神充沛的那種。然後我會醒來，下床，一整天都覺得難受。日復一日。」

「你每晚都會醒來？」

「沒錯，大多數的晚上。妳住進來之前，我大概會打開一盞燈，試著看書或滑手機，可是現在我不想吵到妳，所以……」

「可是你睡得這麼少，要怎麼生活？」

他聳肩。「習慣就好。」

「你有沒有試過藉助藥物？安眠藥之類的？」

「我有時候會吃藥，鎮靜劑，可是藥效滿強的，那種基本上就是讓人昏厥。我是能好好睡一晚，但接下來兩天會昏昏沉沉，所以我只偶爾吃。我會盡量不碰那種藥，等失眠到快產生幻覺的時候才吃。我通常是在星期五晚上吃，週末就當個植物人，狀態恢復到星期一能上班。只有這種東西對我有效，其他一般藥物就像在吞薄荷糖。」

「你上次吃鎮靜劑是什麼時候？」

「我們認識後的那個週末。我再過不久得再吃一次。」

「你為什麼不早點告訴我？」

「應該是覺得不好意思吧。」

「為什麼？」

「因為這很怪。」

「這是醫療狀況。」

他嘆氣。「還是很怪。」

「你還有什麼不好意思說出來，但我應該知道的？」

他思索這個問題。

然後他說：「這個嘛……我不想生病。」

她等他說下去，但看他沒再說話，她笑道：「奧利弗，沒人想生病。」

「我的意思是，我真的不想生病。我討厭醫院。理奇年輕的時候有些健康問題——」他撒謊。「大概是因為氣味吧……我連進醫院接受檢查都不願意。所以我會為了避開醫院而盡一切手段——像是拿抗菌紙巾擦拭牛奶瓶，而且遵守社交距離的規定。這不是因為我多疑或有細菌恐懼症，我只是真的不想去醫院。所以……我不想找妳麻煩，但我一直不好意思說出來的是，呃，因為妳跟我一起住，所以妳得什麼病我也會得，所以我需要妳跟我一樣小心。」

「我一直很小心，」她以安撫口吻說：「現在也很小心。因為你有哮喘……」

他徹底忘了自己謊稱患有哮喘。

「嗯。」他清清喉嚨。「是啊，這也是個問題。我這個狀況是有隨著我長大而大致好轉，但這**畢竟**是呼吸道問題，所以……」

「其實，」琦菈說：「我一直在想：也許我們在進出公寓的時候也該戴上口罩。我是說在這棟公寓大樓裡，直到我們在大樓外面。這是我為了避免被你公司那個傢伙看到而想出來的卑鄙計畫，但這也算是更加謹慎吧？」

完美極了。

尤其因為這是她主動提出。

「好主意。」他說。

「而且說到如何避免立即死亡……」她吸口氣。「奧利弗，昨晚原本可能真的發生火災。」

「可是——」

「**原本可能真的有火災**。我不在乎火災警鈴是不是這五十天每晚都會叫，總之你沒辦法確定它永遠只是亂叫。如果你想冒險留在室內，我不會阻止你，可是你試著阻止我離開。」

「我不該那麼做。」

「那還用說。」

「我只是覺得，我們如果離開公寓，一定會被他看到——那個資深合夥人——然後……畢竟我才剛開始在那裡工作，我也是很幸運才能得到這份工作。那裡的主管是我哥最好的朋友的老爸。他們基本上是因為人情而給我這份工作，我不想讓任何人失望。」

他覺得這番說詞似乎不太恰當，但琦菈似乎接受了，沒質疑他為什麼需要那份人情。

「那傢伙長什麼樣子？」她問：「那個資深合夥人？」

奧利弗在腦海中回想辦公室裡那些老傢伙，隨便選了一個，然後盡可能描述那人的外表。

「我在外面沒看到長得像他的人……」她說。

「也許他那時候在庭院？」

「也許吧。」

「妳那時候為什麼跑去路邊？」

「那你那時候為什麼又回公寓裡？」

他心想，這是好問題。

他說：「我當時不想打擾妳。」他知道這個理由很爛，而且現在該改變話題了。

他拿起喝了一半的冰涼咖啡。「要不要再來一杯？」

「好。」

奧利弗起身走向廚房，確保用漫不經心的態度提出接下來的疑問，聽起來一點也不重要，**純屬好奇……**

「那時候跟妳談話的那個女人是誰啊？」

「只是你的鄰居之一。」

「哪間公寓？」

「不知道。」

「妳們聊了什麼？」

「抱怨警鈴有多吵，」她說：「問這個做什麼？」

「只是好奇。」他清清喉嚨。「妳知道她叫什麼名字嗎？」

他在廚房的冰箱前面，背對著她。他其實想坐在她面前，打量她，觀察她臉上的反應，但也不想做得太明顯，只是在掀開咖啡機的蓋子時瞥她一眼。

她轉向窗戶，他看不見她的臉。

「不，」她說：「不，我不知道。」

＊　＊　＊

到了該散步的時候，琦菈戴上拋棄式口罩，準備離開公寓。

在奧利弗的門外和克羅辛大樓的出口之間，她低頭走路，用窗簾般的頭髮遮住臉龐。一來到路邊，她就把口罩收進口袋，確認周圍沒人。

她不想再遇到那個叫蘿拉的女人。

除非她想好要怎樣跟對方互動。

琦菈順著平時的路線，朝運河的方向走去。如果越過運河，繼續前進，就會抵達聖史蒂芬綠地，雖然那裡關閉，但她打算繞著綠地周圍走幾圈。

但她今天沒過河。

而是轉而順著河邊行走，回到她自己的公寓。

公寓裡又熱又悶，最近一連串晴朗的天氣使得空間不斷變暖，但考慮到每個人都被困在家裡，好天氣感覺就像個宇宙級笑話。

空氣中也瀰漫著一股淡淡的酸味，彷彿她在垃圾桶裡留下了什麼東西，或是冰箱裡灑了牛奶。

琦菈把窗戶盡可能徹底打開，尋找臭味的源頭，最終在廚房垃圾桶的塑膠袋底下發現一塊腐爛的香蕉皮。她把香蕉皮丟進塑膠袋裡，在袋口打個結，然後用花香清潔劑噴灑流理臺面，以掩蓋任何揮之不去的氣味。

然後她從一個抽屜裡拿出手機——她的**另一支**手機——插上電源線，打給姊姊。

這通電話被姊姊席芳迅速接聽，看來她正把手機拿在手裡。

「琦菈，」姊姊吐口氣。「妳害我擔心了。」

「只有幾天而已。」

「五天。」

「我跟妳說過我會在方便的時候打給妳。這裡一大堆事要忙，我完成每天的工作後已經筋疲力盡。我一直想著，等我有力氣跟席芳說話的時候就會打給她……」

一陣沉默，琦菈知道為什麼：姊姊正在考慮要不要追問下去，要求她在說出這個爛藉口的同時拿出一些合理解釋，但這也有可能讓這場談話在開始之前就結束。

席芳最後選擇假裝相信妹妹的說詞，沒再追問。她總是這麼做。

「所以妳在都柏林有什麼新鮮事嗎？」姊姊問。

「也沒什麼。每天就是工作，看 Netflix 看到睡著。我猜就跟其他人一樣吧。」

「都柏林現在是什麼模樣？」

「目前很像某種『後世界末日』的開場場景。還記不記得席尼・墨菲在《二十八天毀滅倒數》裡醒來後，發現每個人都離開了倫敦，只剩他一人？就像那樣。妳那裡怎麼樣？」

「我也不知道，因為我們很少離開家裡。食物都是帕特負責採買。外頭**搞不好**到處都是喪屍。」片刻停頓。「妳的工作怎麼樣？妳喜歡嗎？」

「還行。」

「是關於什麼？」

「**關於什麼？**」琦菈皺眉。「妳幹麼問這個？」

「妳幹麼不回答？」

現在輪到她決定要追問下去還是演戲。

琦菈也決定演戲。

「就目前而言，主要是關於列出清單、盯著試算表。」

「聽起來滿無聊的。」席芳說。

琦菈知道姊姊只是故意刺激她，她拒絕上鉤。

「的確，」她同意：「有點無聊。」

「那妳幹麼跑去都柏林做無聊的工作？」

「我這樣其實很幸運吧？我如果待在老家，就根本不會有工作。那間酒店歇業了。」

「妳如果還待在老家，就能拿到疫情紓困金之類的。」

「我寧可在這裡。」

「我為什麼總覺得妳有事情瞞著我？」

「因為妳總是這麼覺得，也因為妳疑神疑鬼。」琦菈不想再跟姊姊扯這種事。「總之，媽媽如何？」

「老樣子吧，至少他們是這麼說的，因為我們現在不能去探望她。他們正在試著把 **iPad** 送進去，這樣我們就能用 FaceTime 視訊。」

「她知不知道現在是什麼狀況？」

席芳沉默許久才答覆。

「她狀況有時候好，有時候差。」

「那……」琦菈不喜歡想到這個部分，但還是逼自己說出口。「她的疼痛呢？」

「他們讓她保持舒適。她常常睡覺。」

「他們知不知道多……？多久？」

「不知道。」

又一陣漫長沉默。

「妳在對我隱瞞什麼？」席芳問道。

我在這裡可能惹上了某種事情。

「我沒隱瞞。」

「一切還好嗎？」

現在可能是有史以來最糟的狀況，妳我都知道這意味著什麼。

「嗯，還好。」

「妳確定嗎？」

我這輩子從沒這麼不確定過。因為我遇到了一個人，他把我以為我知道的一切都燒成了篝火，還在上頭倒了燃油，現在我站在篝火旁邊，拿著一根點燃的火柴。大火即將燒到我的手指。

「說真的，」席芳說：「我真的覺得妳的人生裡應該要有個妳不會矇騙的對象。那個人不需要是我，不過……」

琦菈點頭，忘了姊姊看不到自己。

「席芳，我能不能問妳一個問題？」

「妳已經問了。」

她能聽見姊姊嗓音裡的笑意。

這是個圈內笑話，多年前誕生於科克的帕崔克街，一個討人厭的慈善員工——自稱是慈善員工——在一個寒冷多雨的聖誕夜站在她們面前，擋住去路，說道：「我能不能問妳們兩位女士一個問題？」席芳立即回嘴道「你已經問了」，趁對方啞口無言的時候帶著妹妹逃走。

「妳覺得人能改變嗎，席芳？我是說真的改變？在內心深處？」

姊姊大聲嘆口氣，聽起來就像一陣強風吹過線路。

「『在內心深處』是什麼意思？一個人的改變究竟是什麼模樣？妳怎麼知道一個人有沒有改變？」

「他們會表現得不一樣，跟你期待的不一樣。」

「跟什麼來比？」

「跟他們以前的行為相比。」

「我認為人會改變習慣和行為，」席芳小心翼翼地說，彷彿站在法庭裡為被告作證，而高明的檢察官剛剛對她丟出了陷阱題。「有時候會改變看法和想法。人們變得更年長、更聰明、更有經驗，這都會更新他們的……姑且說是他們的中央操作系統吧。因為他們之所以做某件事，是因為一開始學會這麼做，不是嗎？沒人生下來就是X、Y或Z。而且理論上來說，既然你能學會成為某種人，也能學會不再當某種人。但同樣的，人沒辦法消除過去。你是可以把過去鎖在一個盒子裡，把盒子收起來，但沒辦法讓它消失。」她停頓。「這是關於妳嗎？因為我覺得妳當然能改變。妳的問題向來是妳不想改變。」

琦菈翻白眼。

老調重彈。

她聽膩的老調。

「我得走了，席芳。我得工作了，剛剛只是在休息。」

「好好照顧自己，好嗎？妳如果需要我，我可以去妳那裡。打通電話給我，我就立刻開車過去。」

「妳其實不能這麼做。」

「他們別想攔住我。」

琦菈微笑，想像席芳衝過公路上某個警察檢查哨，就像電影《末路狂花》那樣。

「我過幾天再打給妳。」她告訴姊姊。

「妳非打不可。」

二十六天前

琦菈提議去梅瑞恩廣場公園野餐，但奧利弗指出，Google地圖說那裡離克羅辛公寓有整整三公里遠。

他只是在逗她。警察懶得攔下行人，而且他也想去那裡。這是個晴空萬里的美麗星期天，而且氣溫越來越暖和。夏天決定提早出現，而且居然是在春季中間的時候——偏偏現在是疫情期間。這種天氣會讓你想坐在剛割過草的空曠草地上，面向太陽。

克羅辛公寓和波多貝羅橋之間的街道都空無一人，但他們倆來到運河的時候，感覺彷彿進入了另一個世界。水邊的小路上擠滿了散步的人群和寵物，而且每一片草地都擠滿人、蒼白的四肢和發笑仰起的腦袋，身邊放著裝滿罐頭的超市袋子。面向運河的房屋前門敞開著，讓「Lyric FM」頻道的細微聲音飄散到空中。鄰居們坐在草地上的躺椅上，隔著牆和柵欄互相小聲叫喊。在一間屋子外面，兩個年幼的孩子開心地用一個簡單的花園灑水器玩耍，在它噴出來的垂直細流中奔跑、尖叫，盡情歡笑。在另一間屋子外面，住戶正在用拋棄式器具烤肉。

感覺就像每個人都看到天氣預報，於是安排了一場保持著社交距離的街區派對。

如果外星訪客來到這裡，可能完全看不出這裡正上演著疫情。每個人都在自己的小圈子裡活動；寫著「幫忙阻止新冠疫情擴散」的標誌用塑膠繩綁在每一根燈柱上；每當琦菈和奧利弗經過另一個人或一對迎頭走來的夫婦，其中一方或雙方會退到一邊，走到草地邊緣上，甚至從路邊走到馬路上，禮貌地露出友好的微笑，盡可能遠離對方。

他們倆拐進李森街，這裡到處都是辦公樓和學校，在星期天原本就很安靜，但現在顯得格外荒涼，這種荒涼感彷彿真實可觸。在另一頭，聖史蒂芬綠地的柵門依然上鎖。在公園另一頭，計程車乘車處空無一物。在這樣陽光明媚的春季週末，原本在西北側為蠢遊客準備的敞篷旅遊巴士和馬車不見蹤影。謝爾伯恩酒店則是大門深鎖，裡頭漆黑一片；這裡原本應該十分繁忙，有許多黑色休旅車在門口排隊，有穿著制服的門衛協助富有的客人們進出。格拉夫頓街是世界上最繁忙的購物街之一，平時能看到揮舞著購物袋的人們、街頭藝人和大量人潮，如今空蕩蕩一片，這幅景象令人深感不安。這種景象根本不該被看見，就像夜店裡的燈光在夜幕降臨時綻放。

但最令奧利弗感到奇怪的是，他看著這一切的時候，琦菈在他身邊。

他不時偷偷瞥她一眼，或捏她的手，或把她的手放在脣邊輕吻，只為了向自己證明她真的在這裡。

她還在這裡，儘管發生了那些事——

但她還會在這裡多久？

＊＊＊

奧利弗的公寓裡沒有任何類似野餐毯的東西——她的公寓裡也沒有，所以改道去她家也沒用——於是兩人把一張白色床單鋪在公園裡，平躺在上面，琦菈擔心沾在上頭的草漬永遠洗不掉。她沒東西遮陽，只好把胳臂放在額頭上，擋住刺眼陽光。她希望她那瓶雜牌潤膚露號稱防晒係數高達三十是真的，因為這就是她唯一的防晒措施。因為封城的關係，她原以為自己不可能來公園、不用擔心在公園裡做日光浴會需要什麼用具，但他們現在就在這裡。

除了偶爾聽見遙遠的笑聲或孩子興奮的尖叫聲，她什麼也聽不到，只聽到奧利弗輕輕的呼吸聲，在她身邊打瞌睡；他們在格拉夫頓街幾乎無人的M＆S美食廣場吞下含糖碳水化合物和碳酸酒精當午餐，之後在公園的西南角找到一個位置，靠近欄杆和馬路，但路上沒有交通噪音，因為根本沒有車流。他們就在市中心，配樂卻是鄉村田園詩。

「封城也有封城的好處。」她呢喃。

奧利弗用手肘撐起身子，環顧公園。她看到他的額頭晒得有點紅。他在野餐當中的一堆塑膠盒裡尋找，找到一個水瓶，坐起來喝了一大口。

她也坐起身。

周圍的大片草地乍看之下似乎密密麻麻地躺著人，但細看之下，能看到數十人雖然聚在一起，但彼此保持不少距離。有些人顯然違反了「只有一家人可以聚在一起」的規定——除非他們住在一個每個角落都塞滿上下鋪的房子裡——但他們很難為此生氣，因為今天實在美好，天空是矢車菊藍的天篷，陽光幾乎就在頭頂上照耀。

「這樣很怪，」奧利弗說：「不是嗎？這感覺很正常，卻也……**不正常**。感覺就像置身於《黑鏡》，某個電腦公司做了一個模擬世界，但一切都有點怪。」

「我沒看過《黑鏡》。」

「噢，我們一定會把這套影集加入狂嗑清單。」

「可是它好像是在講反烏托邦的東西吧？這個世界走在錯誤的方向上之類的？我不確定我們現在真的該看這種東西。」

「有道理。把它加入『疫情結束後清單』好了。」

疫情結束後清單。

談話時漫不經心地為未來做出的承諾。琦菈抓住它，將它添加到她的收藏中，連同他說過萊納拉格對他們來說會是個有趣的生活環境，而且她會很喜歡他哥的妻子妮琪——只要他們能從澳洲回來。

雖然她不該收藏這些東西。

雖然她應該摧毀她已經收藏的那些，因為他們最終會分手，又何必騙自己來折磨自己？

人沒辦法消除過去。你是可以把過去鎖在一個盒子裡，把盒子收起來，但沒辦法讓它消失。

盒子現在在這裡，躺在彼此間的草地上。

可是奧利弗不知道它存在，她頑固地假裝自己沒看到它。

「妳有沒有想過，如果這一切都沒發生，我們現在會做什麼？」他問：「如果沒發生疫情？」

「沒想過。」

這是事實。事實證明，現在的日子在很多方面都完美到危險的程度，她不喜歡考慮其他可能性。

像是原本可能一定會發生什麼事。

「真的嗎？」

「沒想過。」她搖頭。「為什麼這麼問？你有想過？」

「一直都在想。其實……」他掏出手機，在螢幕上點了幾下，遞給她。「我不只是想過而已。」

螢幕反射太陽光，她看不清楚，於是從他手裡接過，用手擋住陽光，以便看清楚螢幕。他似乎打開了備忘錄上的一份清單。

「這是什麼？」

「我要帶妳去的地方，」他說：「在疫情結束後。我們要去的地方。」他停頓。「我想和妳一起做的事。」

她只看了一開始幾項，文字就開始變得模糊。

史黛拉戲院

基里尼山

第一章餐廳（主廚餐桌）

愛爾蘭國立美術館
三一學院的長廳圖書館
在桑蒂克夫看日出（游泳？）

她不知道該說什麼，更不知道該作何感想。她沒想到他會承認這件事，他會給她看這種東西。她因為他列出這份清單而深受感動。她覺得有趣的是，上面很多項目其實出現在遊客行程上，是為兩個新來都柏林的人設計的清單，這兩人熱中於探索這座城市，但不清楚究竟該去哪裡。她怕自己也想和他一起做這一切，她已經能想像跟他手拉手在街上走來走去，就像他們今天稍早所做的那樣，但到時候疫情已經結束，他們沒什麼好怕的了。

唯一要怕的，就是永遠不會消失的那東西。

琦菈突然覺得臉頰灼熱。他的臉離她只有幾吋，完全藏不住反應。她努力保持表情中立，因為她感覺一波波情緒湧來，將她拉下又推上水面，令她頭暈目眩，失去方向感，口乾舌燥。

「我還沒寫在清單上的是，」他說：「基拉尼有間酒店，在那裡醒來能看著湖泊和後面的群山，眼前只有藍和綠。等疫情結束後，我覺得我們可以去那裡，暫時遠離城市。」

這段關係不應該走得這麼遠。

但現在就是走得這麼遠，她也不想回頭。

而且說真的，她原以為會發生什麼事？她不是本來就想要這一切，無論代價？

她不是一直在對自己說謊，正如對他說謊？

「我也想做那些事，」她說：「跟你一起。」

這是事實。

他用一根指頭撫摸她的前臂，把上面的雀斑連成一條看不見的線。

「游泳例外，」她補充道：「因為我鐵定會溺水。」

「我會救妳。」

她搖頭。「我還是幫你省下這個力氣吧。」

「妳不會游泳？」

「我比較喜歡把自己想成很高明的沉沒者。」

他發笑。

「不過我確實想念水，」她說：「我是說看著水。我以前從我在科克的公寓能看到水，看到港口。好吧，是河口。我不知道，也許那裡是港口也是河口吧。總之，我離開那裡後，才意識到我多喜歡看到水。我在這兒覺得有點像被困在內陸。」

這也是事實。

「我很遺憾地告訴妳，這裡其實是海岸。」

她開玩笑地拍打他的胳臂。「我們在一條河邊。我說的是放眼望去只看到水。海邊絕對超出我們的兩公里活動範圍。」

「可能有別的地方，更近的地方。來吧。」奧利弗起身。「我們走。」

＊＊＊

離開美麗的梅瑞恩廣場公園，及其周圍褪色的喬治時代建築，徒步不到十五分鐘，就來到一場工業風格、未來主義的銀灰藍盛宴：大運河碼頭。琦菈從沒來過這裡，發現它的名稱跟它的面貌並不一樣。

一片波光粼粼的水面向大海延伸，周圍是高聳的玻璃盒子，那些都是公寓樓和辦公樓。一切都光滑嶄新，都是石頭、鋼鐵或玻璃。利菲河口外的開闊海域，被一排建築物擋住了視線，但她能看到遠處的普爾貝格人工半島上的煙囪，而且這裡有足夠的水來撫慰她的靈魂。

「謝謝你，」她對奧利弗說：「這裡有用。」

他咧嘴笑。「這裡不是我說的那個地方。」

他帶她經過水邊，走過一條狹窄的街道，玻璃和鋼製盒子之間的縫隙。他們經過關門的餐館、一家銀行和許多黑暗的辦公室門扉，但這裡也有一些正常的地方：穿著潛水服的少年們興高采烈地跳進水裡，幾個滑板手在主廣場光滑的人行道上縱橫交錯，一對夫婦拿著外賣咖啡走出雜貨店。

她不知道他要帶她去哪裡，直到他們來到另一端，她跟著他穿過馬路——

他帶她來到了河邊，她從未見過的一段水岸。

在她左邊，薩繆爾貝克特橋的精緻白色曲線如飛鳥般升到天空。隔著橋上的張力索，她能看到遠處更熟悉的都柏林地標：海關大樓，其尖頂刺向天空。幾呎外是一個亮橘色的潛水鐘，至少那裡的告示牌是這麼寫的，否則她根本不知道那是什麼東西。

她看向奧利弗，對方看著她的表情。「這裡——」

「也不是我說的那個地方。不過如果妳繼續跟我走……」

他輕輕拉著她的手，帶她往右轉，兩人同時看到它。

一艘海軍艦艇停靠在幾呎外的甲板上，三個穿著全套生化防護裝備的人——工作服、手套和靴子，戴著配有塑膠護目鏡和呼吸面罩的頭套——正在使用他們背上的噴灑裝置，用軟管沖洗需要消毒的表面。船旁邊是一座龐大狹長的海綠色帳篷，周圍被金屬欄杆包圍，標誌上寫著這是一個「客戶轉介測試中心」，並指向入口處，還警告只有獲得轉介者才能進去。欄杆內側綁著黑色塑膠防水布，顯然充當臨時的隱私屏障。將船接上岸邊的跳板表明，這艘船是薩繆爾貝克特號。

兩人站在原地，目瞪口呆。

封城開始以來，琦菈就一直關注著新聞。電視播放新聞的時候，奧利弗出去跑步，所以她是一個人看。這些消息通常以數字開頭，而且永遠不是好數字。但這些數字並不是最糟糕的部分，部分原因是它們只是數字，因為她很難把它們跟它們所代表的人類苦難配對起來。真正令她難受的，是新聞標題後面的細節，那些句子裡的文字雖然是她聽得懂的，但組合在一起卻毫無道理，而且令她哽咽。

例如，紐約市中心一個會議中心變成了一個擁有一千兩百張病床的野戰醫院，每張床位旁邊都放著盆栽植物，因為這裡原本要舉辦世界花卉博覽會。還有，有人在愛爾蘭醫院死於新冠病毒時，死者必須繼續穿著原本所穿的衣物，即使已經停止呼吸也必須戴著口罩，並且必須裝在不是一個而是兩個屍袋裡，兩個袋子都永遠不會再次打開。還有，一艘停靠在科克的船被如何改造成臨時停屍房。

但這些事情都是發生在電視上，在螢幕的另一邊；她和奧利弗傍晚時依偎在沙發上看電視節目，不知道這一切即將到來，這些事情就像密封的「疫情前」時間膠囊，很安全，有點就像**現在這幅畫面**。但走進這個世界，親眼看到它們，就在她眼前，這完全是另一回事。她看著穿著生化防護服四處走動、不露臉的人員，覺得他們用化學噴霧洗掉的東西就是今天一切的美好。

「我原本不知道這艘船在這裡，」奧利弗說：「它如果不在這裡，妳就能看到港口、河口，還有妳說的放眼望去全是水。也許如果我們再走一段距離，就能——」

「我只想回家。」

他沒爭論。他握緊她的手，兩人轉身循原路返回，大部分的時候都保持沉默，直到回到運河旁，回到海市蜃樓內。

人們還在水邊閒逛，水面現在被午後陽光照亮了。音樂聲從打開的窗戶裡飄出來。櫻花樹的粉紅花瓣在微風中輕輕搖曳。

但現在看起來，這一切就像在演戲。

回到克羅辛公寓時，琦菈瞟向信箱。一個纖細的奶油色信封，從一號公寓的信箱翻蓋裡伸出來。

「奧利弗，」她指向那一處。「你看。」

他順著她指的方向看去，皺眉。

「大概是垃圾信吧，」他說：「或是菜單。」

他從翻蓋裡取出信封，看了一秒，迅速眨眨眼。正面是手寫的字體——想必是一個名字，不可能是別的——但琦菈走近一步，想看清楚的時候，奧利弗突然轉身，把信封塞進旁邊的信箱，二號公寓的信箱。

「上面寫了什麼？」

奧利弗的答覆是「不是給我的」，她後來覺得這句話根本沒回答她的問題。

今日

莉亞站在早餐吧檯靠近廚房的一側，拿著打開的筆記簿和一支筆。卡爾站在客廳通往走廊的門口，靠在框架上，雙臂抱胸。蘿拉．曼尼克斯坐在沙發最遠側的座位上，身子微微前後搖晃，雙手在膝上扭擰，低著頭。

陽臺的門完全打開，莉亞和卡爾都戴著口罩。這樣雖然不算非常安全，但為了避免被其他人聽見而只能在這裡談話。

「那麼，」莉亞對蘿拉說：「把妳跟我說的也跟他說吧。」

她不知道這個女人會配合到什麼程度。在她們倆剛剛獨處的十分鐘裡——等克萊兒．歐賀利警員找到卡爾並帶他來這裡——蘿拉一直在狂妄的憤慨和脆弱的緊張情緒之間切換。

她現在說話時，語氣介於這兩種情緒的中間。

「我是記者，目前是《傑森．迪寧秀》的資深製作人。以前是ThePaper.ie的特輯編輯。」

卡爾對此搖頭；莉亞知道他不是在生氣，而是感到失望。

「告訴他，妳為什麼在這裡，」莉亞說：「妳在鄧德拉姆有一棟房子的時候。」

蘿拉低頭看著自己的雙手，嘴裡念念有詞。

「麻煩大聲點。」

「我**說**——」她回到憤慨模式。「我在這裡，是因為米爾河案。」

莉亞和卡爾對看一眼。

卡爾說：「麻煩說清楚。」

「說來話長。」

「噢，妳趕著去別的地方？抱歉，可是有個傢伙在樓下腐爛，所以我們真的很希望妳能抽出幾分鐘。」

蘿拉瞪著他。「我那時候在《論壇報》，事情發生的時候。我們都知道他們的名字，那是公開的祕密。幾個月前，我們一夥人出門喝酒，有人提起這件事。其中一個負責犯罪報導的人，說他聽說聖萊傑在倫敦過得很爽，有女朋友，有好工作，應有盡有。而我心想，**我們的觀眾一定會很想聽聽這種壞人沒得到報應的故事**——」

卡爾咕噥：「妳是說觀眾一定會對這種故事發不必要的脾氣。」

「——所以我開始挖資料。我心想，我如果找到能用的東西，就能放在節目上，也許還能拿到專題報導。」她停頓。「而且我不認為那是**不必要的脾氣**，刑警先生。他是被定罪的凶手。」

「他已經坐完牢了，而且我是警佐。」

看卡爾糾正蘿拉說出的警階，莉亞知道這表示卡爾一定不會寄聖誕賀卡給蘿拉。

「妳不能報導他的名字，」他說下去：「也不能以任何方式揭穿他的身分，所以專題報導對妳有什麼用？」

「我能改變跟他身分有關的細節，而且我還是有很多題材可寫。去年有個案子，關於兩個少年——他們不能寫出那兩人的姓名，但還是寫了專欄報導，不是嗎？」

專欄報導、長篇報導、頭版頭條——長達好幾星期。莉亞當時說過，把被告——如今是已被定罪的凶手——稱作少年A和少年B，只會提高公眾對相關情報的興趣，因為他們的姓名和臉孔被隱瞞了，他們的家庭生活、愛好或家庭背景的相關細節被隱瞞了，他們的平凡被隱瞞了，他們反而從一開始就不是正常人，也立即登上了邪惡變態殺手的行列。

就像去年，無人知其面貌、被稱作「虛無人」的連環殺手二十年來造成的恐懼，因為被揭露他其實名叫「吉姆」而立即蒸發。

「我當時收到線報，」蘿拉說：「倫敦其實發生了事情，出了問題，而且聖萊傑正要前往都柏林，去他一個家族友人開設的公司工作。我雖然只知道那家公司的名稱，但也足以找到他。」

蘿拉稍早前在陽臺上談到這件事時，莉亞制止了她，也一直耐心地把下一個問題壓在舌頭底下。

「怎麼找到的？」

蘿拉聳個肩。「我有我的辦法。」

莉亞和卡爾都沒說話，只是等她說下去。

「**好吧**。我用了網站時光機。」

卡爾忍不住開口：「他媽的什麼機？」

「**網站時光機**。」蘿拉清晰地說出每個音節，彷彿在教英文。「這是個網路檔案館，會拍下並儲存網站的快照。你可以輸入任何網址，查看該網站以前是什麼模樣，例如在一九九九年一月十二日，或是二〇一二年九月十六日，只要檔案館有拍下快照就行。當然了，回溯得越早，能找到的東西就越少，而且只有重要的網站才找得到。但它確實有拍下KB工作室在兩個月前的『見見我們的團隊』網站，所以我做了比對，找出他們雇用了誰。他們雇了兩個人，沒有照片也沒有個人資料——他們顯然是初級成員——但其中一人有個瑞典名字，而且最近曾在杜拜工作，另一人名叫奧利弗·甘迺迪，最近曾在倫敦工作。這下就不難猜了吧。」

「可是妳怎麼知道是他？他就是妳在找的**奧利弗**？」

「這就是我接下來的任務。我剛剛說過，公司網站沒刊登他的照片，他也完全不用社群媒體——我認為這反而能證明這個人就是他。我必須親眼見到他。我試了幾個辦法，但到頭來還是耐心勝出。我坐在辦公大樓正對面的咖啡廳的窗前，看著進出大樓的每一個人。這樣觀察了三天後，我看到一個可能是聖萊傑的人——年紀差不多，膚色差不多——跟著常務董事走出KB工作室，我是因為網站上的相片而知道那人是常務董事。我靠近觀察的時候就知道了。是他。無庸置疑。」

「妳是怎麼確認——」

「耳朵，」蘿拉說：「耳朵不會隨著年齡增長而改變。只要比對耳朵就能確認。而且他用的名字是奧利弗·甘迺迪。甘迺迪是聖萊傑他母親出嫁前的姓氏。我說真的，這太明顯了吧，簡直就像他想被我找到。」

卡爾低聲咒罵。

「那妳一開始怎麼知道他的耳朵長什麼樣子？」莉亞問：「妳拿什麼做比對？」

「相片。他小學的校報上。」

「從哪弄到的？」

「基本上跟那條線報的來源是一樣的。」

「線報來自哪？」

「我不能說，也拒絕說。」

「我們以後再談這件事。」莉亞耐心被消磨大半，逼自己維持語調平靜。「所以，有人告訴妳，奧利弗．聖萊傑要回來都柏林，在KB工作室工作。妳發現一個年齡相仿的人使用奧利弗．甘迺迪這個名字，他母親的姓氏，不久之後開始在KB工作室工作。妳看到從辦公室裡出來的某人跟妳相片上的奧利弗．聖萊傑相匹配，只是年紀增長了十七年。基本上是這樣？」

蘿拉點頭。「嗯。」

「可是妳怎麼會在這兒？在他這棟公寓大樓？」

「我只是跟蹤他。他不開車，去哪都走路。呃，我是說當時。我在網路上調查這棟公寓，想看看有沒有公寓出售或有什麼辦法能讓我進來，結果我看到短期出租。」

「我想問的是，妳原本打算**做什麼**？」

「蒐集更多情報。也許最終接近他。」

「妳有接近他嗎？」

蘿拉撇開視線。「沒有。不過我有跟他女朋友說話。」

莉亞以為自己聽錯。她看向卡爾，對方開口：「他的**女朋友**？」

「是的。他的女朋友。她叫琦菈。」

蘿拉難掩臉上的勝利喜悅；她顯然很高興能說出他們並不知道的事。

「她是跟他一起從倫敦搬來？」卡爾問。

「不知道。不過她說話是愛爾蘭腔，我覺得應該是科克腔。」

「妳跟她的那場談話談了什麼？」

「是那幾場談話，複數。我跟她談了兩次。」

「妳有沒有跟她說妳是誰？」

「基本上沒有。如果我說了，就不會有第二次談話。」

「她姓什麼？」

「不知道。」

「她知道他的過去嗎？」

沉默幾秒。

「我不知道，」蘿拉說：「我當時心想，她如果不知道他的過去，我就該警告她。可是我說得含糊其辭。我跟她說，我知道他做過壞事、他的姓氏其實不是甘迺迪。而她說……」她又聳個肩。「好吧，她沒說什麼。」

卡爾的臉龐有點漲紅。

「好吧，」他說：「總之，我總結一下：妳，一個十足的陌生人，來到這個女人面前說，嘿，我知道妳的男朋友做過壞事，而且他的姓氏其實是假的，而她的反應是『沒說什麼』？」

「我覺得她是想保護他。」

莉亞仔細思索這點。要麼這個神祕女孩跟一個被定罪的殺人犯交往，想保護他，要麼……

要麼這個露薏絲・蓮恩——超人身邊那位犀利女記者——找錯人了，這個奧利弗並不是她在找的那個奧利弗。

卡爾問蘿拉，她上一次見到那名女子是什麼時候。

「大概……三星期前？」

「他們當時一起住？」

「有可能。」

「所以，」莉亞說：「妳其實沒跟他談過，但這個叫琦菈的女人應該有讓他知道妳跟她的談話……」

「我寄了一封信給他，丟進他的信箱裡，解釋說我其實不想揭穿他——」

卡爾嗤之以鼻。

「——但我確實想跟他談談，聽聽他的說詞。我一直沒收到他的回應。」她交叉雙臂，抬起下巴。「聽著，我沒弄錯。我知道這個人就是他。而且我沒做錯任何事。我沒騷擾他們——」

「**最好是**。」卡爾咕噥。

「——而且依照法律，我不能揭露他的姓名或下落，但他可能以為自己會被揭露……也許這就是為什麼他做了他做的事。」

「而妳看起來難過極了。」卡爾面無表情。

蘿拉瞪著他。「我沒做錯什麼。有做錯事情的人是他。他沒辦法面對他自己，這又不是我的錯。」

「我們發現一個信封，」莉亞說：「寫給奧利弗·聖萊傑，放在一號公寓的信箱裡。那是妳寄的？」

蘿拉點頭。

「我們打開信封後會看到什麼？」

「只是一封信，解釋我不是想揭穿他，只是想跟他談談。」她瞪大眼睛。「妳的意思是，他根本沒收到這封信？」

「妳剛剛跟我談話的時候，在我的同事加入之前，妳說妳從沒進去過一號公寓。」

「我進去做什麼？」

「所以妳沒進去過？」

「沒有。」

蘿拉說話時，莉亞一直在寫筆記，此刻故意把筆放下。她捏捏口罩的前部，暫時從臉上拉下來，吸進空氣，舔舔嘴唇，因為每次戴著這個東西說話太久，最終會覺得就像面朝下趴在沙漠上。然後她戴好口罩，再次拿起筆。

「蘿拉，我告訴妳我們接下來要做什麼。妳剛剛說的東西都很有意思，有些甚至令人著迷。但我要妳把事情再說一次，從頭開始，但這次有個小小不同之處。」

蘿拉一臉困惑。

「**這一次，**」莉亞說：「妳要跟我們說實話。」

二十六天前

他的心跳非常快，他擔心琦菈會在他的頸部皮膚上看到他的脈搏。她一定**看到什麼**，因為兩人回到公寓後，她轉身看著他，皺眉問他「你還好嗎？」。

她的聲音聽來莫名遙遠、模糊，彷彿在水底下。

也許在水底下的人是他。

她告訴他，他滿身大汗。他咕噥說這是因為天氣炎熱、晒了太陽、午餐喝酒後走了太遠。琦菈去拿了保溼霜來，說他最好塗些在臉上，還給他兩顆乙醯胺酚來處理他謊稱的頭痛。

在她離開的半分鐘內，他盡力讓自己振作起來，在水槽前朝臉上潑冷水，思索到底該怎麼辦。

他做出決定：他需要看看那個信封裡究竟有什麼。

這是當務之急。

琦菈回來時，他衝口說出「我們去買外帶當晚餐吧」，接著露出微笑，來掩飾這番話的唐突感。「我不想煮飯。」

她可能會自告奮勇做飯——或如此嘗試。她也可能會說現在天氣太熱，不適合吃熱食，他母親以前在他跟他哥小的時候就是這麼說。但她做出讓他覺得不方便的舉動：她提議下載訂購外送食物的應用程式。

「好。」他平淡地回一聲。琦菈遞給他一管東西，他慢慢擰開蓋子，嗅聞裡面的白色乳液，同時拚命思索該如何推翻她的提議。「可是這種應用程式的問題是，」他不得不暫停下來，舔舔乾燥的嘴脣。「他們的系統就是看不到我的郵遞區號，所以送餐員每次都迷路。我試過兩次，最後都得在電話上指示他們怎麼走，結果食物都變得又冷又溼。喬基餐館怎麼樣？」這是附近一家餐館，他們以前在偶然間去過一次，在所有餐廳都禁止內用的前一天晚上。「他們現在有外帶。我可以去現場買。」

琦菈一臉懷疑。「你不是說你覺得不舒服——」

「我不會有事的。」他打斷她的話，但立刻感到後悔。他拿起她放在流理臺上的乙醯胺酚藥丸。「只要吃了這個就沒事。」

兩人在網路上看了菜單，然後奧利弗打電話點餐。店家詢問電話號碼時，他給了號碼，但按照習慣調換了最後兩個數字——除非絕對必要，否則他不會提供任何個人資料。

他在事後才擔心琦菈可能注意到了，但她什麼也沒說。

喬基餐館的人說他的食物可在四十五分鐘後領取。

「他們說十五分鐘，」結束通話後，他對琦菈說謊。「我其實現在就可以過去。」

「要不要我一起去？」

「不。」他清清喉嚨。「我的意思是，呃，不需要。我們不用兩個人一起去。盡量減少與人接觸的機率比較好，不是嗎？」

「可惜我們不能在外面吃，」她難過地望向露臺。「趁外頭還這麼溫暖的時候。」

那個信封是有人親手送到一棟有門禁的公寓大樓裡，而且他在幾週前在一家酒店外偶然遇到的一個女人也住在這裡。他和琦菈從此**絕對不會**再出現在露臺上。

「我覺得我今天已經晒夠太陽了，」他指向自己的額頭，這一處的皮膚開始覺得灼熱又緊繃。他確認帶上了鑰匙和皮夾，然後轉向門口。「我很快回來。」

他在進入走廊前戴上口罩。

搬進克羅辛不久後，奧利弗就意識到自己一直沒拿到信箱鑰匙。他在隔天上班時問了辦公室經理露易絲這件事。她負責監督員工住宿的相關事項，但不知道那把鑰匙在哪。但她有KB工作室承租的其他公寓的鑰匙，她說當時沒有其他人在用。她把其中一支信箱鑰匙交給他，聳肩道：「那棟公寓的信箱鑰匙好像都一樣。」

他當時認為這很容易導致郵件遭竊，並提醒自己住在那裡的時候永遠不要讓任何東西寄去那裡。今天，他希望她說的是事實——而且他的鄰居不會突然想在星期天晚上檢查信箱。

奧利弗發現大廳空無一人，但中庭裡有幾個住戶，正在充分把握傍晚的陽光。他們都沒看他一眼。

他知道身後是魚眼監視攝影機，於是調整身體的位置，希望不會被人發現自己打開鄰居的信箱。

他把小鑰匙插進二號公寓的信箱鎖孔，屏住呼吸——

喀啦。

鑰匙輕易轉動。

奧利弗拉下蓋子。

那個信封是面朝下，其底下是附近一家披薩店寄來的傳單。

他允許自己一秒鐘的自欺欺人，希望一切都不會分崩離析，這不是另一次終結的開始。

然後他把手伸進信箱裡，拿出信封，翻轉過來。

奧利弗．聖萊傑。

藍墨水的手寫字體。草寫。

他猜出自女性之手。

信封看似無害，其威脅無形——但帶來的後果可能具有災難性。它就像核爆炸中從反應堆裡噴出來的石墨碎片。

恐懼將他凍結在原地，站在一個不屬於他的信箱前，在一個半公開的地方，拿著一個上面寫著他的真名的信封。

他的心臟在胸腔裡怦怦跳。

紙在他手中顫抖。

然後他腦海中的蓋格計數器開始發出響亮又刺耳的嗶嗶聲，一次，兩次，然後快速連續幾次；當他仍然不動時，它開始發出不間斷的高音嗶嗚——

奧利弗把信封塞進牛仔褲的口袋裡，鎖上信箱，走出公寓大樓。

儘管四月才剛剛開始，但空氣中瀰漫著一團慵懶的陰霾，他覺得這與夏夜有關。

他想起某個夏夜，去年七月在倫敦的時候。

在肖迪奇的食品卡車節，他們一群人擠在野餐桌旁，頭頂上掛著仙女燈。太陽在天空中每下降一吋，他們頭上的燈泡就變得更亮一點。

他想起他意識到坐在身邊的露西把胳臂隨意搭在他大腿上的那一刻，他等她意識到並移開這隻手，但她沒這麼做，而是轉身看著他的眼睛，默默告訴他，她知道這隻手在這裡，她是故意把它放在這裡，她這麼做是因為她想要他，不想要其他人。

他當時感覺到一股熱氣在他的胸口蔓延——而且不是他習慣的那種。不是灼熱、危險、令他驚慌失措、氣管收緊、呼吸困難的那種，而是一種充滿幸福感、歸屬感和**安全感**的溫暖光芒。

但他不知道的是，早在那時候，那一刻，一切都已經分崩離析。

而現在，事情又發生了。

這次是琦菈，她**時時刻刻**讓他覺得安全。

不只是安全而已。

奧利弗朝喬基餐館的方向走去，信封塞在後口袋裡，他清楚感覺到它的存在，它簡直就像傳來脈搏。走到半路，他在一個空蕩蕩的停車場停步，附近一家咖啡店已經把幾張野餐桌搬到這裡。這家咖啡店從封城開始就關門至今，整間店一片漆黑。奧利弗來到離路邊最遠的桌子旁坐下，背對馬路。

他拿出信封，打開封口。

裡頭只有一張摺成三等分的A4白紙。

他深吸一口氣，攤開來——

然後驚訝得眨眼，因為紙上完全空白。

他把紙翻轉過來，檢查另一面。也是一片空白。他檢查信封裡頭，查看封口底下。同樣空白。怎麼會有人寄白紙給他——

為了確認他的身分，他意識到。

意思就是，他剛剛犯下嚴重錯誤。

他原本可以更簡單地化解這個威脅。他常常看到這種事：其他住戶收到別人的信，通常是寄給之前的租客，他們會把這些信封和包裹放在信箱上面，潦草地寫下「收件人不住在這裡」或是「請退回寄件人」之類的文字。他也這麼做就行了，而且他甚至什麼都不用寫。他只需要把信封放在信箱上，就能傳達「收件人不是我」、這不是他的名字，而且因為信封上沒寫公寓號碼，所以他不知道這封信究竟寄給誰。沒錯，其他人在拿取自己的信件時可能會看到這個信封，但他的真名並沒有被公諸於眾。如果公布他的真名，這麼做是違法的。他唯一需要做的，就是讓自以為知道他是誰的那個寄件人知道自己弄錯了。

但他沒這麼做，而是掉進了陷阱。

他拿走這個信封，就等於讓寄件人知道自己找對了人。

他**就是**奧利弗·聖萊傑，米爾河案的少年B，惡名昭彰的兒童殺手。

他把紙揉成一團，丟在地上。

他抱頭痛哭。

二十三天前

昨天早上，奧利弗處於自己所謂的「末日滑手機」狀態——心不在焉地在手機上瀏覽壞消息——然後看到一篇文章，說《全境擴散》和《危機總動員》之類的電影，幾年前的病毒驚悚片，正在迅速登上全球串流和租片排行榜的榜首。琦菈說自己從沒看過《全境擴散》，奧利弗彈個響指說：「我們今晚就看這片。」此刻，她離開正午的陽光，進入聖史蒂芬綠地購物中心敞開的入口時，想起電影裡的一個場景。她沒想到購物中心在營業，因為據她所知，購物中心應該全都關門了。

她上次來這裡的時候，門口是一個熱鬧的聚會場所，進進出出的購物者絡繹不絕，但今天只有她和戴著口罩的保安，那人確認她有使用這裡提供的洗手液，並在進入後遵循新實施的單行道制度。

穿過昏暗的入口後，琦菈來到一個巨大的玻璃中庭，這裡有著燈光和塗成白色的鐵梁。兩層樓高的陽臺樓層排列著店面。她雖然沒辦法立即看清楚每個角落，但這裡顯然很冷清，熄了燈，拉下百葉窗。她的腳步在油氈地板上吱吱作響，背景音樂從看不見的揚聲器傳來，在半空中迴盪。

一樓的商店似乎都關門了，而且人們無法進入更高的樓層，樓梯口被繩索攔住，電梯被鎖住。一個手寫的標誌警告說這裡的公共廁所都已關閉，而這立刻讓她覺得想上廁所。她納悶這個購物中心為何有營業的同時拐過轉角，發現開在這裡的鄧恩超市也在營業。

琦菈感到欣喜，甚至頭暈目眩，因為她能在百貨公司裡四處走動，可能買一些不能吃的東西——哪怕只是**看看**也好，因為她其實沒什麼錢。她徑直走向門口，兩名女性工作人員戴著塑膠面罩和乳膠手套，站在那裡，神情緊張。她們為她指出在裡面排隊的人們，他們在一座電扶梯前耐心等待。

「買菜。」這些人看到琦菈的困惑表情時，其中一名女子解釋。

她不需要購買任何食物，而且她知道，奧利弗如果知道她進行了一次不必要的額外旅行一定會不高興。但她心想，既然來都來了，何不下去看看，四處走走，誰知道會發現什麼？

她加入人數不多的排隊人龍，確保踩在地板上的黃色膠帶上。排隊的人都沒戴口罩，所以她沒從口袋裡拿出口罩。門口有一張小桌子，放著為顧客免費提供的塑膠手套——透明、便宜、寬鬆的那種，戴起來肯定讓人難受——但似乎沒人願意接受這個服務。

她聽見身後有個女子喊道：「先生？**先生？**」

琦菈轉身，只見一名身穿粗呢大衣的高大男子大步走進店裡，留下兩名工作人員怒氣沖沖地瞪著他的後腦杓。

他戴著降噪耳機，以及她在電視上看過，工匠在剝掉鉛漆或在灰塵中工作時戴的那種堅硬的脊形面罩。他身上每個毛孔都散發一種自負和急躁的態度。看來他因為戴著耳機而沒聽見那些女子喊他。但他不可能沒看到等著進地下室的隊列，而且他正興高采烈地大步走過。

琦菈看著相隔兩米、站在黃色膠帶上排隊的人們怒瞪這名面罩男子時，不禁注意到這一幕的怪異之處，而且她在一個月前會對此作何感想。今天是四月八日，而三月八日那天，距離她跟奧利弗第一次約會還有二十四小時，那是他們去韋斯特伯里酒店的那個晚上。

她不知道何者更為恐怖：在這麼短的時間內發生了多大的變化，還是人們多快就適應了這種情況。

她自己也很快地適應了她遇到的情況。

輪到琦菈進場時，她踩在電扶梯上，因為能獨自進入雜貨店而興奮得像小孩子。可是這種感受迅速消失。儘管商店控制了顧客的數量，但還是有很多顧客被允許進入，這造成了喧囂，而且這裡似乎沒有「限定單人購物」的規定。這裡到處都是夫妻檔，有些甚至是全家出動：父母帶著大小不一的孩子，他們用小手抓著大人，像車隊一樣走過走道。開放空間擠滿了購物車，所有的收銀臺似乎都排滿了隊列。顧客每次使用過的自助結帳螢幕，都由一名工作人員盡力噴灑酒精擦拭，但忙碌的程度就像在玩必輸無疑的打地鼠遊戲。

琦菈剛走出電扶梯，就感到第一波的不自在。這種感覺就像一列從遠方持續逼近的火車，她感到脈搏加快，背脊突然冒出冷汗。

但她清楚知道這種感覺是什麼、她正在發生什麼事。雖然已經有一陣子沒發作了，但她清楚知道這種感受意味著什麼。

恐慌症。

琦菈深吸一口氣，告訴自己「我沒事」，而且重複這麼說。她來到農產品區，不確定究竟在找什麼、要去哪裡，她現在徹底忘了自己為什麼會來這裡。她如果帶任何東西回家，奧利弗就會知道她有進入某個商店，但她也擔心，如果進來卻沒買東西就出去，就會被當成是扒手。

不然排隊進超市做什麼？她確定超市的保全一定會覺得她是扒手。

而這讓她的心臟跳得更快。

她做出決定：只買一瓶葡萄酒。等回到公寓後，她可以假裝這是在公寓附近的商店買到的東西。她走向酒品區，嚴格來說是她認為酒品區所在的方向，假裝沒感覺到胸中心跳加速的怦怦聲。

一個提著籃子的女子在她面前停步——迫使琦菈也停步——伸手從她旁邊的架子上迅速拿走某個東西。女子做出這個動作時，朝半空中釋放出一團令人作嘔的花香。琦菈轉過頭，避免吸進，這時看到——

一張熟悉的臉孔在走道盡頭閃過，走出她的視線。

「**麻煩借過**。」抹了廉價香水的女子以尖銳口吻說道。

琦菈站到一旁，不小心撞到另一個人的購物車前端。

她失去平衡，彷彿頭部跟身體沒完全接好。超市裡似乎比剛剛更繁忙，她的四面八方都是人潮和鼻息。她看到人們觸摸東西，隔著走道互喊，彼此擦身而過。

突然之間，她周圍不僅沒有空氣，甚至沒有絲毫空間，只有其他人和他們熱氣騰騰、充滿細菌的吐息，連同從中飄來、黏在琦菈皮膚上的危險。她知道——她**確**

信──她如果不在接下來的幾分鐘內離開這裡，就一定會暈倒。

她掃視左右，拚命尋找告示牌或電扶梯，能帶她離開這裡，回到外面的露天環境。

但她一無所獲。

一片灰色糊影從四面八方侵蝕她的視線，她覺得胸口越來越緊。

某人走近，太近了，就在她面前。琦菈想推開這人，但注意到對方穿著這家商店的黑色制服，其上方是閃閃發亮的塑膠面罩。

「親愛的，妳還好嗎？」一個眉毛太黑、唇膏鮮紅黏稠的女子隔著面罩看著她的臉。「妳沒事吧？」

琦菈能感覺到旁人們投來的目光。

「我要怎麼──」她覺得口乾舌燥，舌頭拒絕合作。她再次嘗試。「我要怎麼離開這裡？」

「來。」

她的左手邊傳來另一名女子的嗓音。

聽來耳熟。

不是她想聽到的聲音。

但是琦菈沒力氣抗議。她只想離開這裡。她先離開這裡後再擔心如何**遠離**對方。她屈服於這名視線外的幫手，看著在自己腳下挪動的地板。

大理石紋路的油氈地板布滿鞋痕。

電扶梯踏板的冰冷脊狀表面。

一塊粗糙的地墊，上面寫著她看不懂的字母，因為它上下顛倒。

她感覺自己就像喝醉，試著直線走路但知道自己步伐歪斜，每隻腳都感覺太過沉重，彷彿她以為憑著意志力就能站穩，但其實只是讓一切變得更糟。

石質階梯。灰色水泥。不一樣的光芒──

她們來到了戶外。

清新的空氣涼爽宜人，改變了她的心境。琦菈閉上眼睛，大口吞下新鮮空氣。她再次睜眼時，看到幾乎空無一人的國王街。一旁這位善心人士帶她來到歡樂劇院外面一張長椅旁，溫柔地鼓勵她坐下。

「慢慢來，」她說：「深呼吸幾次。」

琦菈迅速恢復正常，感覺舒適，但緊接而來的是一陣令人發癢的灼熱尷尬。

「來。」她面前出現一瓶水。「我已經喝了一些，但如果妳不介意……用這個吧，我有一些抗菌紙巾。我來幫妳把瓶口擦乾淨。」

水瓶再次出現時，琦菈接過，大口喝下。

「謝謝妳。」她開口。

「妳以前有過這種狀況嗎？」

琦菈現在才轉頭，正眼看著女子，確認了自己的懷疑。

坐在她身邊的女子是蘿拉。

她在這裡做什麼？

難不成在**跟蹤**她？

「噢，」琦菈假裝現在才認出她。「我們又見面了。」然後她裝傻。「我剛剛是所謂的恐慌發作嗎？」

「突然出現症狀，換氣過度，覺得想吐？」看琦菈點頭，蘿拉也點頭。「聽起來是。發生什麼事了？」

「我也不知道，只覺得……幽閉恐懼。」

「現在只要某個地方不是空無一人，我就會產生這種感覺。我對這個傳染病害怕到疑神疑鬼的程度。妳那天的頭痛後來怎麼了？」

琦菈過了一秒才想起自己對火災警鈴產生的生理反應。

「噢，我沒事。」

「聽著，呃……」蘿拉清清喉嚨。「有件事我想跟妳說。我那天晚上原本要說的，不過……」她調整身子的重心。「我不知道該如何開口，所以我就直說了，好嗎？」

琦菈做好心理準備。

「我知道妳跟奧利弗在一起。我也知道妳那晚是出於充分理由而沒跟我確認這點。妳如果是想保護他，我也能理解。但我想確認的是，如果妳**不知道**那個『充分理由』是什麼，妳不是試著保護他，妳不知道他是誰，那麼……」蘿拉停頓。「他有沒有跟妳提到他發現的那個信封？上頭寫著他真正的姓氏？」

琦菈覺得耳裡嗡嗡作響，盡可能表現得一頭霧水。

「他真正的姓氏不是甘迺迪，」蘿拉說下去：「而且我是記者。我希望——」

「我得走了。」琦菈衝口說出。

她懷疑自己的膝蓋可能站不直，但還是站起身。她任憑手裡的水瓶掉落，也依稀感覺到涼水潑灑而出，濺到她牛仔褲的右褲管上。

她走離三步，然後轉身面向蘿拉。

「我不知道這是怎麼回事，」她說：「也不知道妳有什麼毛病，可是我跟奧利弗從小學就認識，所以不管妳在說什麼事情或什麼人，都跟我們無關。」

然後她轉身走離，步伐快得就像在奔跑。她覺得心臟幾乎快破胸而出。

她心想，**這該死的婊子會毀了一切**。

＊　＊　＊

奧利弗在客廳裡來回踱步，在腦海中練習開場白。

我有件很重要的事要告訴妳。

他做了一個決定。

其實在星期天晚上就做出了這個決定，在他打開那個信封的幾小時後。

他要跟琦菈說實話。

不是完整的真相，但也是**大部分**的真相。有些事他永遠不能說出口，他沒勇氣把那些事召喚到腦海的正前方，更不可能說出來讓別人永遠記在腦海裡。

真正重要的是事件的大方向，他打算等她一散步回來就跟她說。

他並不想這麼做。他跟琦菈在一起的每一個小時，她依然認為他是她自以為認識的奧利弗的每一分鐘，都像一種他難以割捨的萬靈藥——但他必須割捨，因為他也知道這種藥遲早會要他的命。

他不能再繼續這樣下去，繼續隱瞞祕密，繼續說謊。

他受不了這種**感覺**，他彷彿一直在屏住呼吸，等著事情出差錯，等著祕密遲早被揭穿。

他必須告訴她。

然後……會發生什麼事就順其自然吧。

他曾以為他們的邂逅是來自宇宙的禮物，為了彌補他以前被奪走的一切。就在他們相遇的幾天後，一場千載難逢的全球疫情改變了整個世界。在短短幾星期裡，這場疫情迫使人們做出前所未有的決定，例如即將封城時該怎麼辦，而跟妳剛遇到的男人保持聯繫的唯一方法，就是搬去和他住在一起。加上琦菈不使用社群媒體，而且她才剛搬來這座城市，加上她同意他的說法：這是一個很特別的機會。

這個機會能讓她在一個受保護的環境中成長，遠離家人和朋友的審查和影響。

這個機會能讓他向她展示自己的內心裡有什麼——直到對方發現他在十七年前衝動地犯下了什麼罪行。

在她搬進來不到四十八小時後，第一個麻煩的跡象就出現了：在第一個星期一早上，肯尼斯打電話警告他，他妻子的一個朋友搬進了KB工作室租用的另一間公寓。

那個女人是一名護理師，她和需要被照顧的年邁父母住在一起，而且公寓裡空無一人，所以……問題是，肯尼斯的妻子——艾莉森——向來非常討厭奧利弗，也討厭她丈夫給他任何幫助。

她不知道奧利弗回來都柏林，更不知道他在肯尼斯的家族企業工作、住在他們付錢租下的公寓裡，而且肯尼斯堅持要向她隱瞞這件事。

但這立刻讓奧利弗為另一件事擔心：**肯尼斯**發現琦菈住在這裡。

艾莉森很可能會告訴那位護理師，KB工作室的另一間公寓（奧利弗住的那間）在哪裡，那位護理師也可能向艾莉森提到自己在露臺上看到的情侶，而且艾莉森可能告訴肯尼斯這件事，肯尼斯可能會合理地覺得奧利弗濫用了自己釋出的善意，他甚至可能必須向她承認這對情侶當中的女方是誰，然後奧利弗就會陷入真正的麻煩，無家可歸而且失業。

他一直在考慮如何避免走上那條路，但就在幾個小時後，他發現自己被迫解釋另一件事。

自從離開倫敦後，他每個月都會透過Zoom跟他的心理治療師丹恩進行一次視訊會議，其中一次是在琦菈搬進來後的星期一。他問過能否把時間改到中午，以配合琦菈說她要去散步的時間。但她那天提前回來，還在無意中聽到丹恩責備奧利弗沒提早讓他知道自己在談戀愛，丹恩因為倫敦事件而很不高興他這麼快又開始談戀愛。

換作其他情況，奧利弗可能會對自己多麼優雅地解決問題而感到有點自豪。他把丹恩說成是肯尼斯，而且避開露臺就能一石二鳥。但這麼做讓他很難受。那天晚上，他躺在床上，心想如果不用擔心任何小事都可能演變成大災難的人生會是多麼美好。他連想像都沒辦法。

然後是在韋斯特伯里酒店遇到的那個女人，她給了他菸抽，結果她不只住在這裡，還跟琦菈談話，而且他在星期天晚上發現那個信封。

這一切都讓他難以應付。他已經說了太多謊話。

而且他痛恨對琦菈撒謊。

所以他現在要停止說謊。

聽見她的鑰匙敲擊聲從走廊傳來，奧利弗停止來回踱步，轉向門口，準備面對她。

他把掌心的汗水擦在大腿上，深吸一口氣。他的右腿拚命顫抖。

他心想，他要吻她。擁抱她。一分鐘就好。

然後他要對她坦承一切。

幾乎坦承一切。事件的大略方向。只要他能從緊縮的喉嚨裡吐出任何字句。

我有件很重要的事要告訴妳。

他心想，他就從這句話開始。

但她走進客廳時，是**她**對**他**說出這句話。

＊　＊　＊

她在走路回家的路上做了決定：她必須跟奧利弗說出蘿拉的事。

她在火災警鈴那晚沒讓他知道蘿拉說了什麼，但既然那該死的女人似乎就是打算找麻煩，加上她可以讓奧利弗知道她**已經**跟琦菈對峙過……

如此一來，他就會知道琦菈有騙他。

但是琦菈需要以**他知道**的身分再跟他相處一段時間，所以她需要先進入他的公寓。

她走進公寓裡，把鑰匙放在門廳桌子上，門扉在她身後轉動關上。

這裡很安靜，客房的門是關著的；她猜奧利弗在裡頭，還在工作。

她認為，最安全的辦法是裝傻。告訴他，蘿拉剛剛跟她說了什麼。問他蘿拉那番話究竟是什麼意思。

然後她要讓他知道她對蘿拉說了什麼，讓他覺得她的第一本能就是保護他，甚至為他撒謊，如此一來應該就能讓他再次確認她多麼值得信賴。

問題是，她根本不知道他會如何反應。

她瞟向鑰匙。前門鑰匙也許能拿來刺人，不過——

她在做什麼？

看在老天的份上，他是**奧利弗**。他不會傷害她。

但話說回來，他是奧利弗。

琦菈脫下外套，掛在走廊的鉤子上。她停頓片刻，身體前傾，把頭靠在袖子的柔軟材質上，閉上眼睛，為自己即將要做的事做好準備，因為她知道自己必須對他說什麼。

她要說的只是事實。考慮到她對他說謊說得多麼順利，接下來要做的應該很容易。

琦菈走向客廳門——

她的呼吸卡在喉嚨裡。

奧利弗**就在這裡**，站在客廳中央，似乎在等她，顯得緊繃又不自在。

她想問他怎麼了，但深怕如果不把嘴裡的話說出來就永遠不會說，所以她說：**我有件很重要的事要告訴你**。

她把一隻腳踏出了懸崖邊，成了自由落體。現在來不及改變方向——或改變她的想法。她唯一能做的，是試著確保自己在墜落時不會撞到任何東西，能以最佳姿勢著陸。

就算觸地的生存機率極為渺茫。

「我們能不能坐下？」

奧利弗點頭，在沙發上坐下。她在他旁邊的位子坐下，然後抓住他一隻手。這隻手冰涼又潮溼。

她覺得自己的手可能也一樣。

「其實，」她開口：「我……我對你隱瞞了一些事。」

他在她身旁渾身僵硬，幾乎沒在呼吸，只是眨也不眨地看著她。

她覺得他看著她的方式，就像他在擔心一頭頂級掠食獸隨時會咬住他的脖子。

「今天發生了一件事，」她說：「就在剛剛。在鎮上，在我散步的時候。它讓我覺得，我應該讓你知道發生的**另一件事**，因為……呃，也許你知道那是什麼意思，你能向我解釋。」她捏住他的手。「第一件事，是在火災警鈴那個晚上。跟我在外面談話的那個女人，她問了我一件很怪的——」

他捏住她的手的方式，就像她姊姊在飛機起飛和降落時捏住她的手，因為姊姊很怕搭飛機。

「——我當時沒告訴你，是因為你很擔心公司那個人會知道我在這裡，加上我們那晚很不愉快，所以我不想火上添油。說真的，我當時不想再聽你在那件事上吵下去，所以——」

「她說了什麼？」

這是他在她進門後第一次開口。

「這個嘛……」琦菈用力嚥口水。「她問我是不是剛搬來，我說我其實不住在這裡、只是暫時住在一個朋友家，然後她說『是奧利弗嗎？』。我知道你在這裡一個人也不認識，所以我當時心想，糟糕，也許她是假裝獨自住在這裡，但她其實就是那個資深合夥人的老婆之類的，她想揭穿我，所以我什麼也沒說。然後她說『是不是奧利？』，這讓我更困惑了，因為你從沒說過有人這樣叫你……然後她說我可以……我如果需要幫助的話可以去找她？」

他把她的手捏得開始疼痛。

他開口時，聲音輕如呢喃。

「那妳說了什麼？」

「我沒回應她那句話，我只覺得她很煩人。」

「她有沒有跟妳說她叫什麼名字？」

「她那晚沒說，」琦菈說謊：「但今天有說。她叫蘿拉。」她停頓，看著被他握住的手。「你，呃，有點弄痛我了。」

他急忙抽手，彷彿她的手著了火。

「抱歉，」他說：「所以……妳今天又跟那個蘿拉見面了？」

琦菈點頭。「我當時在聖史蒂芬綠地——」她故意讓他以為她指的是那個廣場。

「她突然來到我面前。她說她知道我跟你——奧利弗——一起住，而且她知道我為什麼不想證實這件事，還說什麼我想保護你。她說她知道你的姓氏不是甘迺迪。她還說她是記者。」

她從沒見過他臉色這麼蒼白的模樣。

「奧利弗，她是誰？」她用力嚥口水。「而且你是誰？」

今日

「她在說謊。」莉亞說。

她和卡爾來到走廊，留蘿拉．曼尼克斯獨自在公寓裡，依然堅稱自己說的一切都是事實——而且莉亞猜想，蘿拉正在拚命而徒勞地刪掉自己手機裡的犯罪現場相片。

「至少她隱瞞了部分真相，」她說下去：「因為她為什麼認定他是自殺？我們還不確定他做了什麼，但**她**以為他是躺在樓下的公寓裡、心口插著一把刀。」

「或是穿著緊身衣被懸掛在天花板上。」卡爾提議。

「說真的，我覺得我今天聽夠了你的性愛遊戲——」

「我是說我從沒聽說過有人穿著緊身衣被懸掛在天花板上。」他咧嘴笑。

「卡爾。」她的口吻帶有警告。

「好啦好啦。」他雙臂抱胸。「所以現在是怎樣？妳覺得她進去過犯罪現場？」

「我知道她進去過。我的意思是，她真以為我們會相信她做出類似名偵探的偵察舉動，像獵犬一樣追蹤這個人回到他的公寓，然後懶得從大樓的一側走去另一側，就算她明知道他失蹤了兩個星期？而且無視從他的公寓方位傳來的臭味？」莉亞問哼一聲。「她對我們有所隱瞞。這幅拼圖缺了很大一塊。她說她這麼做是為了某個電臺節目，好吧，我們姑且相信，這在以後可能會對她有幫助，可是誰為她的釣魚活動提供資金？她原本的住處離這裡才半小時，那麼是誰出錢讓她永久住在這兒？而且既然她已經兩星期沒見到他，那她為什麼還住在這裡？」

卡爾皺眉。「的確，她為什麼還在這兒？」

「我猜是為了就近看好戲。這就是為什麼她跟我們說話。我敢打賭，咱倆這下成了她的『獨家新聞』的關鍵人物，她這個新聞很快就會出現在八卦報紙上。」

「我不在意，」卡爾說：「這樣我離上《犯罪熱線》的那一天又近了一步。」

「他們永遠不會邀請你，卡利，別做夢了。」

「可是我這張臉蛋很適合上電視。」

「你是說當旁白吧？因為他們只會讓我們這種低階警察在電視上向民眾講解監視器畫面。」

「這個嘛，男生總該懷抱夢想吧？」

「問題是——」

「問題是我太帥了，會害觀眾分心？美貌真的是詛咒。」

「——如果她真的有進去犯罪現場拍照，我們能不能對此採取什麼行動？一個現場必須先被歸類成犯罪現場，『破壞現場』的罪名才能成立，所以我們在這件事上沒辦法指控她。如果缺乏意圖就不算是非法擅闖，所以我們也不能指控她入室盜竊，除非她在離開時有拿走什麼東西，她也許真的有拿，不過……」莉亞嘆氣。「也許『妨害司法公正罪』。她沒讓任何人知道屍體的事，而且她剛剛對我們說謊。」

「『妨礙警方逮捕嫌犯』怎麼樣？」卡爾提議。「這不需要搜索票。我個人的最愛。」

「卡爾，你如果再這樣胡說八道，《犯罪熱線》就絕對不會邀請你。而且嫌犯是誰？你忘了？這個案子甚至到現在還不算是犯罪案件。」

「如果是呢？」

「那咱們就把她帶回局裡。但在那之前……也許我可以說服警司，把這裡歸類成犯罪現場。然後我們至少能開始搜查。」

「而且惹她不高興。」

「兩個都是好理由。」

「與此同時，」卡爾說：「我要跟妳說個好消息。」

「你等到**現在**才說？」

「我跟ＫＢ工作室的常務董事肯尼斯‧巴爾夫談過了。妳看出來了吧？ＫＢ工作室的『ＫＢ』就是他姓名的縮寫。但有趣的是，他兒子也叫肯尼斯，但暱稱是『肯』，他跟奧利弗的哥哥理查‧聖萊傑是麻吉，兩人從小就是朋友，這兩個家庭顯然彼此認識。理查現在住在澳洲，肯在多倫多。**肯尼斯**——別混淆了——知道整件事的來龍去脈，或**自以為**知道，因為他一直嚷著奧利弗是好人、只是在小時候犯了錯之類的。他說那只是『小孩子做小孩子會做的事』。他究竟認識什麼樣的混蛋屁孩啊？總之——」

「所以那個人真的是他？」莉亞打岔。「他就是**那個**奧利弗‧聖萊傑？」

「沒錯，生前住在那間公寓裡的那傢伙。」

「你有沒有弄到——」

「有，我查到了他哥的電話號碼。」

「而你今天一開始居然是光著屁股被銬住。」

「所以妳果然有想像我光著屁股的畫面？」

「老巴爾夫就在都柏林嗎？他能不能幫我們確認死者身分？」

「他在達爾基。而且他會打給奧利弗的哥哥。」莉亞的表情想必傳達了擔憂，因為卡爾急忙補充道：「別擔心，我有說清楚我們還不知道裡頭那人是誰。我說我會在確認後打給他。」

「我不希望那個哥哥先接到別人的電話。」

「我不認為巴爾夫會散播這個消息。他似乎**非常**擔心他老婆會發現，他不只雇用了一個被定罪的兒童殺手，還給人家地方住。」

「你有沒有問巴爾夫，為什麼沒人在意奧利弗一直沒出現？」

「他在兩星期前請了無薪假。那間公司鼓勵員工在施工暫停期間這麼做，好幫公司省下人事費。他原本預計在星期二回去上班。」

「他在其他方面不會跟巴爾夫聯絡？像是社交？」

「看來沒有。巴爾夫只是幫兒子的朋友一個忙。除此之外……我不認為他們倆是知己好友。」

就在這時，通往樓梯間的門——就在兩人的正對面——打開了，德克蘭・凱西警員從中走出來。

「病理學家已經完成了現場的初步調查，」他對莉亞說：「他問妳要不要在他們移動屍體前先帶妳進去走一圈？」

「要，」她說，然後對卡爾說：「你能不能去採露薏絲・蓮恩的指紋？看看你能不能從她身上獲得其他情報。她搞不好會承認自己有進去拍照，甚至把相片給你。更詭異的事情不是沒發生過。」

「看得出來，」他說：「不過露薏絲・蓮恩究竟是誰啊？」

「你是認真的嗎，卡爾？」莉亞停頓幾秒，胡扯道：「她以前是《犯罪熱線》的主持人。」

聽見這句話，德克蘭不禁皺眉。莉亞撇個下巴，要他在糾正她、毀了這個惡作劇之前，最好趕緊下樓去。

他轉身離去，她跟上他。

助理病理學家湯姆・希爾森在大廳等她，這裡依然瀰漫著臭味。

他穿著全套鑑識裝備——白色的拋棄式工作服、手套、口罩——把另一套裝在塑膠套裡的裝備遞給她。

她用單手接過，用另一手摘下口罩。

「莉亞，」湯姆語帶笑意。「好久不見。」

他身形矮小，有點啤酒肚，所以工作服的中段顯得緊繃，其他部位則十分寬鬆。

「的確。你好嗎？」

「噢，也就那回事，」他把雙手放在肚皮上，身子微微前後搖擺。「沒什麼好抱怨的。」

莉亞撕開塑膠袋，開始穿上裝備。

「你以破紀錄的速度趕到這裡，」她說：「你住得很近？」

「多尼布魯克。其實騎腳踏車就能到。」湯姆朝一號公寓的方位點個頭。「妳進去過了嗎？」

「是的，很不幸的。」

「我得承認，裡頭確實令人難受。」

「我個人絕對把它排在前十名裡，也許前五名，因為長了蛆。」

湯姆轉身，從信箱上面拿起一小罐維克斯舒緩薄荷膏。

「沒什麼好丟臉的，」他拿起薄荷膏。「我自己是能忍受，不過這是因為我習慣了。我比較希望妳能集中精神，就把薄荷膏當作輔助工具吧。」

「嘿，既然《沉默的羔羊》裡的克麗絲也覺得這很好用……」莉亞俯身，把雙腳套進工作服裡。「你覺得裡頭是什麼狀況？」

「妳喜歡猜謎嗎，莉亞？」

她挑起一眉。**「猜謎？」**

「有道謎題是這麼說的，」湯姆說：「在凜冬的法國阿爾卑斯山上，一個男人在所住的別墅裡上床睡覺。隔天早上，他被發現已經死亡，胸口有個穿刺傷，身旁的床頭櫃上有一杯染血的水。他是怎麼死的？」

他說話時，莉亞把工作服的拉鍊拉到頸部，從湯姆手裡接過薄荷膏，在上唇部位抹了不少，然後在兩邊鼻孔裡也沾了一點，以防不足。

薄荷立刻把她刺激得眼眶泛淚。她就算只是淺呼吸，也覺得薄荷彷彿直衝腦部。她希望這點薄荷在他們進入公寓後也依然效力強勁。

「我猜，」她說：「他的床底下有把霰彈槍，不然就是有個連環殺手在屋外等候……？」

「我相信妳已經掌握了所有相關細節。」莉亞戴上手套，再戴上一個比一般口罩更大、更僵硬的呼吸面罩。

「冰柱，」她說：「死者從窗外拔下一根冰柱，刺了自己的心臟，然後把冰柱放在玻璃杯裡。冰柱後來融化了，就這樣。」湯姆的眼睛閃閃發光，流露笑意。

「厲害！」

「你要我猜謎做什麼，湯姆？」

「因為，」他指向走廊的一段距離外。「裡頭有個很精采的謎題正等著我們。」

二十三天前

他不想嚇到她，也不想刺激她，雖然兩者都絕對避無可避。

現在重要的，是她讓他對她說實話、她願意留下來聽。他需要她知道，他不會帶來危害，他接下來要說的事情是來自遙遠的過去，離現在的他很遠，遠得就像來自另一個星球。為了提高她相信的機率，他起身走向廚房，站在早餐吧檯旁邊，讓自己跟坐在沙發上的她拉開充分距離。

「我還是妳以為的那種人，琦菈，」他說：「我向妳保證。但在很久、很久以前，我很年輕，還只是個孩子的時候，參與了一件事……我**深深**感到後悔的事，我根本不該做的事。我在事發後的每一刻都感到後悔。」

他偷偷看她一眼。她靜靜坐著，迅速眨眼。

「最重要的是，」他說下去：「妳得知道我絕對不會傷害妳。」她的眉毛稍微挑高，他覺得這是因為她感到驚訝。「我**沒辦法傷害妳**。我不是那種人。我以前也不是那種人，可是我很難讓人們明白這點……」他深呼吸。「我需要妳知道的另一件事，是妳跟我之間的感情是真的。它是真的。」他把劇烈顫抖的雙手藏進口袋裡。「聽著，我就老實說了，好嗎？雖然很難開口……」

但他不知道該從何說起。

發生了什麼事？人們說發生了什麼事？他在事件中的角色？事件的結局？

「妳有沒有……？」他必須在這裡停頓，舔舔嘴唇，因為他的嘴突然失去所有水分。「妳有沒有聽說過米爾河案？」

全然寂靜，彷彿兩人都被吸進真空宇宙。

然後她非常輕柔又緩慢地說出：「沒有……？」

很好，他心想。**這樣很好**。**她對這件事的瞭解一片空白**。

他能控制以什麼順序說出重要訊息，如何揭露令人震驚的事件。

「事情發生在二〇〇三年。」他說。琦菈當時八歲，已經住在曼島。「在基爾代爾鎮。米爾河是一個新的住宅區——數以百計的住家——就蓋在巴利摩郊外，蓋在河的兩岸。當時發生了……」

奧利弗停頓。他這輩子向來不需要說出這件事，不用向任何人說明自己發生了什麼事，因為人們早就知道了。要麼因為這是他跟他們見面的原因（例如丹恩），要麼因為他們從**別人**嘴裡聽說了而來追問他，例如幾個月前在倫敦的露西。

此刻，他不確定自己說得出口。

「一起謀殺案，」他說：「死者是個男孩，十歲。」

十歲。

他年紀增長後，覺得這項事實更令他難受。

更令他感到驚恐。

「而且——」他又深吸一口氣，覺得心臟即將衝破胸腔，他懷疑這是不是心臟病即將發作的前兆。「另外兩個男孩，十二歲，為此被定罪。」

他沒辦法看她。

他看著地板。

他的視線被他不知道自己分泌出來的淚水阻礙，開始流過臉頰。

他終於說出重要的字句時，嗓音輕如呢喃。

「而我……我是其中一個。」

七十八天前

兩人在外面的街上見面，琦菈先到，彼此擁抱後穿過餐廳的旋轉門，排隊等桌位。領檯員把她們帶到窗邊一個四人餐桌，這裡能清楚看到艾瑪特廣場，還能看到一名坐在露天餐桌旁的男子在手機上興高采烈地講話、挖鼻孔。

「看看他，」席芳用指關節敲敲窗戶，想引起男子的注意。「挖鼻孔挖得多開心，這幅畫面多麼配合咱們吃午飯。」她對他投以鄙視的一眼，他也回以同樣的眼神，但幸好也停止挖鼻孔。

兩人脫掉冬衣，坐在椅子上時，琦菈等候，咬著舌頭，等候適當時機來提出兩人腦海裡唯一的疑問。

「所以？醫生怎麼說？」

看到姊姊眼帶淚光，琦菈覺得自己該多等一會兒再問。

「他們要送她去安寧病房。」

雖然琦菈已經料到這點——她們倆其實這幾個月都知道這會發生——但還是覺得深受打擊。

琦菈默默消化這道衝擊。

然後她說：「媽媽有什麼反應？」

「她當時不在場。那時候只有我和科里根醫師。他說他們會跟她說要送她去照護中心——**我們**也該這樣跟她說，就算我們知道她不會出來。」

「為什麼？」

「因為事情就是這樣處理。你必須給人們希望，就算希望根本不存在。」

兩人陷入沉默。

琦菈為席芳感到心痛。席芳向來跟媽媽比較親——她是姊姊，比較能記得以前的事，以前的媽媽是個完全不一樣的人，充滿關愛、有趣、朝氣蓬勃——而就算在現在，等媽媽離世後，琦菈還是有姊姊，但席芳已經沒有任何長輩。席芳沒辦法向任何較年長、睿智的家族成員求助。她將是這個家族最年長的人。

但她也是她自己的家庭的女主人——她有丈夫帕特（琦菈其實覺得帕特非常無趣，但他深愛席芳），還有莉莉和大衛這兩個孩子——但這也很難撫平喪母之痛。

琦菈把手伸過桌面，握住姊姊的手。「我很遺憾，席芳。」

姊姊抽鼻子，難過地微微一笑。「妳又不是局外人。」

「我知道，可是……我不像妳這樣清楚知道她以前是什麼模樣。至少，我就算努力嘗試也想不起以前的她。」

「那個女人在十七年前死了。」席芳擦掉一滴淚珠，保住眼妝。「這將是她第二次死亡。也許算是她的第三次死亡，因為……」

她欲言又止。

她說不出他的名字。她們向來做不到。

「至少這一次，」席芳說：「我們能哀悼。」

「他們有沒有說多久？」

「他估計一到六個月。」

「我靠。」

「嗯，確實很糟。」

琦菈再捏一下姊姊的手，然後放開。

席芳坐直身子，恢復鎮定，把注意力放在菜單上——因為她們每個月在這裡見一次面，而且總是點一樣的東西：兩份總匯三明治配薯條、兩杯可樂，餐後喝一壺茶。服務生到來，開始朗誦今天的推薦餐點，席芳和往常一樣舉手要他閉嘴，說聲：「我們已經決定要點什麼了，謝謝。」

他離去後，琦菈問：「妳有想過嗎，席芳？」

「想過什麼？」

琦菈不確定該怎麼稱呼那件事，於是決定這麼說：「那時候，那一天。」

「我他媽的怎麼可能這麼做？」

姊姊拿起水瓶，倒了兩杯水。琦菈看著姊姊啜飲一口、吞下水，確認對方不會被水嗆到後才說：「我最近有在想著奧利弗．聖萊傑。」

席芳僵住，然後抬頭，怒瞪琦菈，臉色冰冷。

「我不想聽到這個名字。」她說。

「他就在外頭某處，在某個地方——」

「我**說了**我不想——」

「——他正在過他的人生，當個普通人，想做什麼就做什麼——」

「他是**表現得**像個普通人，琦菈。**他在演戲**。」

「而這不讓妳覺得心煩？」

「這不讓我有任何感覺，因為我拒絕讓那混蛋對我的人生有絲毫影響。這就是為什麼我不想談這件事。我們談別的吧。」

「他們有沒有讓妳知道究竟發生了什麼事？」

「談別的。」但席芳接著皺眉。「『他們』是誰？」

「爸媽。」

「妳是認真的嗎？媽媽這二十年來根本沒提過他的名字，而爸爸因為這件事而難過得在我小時候的臥室外面的欄杆上吊。嗯，是啊，當然有，我跟爸媽天天都在談這件事，我記得那些壁爐旁的溫馨閒聊。」

「我不需要妳用諷刺的口吻，席芳。」

「而我根本不需要這場談話。」姊姊靠向椅背，雙臂抱胸。「妳幹麼提起這件事？怎麼回事？」

「我只是……我只知道網路上寫了什麼，也就是當年那些報導。」

「所以？」

「所以，社會大眾是那樣被告知的，」琦菈說：「可是他生前是我的**哥哥**。如果妳也只知道報導的內容，而且媽媽什麼也沒告訴妳，那麼……能讓我問問題的時間就越來越少了，不是嗎？」

「問**媽媽**那些問題？妳他媽的少給我亂來。」

「我沒打算——」

「我們知道發生了什麼事。」

「沒錯，整體來說發生了什麼事，可是我的意思是……」琦菈尋找適當的詞彙。

「我想知道事情的來龍去脈。」

「**來龍去脈**？」席芳的大嗓門引來附近一些人側目。「他死了，琦菈。什麼都無法改變這點。我們沒辦法把他帶回來。妳究竟為什麼……？妳到底哪裡有問題？」

在姊姊身後，琦菈看到領檯員皺眉看著這一處。

「人們在看著我們，席芳。」

「這算什麼新鮮事？」席芳轉過身，朝最近的幾個觀眾——隔兩桌的一對中年夫妻——投以惡毒眼神。

「我其實記得一件事，」琦菈說：「在當年。」

「只記得一件？妳怎麼這麼幸運？」

「我記得媽媽不斷說，事情不可能是照著他們說的那樣發生。」

這番話只換來席芳的白眼。

「聽著，我不是想惹妳生氣，席芳，剛好相反。如果我們能讓媽媽知道什麼消息，能讓她覺得比較好受一些？能讓她在離開前心情好一點？」

席芳嗤之以鼻。「例如？」

「事情的真相。」

「我們知道真相——」

「我們也許知道，」琦菈說：「但也可能不知道。那個下午的事件折磨了媽媽這麼多年。雖然這麼久了，但她還是無法理解她兒子的遭遇。警方的官方說詞，那個刑警在法庭上說的那些——從來沒有回答她的問題。還有報紙寫的，他們說事前發生了什麼，事後找到了什麼，還有那兩人——那兩個少年對事情的來龍去脈有著分歧的說詞。就只有這些。」

「因為沒人想聽兩個孩子如何殘忍對待另一個孩子，因為一般人是**正常人**，而妳顯然不正常。而且妳錯了，那些說詞並不是沒有回答媽媽的問題。真正的問題在於，她**不喜歡**那些答案。」

沉默幾秒。

「我知道妳在做什麼，」席芳的語調變得柔和。「相信我。我也這麼做過。但妳在尋找並不存在的東西。沒錯，他們的說詞是彼此矛盾，但他們當時才**十二歲**。他們根本不知道自己惹上多大的麻煩。而且兩套說詞的結局都完全一樣：謀殺。這才是重點。血腥細節並不是重點。」

「我不是這個意思——」

「妳沒辦法讓他死而復生，琦菈，而且幫我一個忙：別再假裝妳是為了媽媽著想。」

服務生送上可樂，似乎因為聽見席芳說的最後一句話而皺眉。他離去後，她宣布因為自己在今天早上檢查了邦西庫爾醫院的生物醫療廢棄物設施——席芳是在醫療廢棄物管理部工作——所以最好在餐點送上之前再去洗一次手。

「我回來後，」她說：「咱們討論別的話題。」

席芳去洗手間的時候，琦菈轉頭望向窗外。

挖鼻孔男正在用剛剛挖過鼻孔的手指數算拿來付小費的硬幣。

他估計一到六個月。

這點時間非常短暫，幾乎完全不夠讓她發掘那天在米爾河究竟發生了什麼——十七年前的那五到十分鐘，讓她失去了哥哥，讓她父親失去了活下去的意願，而且根據席芳的說詞，琦菈也從此失去了原本的母親。

但她必須試試。

席芳說得沒錯：琦菈希望母親能在離世前稍微獲得撫慰，但琦菈**自己**也需要真相。

問題是……如何獲得？

二十三天前

他鼓起勇氣看著她，想找到她的眼睛，想與她四目交會，用自己的眼睛向她表明他還是他，還是奧利弗，她認識的那個男人，那個男人每次看著她都感到心花怒放，都覺得自己可能愛上了她，他只希望她留下，因為只有她能讓他心裡的痛苦消失。

可是琦菈看著自己的大腿。她靜止得宛如大理石雕像，加上面無血色，臉龐的顏色因此也像大理石。

「那一天只是個很普通的日子……」他現在只能說下去，趁她還沒離開前一口氣說出來，趁這唯一的機會驟然消失前試圖說明。「我和同班同學夏恩一起走路回家，那……那一切是因為一件非常蠢的事。我們很蠢。總之，就在幾分鐘後，一切都徹底失控了。」他回想起往事，眨眼忍住淚水。

他這十七年都試著不要想起它。

「有個男孩，」他說：「他是四年級的學生，比我們小兩歲——我們是六年級。他住在夏恩家隔壁——我們都住在米爾河社區——他有時候會跟著我們回家，問我們問題，當個跟屁蟲。他很煩，不過……我覺得他只是想多跟我們相處。他是他家裡唯一的男生，我從沒看過他跟他家裡的其他孩子出來玩。」

他必須說出這個男孩的名字。他如果不說出這個名字，就沒辦法清楚描述這個故事，所以他深吸一口氣，說出口，就算這個名字感覺就像尖銳物體，劃開了他的口腔內側。

「保羅．凱萊赫。他當時……他當時十歲。」

琦菈依然低著頭，但他看到她的肩膀開始顫抖——出於震驚，甚至可能出於恐懼。她在生理上害怕他，這令他難過得胸腔緊縮。

但現在來不及住口了。

他別無選擇，只能繼續說下去。

「在那一天，保羅跟往常一樣跟著我們回家，但他那天特別煩，不斷呼喚著我們的名字。然後他……總之，出於某種原因，大概因為被我們當空氣，他開始朝我們丟東西。小石子。大多都沒打到東西，但有幾顆打到我們的書包，還有一顆正中夏恩的後腦杓。他轉身面對保羅，我以為他要對他咆哮之類的，但他說：『好吧，**行**。你可以跟著我們。我們要去河邊打水漂。』然後他看我一眼，好像在說……**配合我**。然後他開始奔跑。保羅跟上他。我也跟上。」

奧利弗試著再次深呼吸，就算這麼做覺得徒勞無功，覺得氣管已經徹底關閉，他只剩肺臟裡的氧氣，幾分鐘就會耗盡。

「那個住宅區是蓋在河邊，」他說下去：「所以按河川的名字命名。那裡的房子有點向河邊傾斜，想去河邊，就必須爬過一些樹……所以我們三人到了那裡後，就幾乎等於徹底消失。就是在那時候……」他嚥口水。「就是在那時候……」

琦菈終於抬頭。

「夏恩就是在那時候開始毆打保羅。我只能用『毆打』這個詞來形容。夏恩有留級一年，他當時快十三歲了，而保羅比同齡人矮小……我什麼也不記得，只記得夏恩聳立在保羅面前，而保羅抬頭看著他──」他的嗓音變得哽咽。「彷彿──彷彿──」

他現在能看到那個男孩，彷彿他們都在這裡，都在這個房間。保羅的眼神不是哀求，而是質疑。

你為什麼這樣對待我？

奧利弗試著強忍啜泣，但這麼做毫無意義，他必須說出剩下的故事，然後他就能對琦菈說話，試著評估損害，試著開始修補。

他願意為了修補而盡一切努力。

為了留住她。

為了挽救**兩人之間的關係**。

「一開始，我沒介入。我只是站在那裡。可是夏恩要我過去，加上保羅試著掙扎逃走，而且他開始哭，所以我加入了，我──」他的嗓音在這時候崩潰，音調提高一階。「我沒阻止他，而是幫了他。我抓住保羅，抓住他的兩條胳臂，把他固定在原處。好讓夏恩繼續……好讓夏恩能──」

琦菈撇開視線；她沒辦法再看著他，他也不怪她。

他用力嚥口水兩次，試著恢復喉嚨暢通，以便說出最後一部分的恐怖情節最糟的部分。

七十八天前

要怎樣找到一個不想被找到的人？

徒勞地耗盡了能想到的每個社群媒體網路、新聞網站和搜索引擎後，琦菈在Google輸入這句疑問。

要怎樣找到一個不想被找到的人？

第一頁的搜尋結果頂部出現一個列表，包括一個提供了連結的文章預覽。

1.全名、外號、姓氏。
2.出生的日期、城市、國家。
3.家鄉、最後已知的地址、目前居住的城市和州。
4.上過的中學或大學。

這顯然是幫助你尋找不想被找到的**美國人**，而且你必須能存取人口普查資料和政府資料庫才行。

所以這對她來說毫無用處。

琦菈關掉視窗——她坐在公司的辦公桌前，胃裡還在消化跟席芳一起吃的總匯三明治——但她接著看到清單上的兩個項目，不僅愣住。

5. 之前和目前的雇主。
6. 朋友和家庭成員。

朋友和家庭成員。

奧利弗不是有個哥哥？他的年紀應該跟席芳差不多……他叫什麼名字來著？琦菈用手指敲著桌面，試著想起。**奧利弗與……奧利弗與……奧利弗與……**理查。

理查．聖萊傑。她在 Google 搜尋欄位輸入這個姓名，連同「愛爾蘭」這個關鍵字，按下輸入鍵。

首先跳出來的是一個 Instagram 帳號。

確認周圍無人後，琦菈從桌上拿起手機，打開 Instagram 應用程式，這會比在電腦螢幕上操作更容易。

她開始瀏覽他的貼文。

她對奧利弗的模樣只有模糊印象，更別提他哥，所以她沒辦法憑照片確認帳號上的人是不是理查。

這個理查．聖萊傑跟妻子和兩個年幼的孩子住在澳洲。他似乎常常待在海邊，或是在健身房裡照鏡子。但她看到一幅近期的相片，上面是慶祝三十一歲的生日蛋糕（年齡符合），而且他的個人資料有個三色旗（所以他是愛爾蘭人），而她上一次遇到一個聖萊傑是在十七年前，所以這個人可能就是她在找的人。

她不禁好奇，他為什麼沒改名字；但話說回來，他哪有理由改名換姓？他沒做錯任何事，而且他弟弟的名字受到法律保護。

話雖如此……

她繼續瀏覽，避免在任何一幅相片上點擊兩次——如果這個理查就是她在找的理查，那他一定知道**她的**名字——直到她看到一張離愛爾蘭更近的相片。理查背靠一面高度及腰的玻璃欄杆，沒看著鏡頭，而是俯視一旁的倫敦景色。地點標籤寫著「空中花園」，琦菈知道這個地點是位於一棟暱稱為「對講機」的摩天大樓的頂樓。

拍攝者的兩條腿反映在玻璃上，琦菈瞪了這雙腿幾秒鐘，懷疑這個穿著斜紋棉布短褲、小腿粗壯、腳穿白色 Vans 鞋的人是不是奧利弗・聖萊傑。但她把一根指頭放在這幅相片上，發現這雙腿的標籤寫著 @balfeyboi91。

她順著這個標籤找到對應的帳號：肯・巴爾夫，此人的個人資料也有個三色旗。

肯・巴爾夫。

琦菈放下手機，在電腦上打開臉書。她在之前已經登入了。她在搜尋欄位裡輸入**肯・巴爾夫**——一下子就找到對應的帳號。

他似乎最近都沒用臉書；他最近一次貼文差不多在一年前。但「簡介」欄裡有很多有用的資料，尤其是他曾就讀於基爾代爾郡納西斯鎮的聖哥倫比亞社區中學。

她默默感謝他提供了這筆資料。

該社區的小學是男女分班，但中學是男女合班。席芳在聖哥倫比亞中學念過兩年，琦菈原本也要去，但她們在她父親過世的一個月後搬離了那裡，她們的母親宣布她再也受不了待在那個地方、天天被回憶窒息。所以，肯·巴爾夫和理查·聖萊傑很可能在那所學校就讀的時候就是朋友，在那一切發生**之前**。

意思就是，肯會知道奧利弗的事。

意思就是，他**可能**知道奧利弗現在在哪。

但她就算獲得這筆情報又怎樣？她能如何運用？傳訊息給他，問他能不能提供他朋友的弟弟的聯絡資訊，那個被定罪的兒童殺手？

她沒辦法這麼做，正如她沒辦法在 Instagram 上傳訊息給理查·聖萊傑、提出類似的請求。

要怎樣找到一個不想被找到的人？

但琦菈心想，這不是正確的疑問。她真正該問自己的是：**要怎樣找到一個在小時候被判犯下謀殺罪，如今已經成年，而且名字受到法律保護的人？**

琦菈只知道另一個兒童被判犯下謀殺罪的案例，那發生在英格蘭，在她出生前。那些男孩現在都是以假名生活的成年男子，被保障終身匿名——因為他們的本名曾被公開，所以他們必須在審判後立即改名。

她瀏覽維基百科上的案例摘要，尋找任何可能有助於搜索的細節時，刻意忽略了從腦海中跳出來的恐怖記憶，這些記憶片段就像閃閃發亮的刀刃。

……有幾次因為分享了自己的真實身分而被揭穿……

……持有虐待兒童的圖像……

……被送回監獄……

也許這是個錯誤。

也許她不該尋找奧利弗・聖萊傑。如果她找到他，甚至有辦法讓他開口，而他說出來的東西只是讓一切**更糟**？

琦菈把沒再次犯罪的那個英國人的本名放進臉書的搜索框裡，只是想看看會出現什麼。有幾筆個人資料的名字完全匹配，但當然沒一個是他。她對那些男子感到一絲同情，好奇他們為什麼不用暱稱之類的。她向下滾動頁面，發現一個社團。

這個社團叫做「正義比加害者的權利更重要！」，擁有將近八千名成員。

琦菈不禁再次轉身，確認沒人默默站在自己後面。她在一個狹小的開放式辦公室裡，目前只有最遠側的另一張桌子有人。她應該不用擔心。

她移動滑鼠點擊。

琦菈只花了幾秒鐘就確認「正義比加害者的權利更重要！」究竟是什麼——嚴格來說是為誰建立的社團：鍵盤正義魔人。這個社團似乎身兼法官與陪審團，決定揭露哪個被定罪的罪犯的受保護身分。

每一篇貼文似乎都是舉報，而且數以百計。它們似乎遵循一種標準化格式：一張模糊照片（因為相機移動或拍攝距離太遠而無法捕捉到任何細節），標題聲稱「這是某某人（犯下一級謀殺，普雷斯頓市，二〇〇四年），拍攝於查塔姆路的維特羅斯餐廳」，或是「我和我太太昨晚在貝爾法斯特的電影院認出某某人——那人百分之百是他，他知道我在看他，但我只是冷冷瞪著他」，而這些貼文的作者是躲在空白的大頭照和怪異用戶名稱後面。每則貼文下方都有數十條評論，其中大多似乎是幻想者描述如果有機會的話要對罪犯造成什麼樣的傷害，或是憤青們大罵這個國家的法律。

這個社團就像個糞坑，琦菈光看就覺得難受。此外，這些文章似乎是以英國為主，對她可能沒什麼幫助。

但頁面頂端是個空白欄位，邀請她「在這個社團裡進行搜索」。

她輸入「奧利弗·聖萊傑」，按下輸入鍵，屏住呼吸——

有一筆匹配資料。

二十三天前

「那持續了一段時間，」奧利弗說下去：「我不知道多久。然後夏恩停手了，好像這才正眼看著保羅，好像剛剛都沒意識到自己在做什麼，好像他剛剛處於某種神遊狀態，而保羅渾身是血，還有道割裂傷。」奧利弗用一根指頭劃過自己的右眉。「**好多**血。我還記得他的一隻眼睛全是血。他看起來……那真的很嚇人。但我們沒意識到的是，那道小傷口只是流很多血，傷勢實際上沒看上去的那麼嚴重。我們驚慌失措。我們那天有上體育課，我的體育服就在我的書包裡——我拿出T恤，太空總署那件，交給保羅，讓他壓在額頭上，試著止血，但血一直……一直滲出來。然後我和夏恩，我們看著彼此，就是在那時候……在那時候——」

他匆匆說出剩下的情節。

快到了，他心想。

「——夏恩對保羅說，我們要去河邊把血洗掉。而我就是知道接下來會發生什麼事、他決定要做什麼，可是那時候就像……那時候就像……一半的我覺得這是好主意，我們必須這麼做，我必須這麼做，我要幫助夏恩，保護他，避免他惹上麻煩。可是在同一個時候，另一半的我看著保羅，他渾身是血，他乖乖答應，乖乖跟著夏恩走向河邊，那個我想尖叫『你他媽的在做什麼啊？**快逃啊，趕緊逃**。』可是我沒這麼做，我什麼也沒說。相反的，我……我只是跟著他們，來到河邊，我幫夏恩把保羅推進水裡，然後幫忙把他壓在裡頭。」

最後一口氣，再說出最後幾個字，這個故事就說完了。

他吸氣，覺得胸腔疼痛。

「直到……直到他溺死。」

沉默。

琦菈不發一語，只是茫然地瞪著落地窗外。

奧利弗沒辦法讓剛剛說出口的話語繼續懸在半空中，所以他繼續說下去。

「警察那晚來了，來到我們家。夏恩編了一個故事，說我跟他都必須遵照這個說詞，說我們在回家路上是有看到保羅，可是他跑去河邊了，而我們繼續走原本的路。可是有幾個人看到我們跟他在一起——他穿著很顯眼的外套，亮紅色的——目擊者的說詞跟我們的說詞不一致，而且他們發現他的時候……他們也發現那件T恤。」

他在這裡停頓，想起自己意識到事情嚴重性的那一刻，他知道自己已經逃不掉了，他們犯下了駭人聽聞的罪行，一條性命遭到扼殺，另外兩個人生也毀了：他和夏恩原本應該擁有的人生。

「在那之後，一切都發生得很快。我們被起訴，被送去奧伯斯敦——一個少年觀護中心。有一場審判。為了保護我們的身分，我們被稱作少年A和少年B。我們兩個都被判犯下謀殺罪，但因為各自的……涉案程度不同，而被判了不一樣的刑責。

我在十八歲生日獲釋，至於夏恩……嗯，夏恩在他十八歲生日那天自殺。他原本還剩十五年的刑期。」

琦菈終於抬頭。

奧利弗沒猶豫，沒放過機會，甚至沒浪費時間解讀她的表情，她的五官瀕臨崩潰——

「我不是天生的壞人，琦菈。我不是什麼變態的禽獸。我當時只是個孩子，在那五分鐘內徹底失去理智的孩子。這個孩子在某天下午放學回家的路上犯了個愚蠢又**嚴重**的錯誤，因為他不想在年紀和塊頭都比他大的朋友面前像個膽小鬼。我當時**十二歲**。我沒辦法扭轉過去，所以我在其他方面盡力：打從那一刻起，我就盡可能做出彌補。我做了我該做的每一件事。我接受了我的懲罰。我是觀護所裡的模範生。我接受了所有的心理治療，遵守了所有規定。不管他們要我做什麼，我都有照做，而且拿出超越百分之百的努力。我離開觀護所後，連亂丟垃圾這種事都沒做過。但我現在做什麼都不重要，因為每個人只想著、只在乎我做過什麼。」

他朝她走近。

一步，兩步。

「然後我遇到妳，而妳喜歡我。我跟妳在一起的時候，感覺就像……我覺得我就像**我自己**。我原本應該成為的那個我，真正的那個我，無論以前還是現在。雖然我知道這段感情沒辦法持續下去，我知道妳遲早會發現我的真實身分，但我想維持那種感覺，所以我繼續跟妳見面。而後來，不可思議的是，發生了一場該死的**全球疫情**，我們聽說要封城，而妳住在小公寓裡，在家工作，剛搬來都柏林，誰也不認識，而且——」他搖頭，表示難以置信。「妳甚至不用社群媒體，所以我心想，**我只隱瞞兩星期，我只在這兩星期裡向她隱瞞**。而且我希望，我迫切希望，真相浮出水面的時候，妳對我已經有了足夠的瞭解，知道這才是我。此時。此刻。」

奧利弗停頓，屏住呼吸。只要她還在這裡，只要她願意聽他說話——

但琦菈起身，跑出客廳，進入浴室。

開始嘔吐。

七十八天前

跟各位說一聲，奧利弗（奧利）聖萊傑回到愛爾蘭了——KB工作室，在都柏林。

一個自稱「珍．史密斯」（沒提供大頭照）的人，在一星期前在「正義比加害者的權利更重要！」社團裡發表了這個消息。

底下的評論要麼要她遵照標準格式重貼一次，要麼表達困惑，因為沒人知道奧利弗．聖萊傑是誰。幾個成員詢問受害者的名字或其他細節，以便查明案件，但「珍」未曾回答他們的疑問。琦菈在社團裡進行搜尋時，找不到這個使用者的其他貼文。

出於直覺，她在臉書搜尋**奧利弗（奧利）聖萊傑**、**都柏林**，但只尋找在社團內部發表的文章。她發現「珍．史密斯」在至少另外八個社團裡發布了同樣的訊息，包括一個「受害者人權組織」，以及一個專門討論愛爾蘭真實罪案的社團。

珍．史密斯沒有公開個人資料，加上也沒有大頭照，所以個人資料大概本來就一片空白。不管這個人是誰，她顯然**真的**希望有人針對奧利弗．聖萊傑回到都柏林這件事採取行動，雖然她自己採取的行動也只是匿名發表幾篇臉書貼文。

KB工作室。

琦菈上Google搜尋這家公司，找到一家建築公司的網站，該公司位於都柏林的巴格特街——然後她找到他們的「見見我們的團隊」網頁，發現了一個名叫奧利弗．甘迺迪的簡短個人資料——沒有大頭照。

奧利弗．甘迺迪

建築科技系榮譽學士學位

奧利弗在二〇一三年畢業於紐卡索大學，獲得建築科技系榮譽學士學位，在二〇二〇年透過倫敦的MPQ工程加入了我們。他對永續設計與創新充滿熱忱，而且在大大小小的項目上有著豐富經驗。

琦菈感覺渾身血液發涼。她在理性上知道這些資料沒有多大意義。有個傢伙名叫奧利弗，年紀可能跟奧利弗．聖萊傑一樣，而且在理查．聖萊傑幾個月前造訪過的城市工作——這又怎樣？

但在**本能上**……

她就是覺得這個人是他。

那個奧利弗。

琦菈瞥向在螢幕上打開的另一個視窗，它顯示她有十七封尚未打開的電子郵件，而且在這個工作日只剩下幾個小時來解決這些信件包含的任何危機。

她現在應該在工作，因為把時間拿來搜索奧利弗根本荒謬。像這樣在網路上亂查一通能查到什麼？她是想像力過剩。她正在分散自己對現實情況的注意力，也就是她母親來日無多，很快就只剩她和席芳，而且沒有任何「真相」會改變這一點。

這個人不是他。

但如果**是他**，她要如何確認？

她的信箱叮了一聲，又收到一封信。

琦菈瞥向時間戳記。再過五分鐘就是整點。

她決定再給自己五分鐘，然後就停手。

她回到臉書上搜索**奧利弗．甘迺迪**，但她找到的幾筆資料看起來不像同一個人。她發現的幾筆零星細節——紐卡索、倫敦、都柏林——都不吻合。她拿起手機，在 Instagram 上同樣搜索，但一無所獲。

然後她想到一個點子。她在 Instagram 上找出理查．聖萊傑，開始瀏覽他的追蹤者們。

裡頭沒有奧利弗．甘迺迪，但確實有幾個人姓甘迺迪。人數還不少。

她隨便挑了一個——莫里斯——掃視他貼出的相片，點開在十一月拍攝於雪梨港的一張。這幅相片沒有文字或主題標籤，但有一條評論。

K．米拉：你真幸運！在度假？

莫里斯．甘迺迪：探望家人！

家人。

琦菈體內開始分泌腎上腺素。

她在電腦上打開理查的Instagram，找出十一月份，開始仔細比對兩個帳號。她不知道莫里斯長什麼模樣，但從他使用社群媒體的能力以及不使用濾鏡的相片來看，她猜他是中年大叔。理查的相片裡沒有中年大叔，莫里斯也沒貼出任何有拍人的相片，只有構圖很差的風景照和低光環境的物品照。

她希望能找到某種共同點，證明兩個男人同時在同一個地方。

她找到了。

去年十一月七日，莫里斯．甘迺迪發布了一排經典汽車的照片，背景是寬闊的沙灘和多雲的天空。

十一月八日，理查．聖萊傑貼出自己站在其中一輛車旁邊的照片。

理查就是莫里斯當時造訪的「家人」。聖萊傑家族和甘迺迪家族有親戚關係。「甘迺迪」甚至可能是奧利弗．聖萊傑的母親的姓氏，他在改名換姓時很可能就是因此選擇這個姓氏。

琦菈再次查看KB工作室那筆個人資料，瞪著奧利弗．甘迺迪的相關敘述，直到視線模糊。

這個人很可能就是他。只剩他真的知道在二〇〇三年的那一天發生了什麼。

這個人也許能拿出她想要的答案。

但她要怎樣問他？

今日

「試著別想著屍體，」湯姆的嗓音因口罩阻隔而模糊，加上莉亞的耳朵被紙質隔離衣阻擋。「淺呼吸，把注意力放在現場上。我們不會在裡頭待多久。妳準備好了嗎？」

莉亞點頭。

「咱們進去吧。」

湯姆轉身，踏進一號公寓的門裡，她跟上。

走廊裡放置了一系列的金屬踏腳板。兩人小心翼翼地從一處移動到另一處，就像走在一條急流中的石塊上。

聽見客廳裡傳來的說話聲和沙沙聲，莉亞知道犯罪現場的警官們仍在其他房間裡工作。就在兩人抵達浴室時，另一個敞開的門口——兩間臥室中較小的那間——出現相機閃光燈的明亮光芒。

「妳先請，」湯姆揮動一手。「走進遠側角落，在妳的右手邊。」

她進入浴室時，在洗手臺上方的鏡牆上看到他們的倒影，看起來就像兩名穿著特大號太空衣的太空人，只在面罩頂部和兜帽之間看得到兩吋的皮膚。

可以肯定的是，穿成這樣走在犯罪現場裡，不可能感染任何病菌。

她走到湯姆指示的踏腳板上，然後謹慎地原地轉身，拖著被工作服覆蓋的腳，直到面對屍體。

它的位置跟她上次看到時一樣，但它周圍的表面——瓷磚牆、洗手臺、鏡子、玻璃碎片的殘留物——到處都是黑色的指紋粉。一個攜帶式場景燈豎立在莉亞所站位置的對面角落，與屍體呈對角線，刺眼的白燈光芒對準屍體。有人收拾了安全玻璃留下的碎片。

湯姆站在幾呎外的位置，離死者更近。這裡有他們倆、場景燈和浴室裝潢，所以空間有限，如果其他人進來就會影響到屍體或周圍的區域。

這裡也開始讓人覺得，就像穿著好幾層衣物站在可怕的桑拿裡。莉亞感覺一滴溫熱的汗珠順著脊椎滑下，落在後背上。

「妳還好嗎？」湯姆問。

「還好。不好。」她揮動戴著手套的手。「咱們動作快。」

他轉向屍體。「如妳所知，現在這一切都是初步判定。白人男性，快三十歲，身高大約六呎。根據我目前的猜測，他死了大約兩星期。這裡沒有蒼蠅，是因為公寓密封得很好，而妳大概也同意我們今天都為此感到慶幸。死者面朝下倒在淋浴門的碎片中，衣服和頭髮上有一些碎片，這表明他倒下時撞到玻璃，造成玻璃破裂。他的左太陽穴有傷口——」湯姆指向頭部，再指向浴室牆上的褐色汙漬，她注意到這一處的牆上多了一小塊黃色膠帶，上面寫著一個數字。「這跟這一處的血跡相對應，表明他撞破淋浴門之後，在這裡撞到頭。」

臭味濃烈得彷彿變成一個實際的物體，像一條致命的蟒蛇一樣纏在莉亞的脖子上，蠕動收緊，使她的氣管縮小得幾乎窒息。

「意外？」她盡量節省用字，避免蟒蛇鑽進喉嚨。

「他的倒下可能是意外，但我不認為這是死因。頭皮很容易撕裂而且大量出血，所以撕裂傷會看起來比實際情況更糟。這種傷口主要是外觀。當然，我得等驗屍後才能確認，但我不認為死者的顱骨有破裂。想造成嚴重的頭部傷勢，他必須在這裡以非常強勁的力道撞到牆壁，但問題是——」湯姆伸出雙臂。「這裡空間有限，不足以形成那種力道，而且撞到玻璃板也會減緩倒下的勁道。」他停頓。「咱們來談談他**為什麼**倒下。妳之前進來的時候，有沒有查看藥櫃？」

莉亞點頭。「裡頭有羅眠樂。」

「我猜他有處方箋。我們知道這種藥有更黑暗的用途，但它主要是一種鎮靜劑，用來治療長期失眠。但我搞不懂的是，他如果有吃藥——我們得等毒理學分析出來才能確定——他為什麼穿著衣服在浴室裡走動。藥櫃裡那包藥少了很多顆，所以他應該之前有服藥。他一定知道吞藥之前最好已經躺在床上。」

「毛毯，」莉亞說：「其中一側被掀開。所以他大概**原本**在床上……」

「我也這麼認為。然後他因為某種原因而起來。雖然他身上沒穿睡衣，但這並不重要。總之——」湯姆朝她眨個眼。「準備好猜謎了嗎？」

我準備好嘔吐了，莉亞心想，**我只想趕緊離開這個臭氣沖天的地方**。

但她只是說：「說吧。」

「血在哪？妳有看到血嗎？除了牆上那一小塊汙漬之外。」

莉亞沒仔細觀察周圍。她原本假裝湯姆右邊的區域都被打上馬賽克，她看不到那裡有什麼，她看不到死者變色膨脹的臉龐、脫落的皮膚——

她用力嚥口水，深呼吸，試著捕捉薄荷膏的味道。

「你何不直接告訴我這裡有沒有血？」她說：「我會相信你。」

「這裡沒有血，莉亞。而就連最小、最淺的頭皮傷都會大量出血。頭皮到處都是血管，這裡卻沒有血，除了牆壁那一處的撞擊點。地板上完全沒有血——」

「你是怎麼知道的？死者周圍有……腐爛的液體。」

「那不是血，而且那是在死後才出現的。簡直就像死者的頭部和上半身有一圈清潔光環。可是這種頭皮撕裂傷一**定**會出血。所以，血去哪了？」

莉亞試圖思考，但思緒幾乎立即回到氣味上，臭味強烈得就算把一整罐薄荷膏塞進鼻孔裡還是聞得到。她能**感覺到**。這股味道不只是懸在半空中，而是緊緊抓住空氣，也抓住其他地方。她今晚一回到家，就要把身上所有的衣物全燒掉。她得拚命洗澡——

「水，」她說：「血被水沖走了。」

「沒錯！」湯姆似乎欣喜若狂。「因為……？」

「蓮蓬頭開著。」

「我認為——」湯姆戲劇性地停頓幾秒。「他可能是溺斃。」

莉亞低頭看著屍體，立刻為這個舉動感到後悔，移開視線。

「你說什麼？」

「其實，不是必須在水底下才能溺斃，只要有足夠的液體被吸進肺臟就行。」

所以，假設這裡這個朋友服用了鎮靜劑，然後從床上爬起來，跌跌撞撞地進來浴室——也許他想上廁所——然後撞到淋浴門，像現在這樣口鼻撞到瓷磚——而且剛好就倒在排水口形成的凹陷處，水往往會在這裡聚集——而蓮蓬頭開著……他可能因為撞到頭而有點暈眩，不然就是羅眠樂開始發揮藥效，也許兩者兼而有之，總之他在那個位置失去了知覺，這當然意味著他還在呼吸，結果被幾吋深的淋浴水溺死。」湯姆停頓一下。「這就是為什麼我一直搞不懂，怎麼會有人去幹跳傘和高空彈跳之類的蠢事。人真的很**容易**死。幹麼刻意去找死？」

「淋浴的水原本為什麼開著？」

「好問題。他原本可能在跌倒或試圖爬起來的時候，不小心撞到水龍頭。這種拉桿——」他指向水龍頭。「只要稍微施力，水就會流出來。他可能原本**打算**洗澡，但誤判了鎮靜劑多快發生作用。但這不是最重要的問題，莉亞。」

她挑眉。「不是嗎？」

「最重要的問題是：誰把水**關掉**了？」

她覺得胃袋下沉。

「這下恐怕有問題了。」她說。

「噢？怎麼說？」

「打從封城開始以來，這裡有個女人一直在煩我們，抱怨噪音和鄰居之類的。她今早打電話來的時候，局裡以為又是類似的問題，所以派出兩個新手。其中一人說他關掉了水龍頭，因為它在滴水。」

湯姆點頭兩下，思索這件事。「死者有可能在意識尚存的時候自己關掉了水龍頭。但無論如何，我不太認為水龍頭上能找到什麼證據。」

「怎麼說？」

湯姆兩手一拍，放在肚皮上。莉亞是很喜歡這傢伙，不過真希望他不要再擺出經典偵探那一套。

「這整個地方都被擦掉了指紋，」他說：「鑑識人員是這麼說的。公寓裡每一吋表面都被擦得乾乾淨淨，非常徹底。他們到現在還沒找到一枚指紋。所以這才是**真正的**謎題。為什麼有人在意外發生後擦掉了整間公寓裡的指紋？而且那個人為什麼沒求助？」

二十三天前

她沒關上浴室門，奧利弗也不想在她嘔吐時站在她旁邊，所以只是在客廳門口等著。

「我真的很抱歉，琦菈，」他說：「我知道『抱歉』只是話語，但我是真的感到抱歉。我為這樣對待妳而道歉。」

過了一會兒，她站起身，在洗手臺往臉上潑水，在鏡子上看著他的眼睛。轉身面向他時，她顯得蒼白脆弱。

「所以蘿拉是誰？」她說。

「我不知道。我不認識她。但她應該發現了我在哪，想跟我接觸。我猜她想寫我的新聞。」

「可是你說你們是少年A和少年B。她不能說出你的名字。」

「沒錯，不過……她還是能製造麻煩。」他停頓。「她已經這麼做了。」

他不敢打破接下來的沉默，因為他不太確定現在是什麼狀況。

琦菈還在這裡。這跟他預期的不一樣。

而且她在問問題，這表示……他不知道對此該作何感想。但他會讓她決定接下來幾分鐘的走向。按她的步調就對了。

他知道這麼多事情一定讓她很難消化。

「你那道疤是怎麼來的？」她問：「我要聽實話。」

「奧伯斯敦的娛樂室。」

「發生了什麼事？」

她雙臂抱胸，看起來像是扶持著自己。他想朝她伸手，想扶持她，想跟她說一切都會沒事的。

但他做不到。他不知道一切是不是會沒事。

「夏恩動的手。」他說。

她朝他眨眼。「什麼？」

「我們那時候已經在裡頭待了幾年。他的脾氣越來越暴躁。我們在那裡的時候，他崩潰了，再也沒辦法適應。而且他……他責怪我。我猜他怪我沒堅持我們事先安排好的那一套說詞。」

琦菈臉色更為蒼白。

「在倫敦發生了什麼？」

「我遇到一個人，」奧利弗說：「露西。而且她很不小心。我的意思是，我沒跟她說出實情，所以她不知道該小心，不過……記者不能洩漏我的名字或面貌，但這並不表示沒人認識我，不會在臉書或推特上讓大家知道我現在是什麼模樣、我是誰。這些人包括我的小學同學、以前的鄰居——甚至親戚。現在除了我哥以外，沒人跟我說話。所以我必須很謹慎。我從不在網路上發表任何東西，但露西有這麼做。她在Instagram上貼出文章，而我就在相片上，我後來才發現這件事。而且有很多論壇，很多瘋子和正義魔人自以為是法官兼陪審團兼監獄制度……」他搖頭，對昔日的回憶感到生氣。「露西在Instagram上發表的相片，流入了其中一個論壇。當然，他們沒辦法確認那個人就是我。他們怎麼知道？畢竟缺乏比對資料。但這沒能阻止他們嘗試。他們在帳號上知道露西的名字——開始傳訊息給她，問她問題，然後她開始問我問題……」他吐口氣。「為了避免事情鬧大，我不得不離開那裡。」

琦菈開始哭泣。

「我也是，」她的嗓音顫抖。「我現在得離開，我不能待在這裡。」

奧利弗朝她走近一步，看她沒反應，他又踏出一步。

他舉起雙手，彷彿表示自己並無惡意。她也舉起手，要他別再靠近。

他停步。「我能不能牽妳的手？」

她搖頭但沒動，在他伸手過來時沒抗拒。他把她的手貼在自己的心口上。

「這就是我，」他說：「此時此刻。我不是那個少年，那個**孩子**，他愚蠢、殘酷，而且犯了一個重大錯誤，他永遠沒辦法扭轉那個錯，永遠沒辦法彌補，可是——」

「你為什麼那麼做？」

「琦菈，妳**知道我是誰**。我就是妳以為的那個人，我這幾星期就是那個人。這就是我，真正的我。我想讓妳明白、知道這點，免得這一切——」

她把手抽回來，後退一步。

「你為什麼**那麼做**？在那時候？你為什麼不阻止那件事？你為什麼不**救他**？」

她哭得更厲害，淚流滿面。

「我不知道，」奧利弗說：「我真的不知道。我在這件事上想過很多次……這些年來的**時時刻刻**。但我無法解釋。事情就那麼發生了，我當時沒多想……有個心理治療師跟我說過，人在那個年齡的時候很難想到以後的事，很難想像『永遠』是什麼。你明白善與惡的差別，而且你大概明白你的行動會帶來後果，但你不知道那些後果是沒辦法改變的。這不是藉口，不過……我覺得這聽來合理。而且，琦菈，這種事不是關於善惡。我當時不是什麼受訓中的精神變態。事情發生了，一連串的事情，導致我和夏恩做出了不該做的決定，而且妳知道嗎？這種事天天都在上演。但在我們的案例上，我們做的蠢事引發了最嚴重的後果。」

琦菈開始走向臥室門。「我得走了。」

「求求妳別走，留下來，為了——」

「你沒資格對我提出任何請求。」她朝他厲聲道。

她進入臥室，把行李箱放在床上，把自己的東西丟進去。

他無助地在門口看著。

「妳要去哪？」

「回我的住處。」她說。

「回去多久？」

「我他媽的哪知道，奧利弗。」

「我只是想知道——」

她轉向他。「你剛剛跟我說你**殺了**一**個小孩**。」這句話聽來像尖叫，聽在她自己耳裡也格外響亮。

他點頭，表示承認。

「我自己那時候**也是**小孩。」他輕聲道。

看她因為這句話而愣了一秒，他的心裡浮現希望。

但她轉向床鋪，拉上行李箱的拉鍊。她抓住握把，抬起箱子，把輪子砸在地板上。

她轉過身，等他讓開，好讓她在離開時不用碰到他。

「對不起，」他重複。「我不知道——」

她從他身旁推擠而過，離開了公寓。

六十四天前

琦菈懷疑可能是奧利弗・聖萊傑的那名男子，在一棟閃閃發亮的嶄新辦公樓的四樓上班，而根據她在Google街景看到的畫面來看，該建築比巴格特街上其他的建築更新也更高。負責為該大樓尋找租戶的仲介公司，製作了一段精美的影片，展示建築物的內部，並發布在他們的網站上。裡面的四層樓都是玻璃盒般的辦公室，一座大到能容納大廳裡三名看門人的接待臺，還有保護樓梯和電梯入口的電子旋轉門。閒雜人等沒辦法進去亂走。

她需要有個理由進去。

她判斷，假扮成客戶應該會最快被揭穿，因為她不知道該說什麼，也不知道該找誰——而且就算偽裝一段時間，誰知道那間公司一定會選擇奧利弗・甘迺迪跟她會面？從網站來判斷，他似乎是初級成員。

她考慮過假扮成郵差、寄送需要有人簽收的東西，但立刻發現兩個問題。那三個接待員應該會堅持從她的手裡收下郵件，而且就算他們允許她上樓送件，收件人難道不會對郵件的內容起疑？如果奧利弗・甘迺迪真的就是奧利弗・聖萊傑，一定在成年後天天忙著保護自己的真實身分。其他人可能會把郵件送錯當成誤會一場，但他不會。然後他就會提高警覺。

如此一來，琦菈覺得只剩一個辦法：應徵那裡的工作。以應徵工作的身分進入那裡。

在KB工作室的網站上，「加入我們的團隊」的連結列出兩個職務空缺，其中一個是初級辦公室經理。琦菈用假名申請了新的Gmail帳號，寄了履歷表。一星期過去了，她每天都緊張兮兮。她究竟在做什麼？她原本以為這件事會如何結束？她打算怎麼做？走到那傢伙面前，說道：**嘿。你是奧利弗·聖萊傑？好極了。你能不能告訴我，你在謀殺保羅·凱萊赫的那天下午究竟在想什麼？**但她的信箱收到訊息，邀請她去面試時，她發現自己還剩下足夠的勇氣答應。

這就是為什麼她現在坐在大廳的柔軟長椅上，親眼看著那張龐大的接待臺，把手上的汗水擦在化纖長褲上。

她心想，自己不可能能完成這場面試。

應該不可能吧？

她提早了十分鐘到，他們叫她在這裡坐著等。**會有人來叫妳**，接待員說過。琦菈不禁幻想那個人就是奧利弗·聖萊傑——但她很難想像，不只因為這個可能性太低，也因為她很難想像他長什麼樣子。

在命案發生前，她母親會保留一切：每一張成績單、每一幅蠟筆畫、每一個紀念品。但在命案發生後，她不僅不再蒐集紀念品，也不再看著它們。閣樓裡堆滿幾十個沾滿塵埃的鞋盒和凹凸不平的餅乾罐，琦菈在上星期花了一整天的時間仔細檢查它們。她認為她母親很可能不小心收藏了殺手在犯案前的相片，而且她判斷正確。

米爾河男子中學在每個學期末都會出版一份閃閃發亮的校報，她母親全都保留了。校報上的班級照片沒有文字敘述，所以幫不了她，但校報也刊出了各個校隊的活動剪影，而這幫了她。十二歲的奧利弗・聖萊傑有打橄欖球。二〇〇三年六月的校報上，有兩張他的全彩照片。其中一張是他帶著球奔跑，他的五官因動作而模糊，但另一張全彩相片是他雙手扠腰站立，看起來非常清晰。

琦菈盯著這張照片好幾個小時，仔細研究每個細節——然後把它剪下來，塞進錢包裡的一個隱密口袋，而這個錢包現在就在她腳邊的手提包裡。

但她不知道要怎麼把相片上的男孩跟成年後的他配對起來。

就算能配對，她也不知道之後該怎麼辦。

「琦菈・墨菲？」一名年輕苗條、身穿貼身黑衣的金髮女子來到她面前。

琦菈不確定自己撒謊的能力到什麼程度，所以下了安全的賭注。她保留自己的名字，但用了假的姓氏：墨菲，這座島上幾乎每個人都姓墨菲，感覺應該是個安全的選擇。她在履歷上採用了同樣的方法，列出了她做過的真實工作，只有最後一個例外——「藍浪公司」的客戶體驗專家，基本上是一家郵輪公司的電話服務中心的員工——但假裝她還在那裡工作、那是她目前的職務，但實際上，她這半年都在一家連鎖酒店擔任活動相關的工作。她列出的大學教育也是真的。

「我們很快就能面試妳，」金髮女子說：「請跟我來，我帶妳上樓。」

琦菈站起身，拿起東西，跟著金髮女子走向電梯，試著無視胸腔裡雷鳴般的心跳。但她擔心，等進入電梯、門在身後關上時，金髮女子也會聽到她心臟發出的怦然巨響。

「別緊張，」女子說：「他很親切的。」

「『他』？」

電梯門開啟，兩人走進。

「肯尼斯・巴爾夫。」金髮女子按下四樓鈕。「他是常務董事。他喜歡親自幫行政人員處理所有面試。」

肯尼斯・巴爾夫。

難怪叫KB工作室。

琦菈的膝蓋失去力量，她的身體歪斜地癱在電梯的一側。

她為什麼沒更早發現這點？

因為她太專注於奧利弗・聖萊傑。他絕對在這裡工作，因為他哥的朋友就是這家公司的老闆。

金髮女子對她皺眉。「妳還好嗎？」

「是的，我沒事，謝謝。」琦菈無力地微笑。「我只是不太喜歡搭電梯。」

「噢，妳該早點告訴我。」

「不不，我沒事。」

「反正我們也快到了。」

電梯叮一聲，抵達目的地。

門扉滑開，顯示另一個接待區，其後方是雙扇玻璃門，門上面的燙金字體寫著「KB工作室」。兩張灰色沙發圍成一個L形，圍繞著一張散落著亮面小冊子的茶几，而在角落裡，咕嚕作響的飲水機旁邊是一棟辦公大樓的模型，模型的迷你樹看起來像噴漆成綠色的纖細棉球。

「請坐，」金髮女子說：「我會讓他知道妳來了。」

琦菈照做，看著女子消失在玻璃門後面。她看到其後方是一個開放式的辦公室空間，人們走來走去。她離他們太遠，很難看清楚他們的臉龐，不過——

她的目光落在掛在門邊牆上的相框上。

那是一個面帶微笑、臉色微紅的中年男子，看起來五十好幾、快六十歲，從一個穿著華麗晚禮服的女子手中接過一大塊吹製玻璃。他看起來就像她在 Instagram 上看到的肯·巴爾夫幾十年後的模樣。

即將面試她的人，想必就是肯尼斯·巴爾夫本人。謀殺發生時，肯尼斯不是少年，而是成年男子。他的兒子當時是青少年，跟其中一名凶手的哥哥是朋友。

她心想，這應該表示他不太記得那麼久遠的事情，包括相關人物，像是其他家庭的成員。

例如她。

她不能冒險見到他。她必須離開這裡。

琦菈抓起手提包，正要離開的時候，注意到身後的辦公室玻璃門打開。她屏住呼吸，猜想應該是金髮女子來帶她走，她等著聽見對方呼喚自己的名字。

但這沒發生。

她來不及等電梯，而是匆忙走樓梯下樓。她覺得耳裡嗡嗡作響。她的鞋跟在大理石上的咔噠聲令她緊繃。她來到第一個樓梯平臺，然後轉身走下下一條樓梯——

她就是在這時候看到他。

他站在樓梯頂端，正在看著手裡的手機。他個子高大，年齡跟她差不多，肌肉不算發達但也不柔軟，而是結實。寬肩。濃密又凌亂的黑髮，但看起來顯然精心整理過。

奧利弗・聖萊傑。

是他。

是他是他是他是他是他。

她很確定，雖然也不太敢相信。

她聽見辦公室的雙扇門再次打開，一個女性嗓音喊道：「琦菈——？噢。」片刻停頓。「奧利弗，你出來的時候有沒有在這裡看到一個女人？棕色頭髮，黑色套裝？」

奧利弗從手機上抬頭。

琦菈急忙前進，差點踩空第一階。她勉強恢復平衡，迅速下樓，鞋跟發出響亮的咔噠聲。

二十二天前

奧利弗在沙發上醒來，立刻感覺頸部的緊繃肌肉一陣絞痛，舌頭又厚又硬，胃袋疼痛空虛。茶几上是一堆凹陷的空啤酒罐。房間裡的光芒表明現在是清晨。

然後他聽到把他吵醒的聲音：他的手機在響。

他以為是琦菈打來的，於是急忙尋找手機，追蹤聲源，掀開靠墊，然後——手機飛到地板上。

他覺得自己只是想聽見她的聲音。他甚至不在乎她會對他說什麼。

但打給他的是肯尼斯。

「肯尼斯。」他的嗓音流露濃厚睡意。

「看來你**還活著**。這是我第三次打給你。」

奧利弗把手機從耳邊拿開，查看螢幕，發現上頭擠滿未接來電和未讀訊息的通知。

「你還好嗎？」肯尼斯問。

「嗯，我呃……我覺得我昨晚喝多了。」

「你一個人在家？」

「我喝了太多啤酒，」奧利弗說：「真不該喝那麼多。就是這樣。」

片刻沉默。

然後肯尼斯問：「你還好嗎？」

奧利弗逼自己微笑，好讓對方聽見自己的笑意。「嗯，我沒事。感謝關心。」

「你有沒有看到我們昨天寄出的電子郵件？看來封城措施會再延長三星期，而且我聽說可能會持續整個夏天。我們有很多項目停擺。甚至聽說 Google 要撤出碼頭那裡的新建築，如果這是真的，可能會引發大規模的出走潮。以短期來看，我們現在還好，但為了防患未然，我們要給每個願意接受的員工兩星期的無薪假——」

「我接受。」奧利弗說。他現在不可能有心工作，狀態也不適合。

「你確定？」肯尼斯問：「我說的是**無薪假**。你有聽見這個部分吧？」

「嗯，我不介意。什麼時候開始？」

肯尼斯發笑。「好吧，看你這麼猴急。星期一是銀行假日，所以從星期二開始如何？」

「好極了。」

「幫我一個忙，用電子郵件通知露易絲，行嗎？讓她知道這件事。」

「我會的。」

又少了一個問題要處理。

「你如果需要任何東西，跟我說一聲。我知道你一個人住——」

「我沒事。」奧利弗重複。他不希望表現得好像不懂得感激肯尼斯的關心，所以補充一句：「謝了。」

「好好照顧自己，奧利。」

奧利。

奧利弗勉強結束通話時，感覺胸腔裡有什麼東西破碎。

唯一會打電話給他的人，都是從以前就認識他的人。

這些日子，只有肯尼斯和理奇會打給他。

他們打來的電話，原本能安撫他。他們曾經讓他感到安全，讓他覺得人們就算知道他是誰也會希望他出現在他們的人生中，他們會依然愛他，依然喜歡他。但現在，他們只是讓他覺得被困住，他永遠被自己在小時候做出的行為囚禁。

他在那一刻沒多想而做出的行為。

他分分秒秒都希望能把那些行為收回來。

奧利弗任憑手機掉到地板上，在沙發上蜷縮身子，開始哭。

他的身子隨著啜泣而抽搐，他不知道自己哭了多久。他一直哭，直到他覺得空虛，直到胸腔裡的疼痛哀求他停止。

直到外頭變黑。

今日

克羅辛對面的小公園有一家棚屋大小的小咖啡店。因為疫情期間的限制，咖啡店只在側面一個小窗口提供外賣服務，但莉亞出示了警察身分證，進入店裡，走進給客人使用的櫥櫃大小的廁所。年輕的咖啡師交出廁所鑰匙時，莉亞發現自己準確地看出他什麼時候在她身上聞到死屍味：他的笑容僵住，取而代之的是一閃而過的困惑，緊隨其後的是皺起鼻頭，把嘴巴緊緊閉上。

「我很快就出來。」莉亞以甜美口吻告訴他。

她進入廁所，放下馬桶蓋，開始脫衣服。她在看完命案現場後，四處找人捐贈衣物。她弄到一件乾淨的警隊T恤，雖然尺碼是3XL，但她寧可把這件當成連衣裙穿，也不想再穿著原本的襯衫。她換掉衣服，在T恤的下襬打了一個結，再把這個結塞進褲子裡，因為警探不該打扮得像個穿著男朋友衣服的少女。她從科技局的廂型車上偷走了一條粗的鬆緊帶，現在用它把頭髮在頭頂打成一個結，避免碰到臉部和鼻孔。最後是最重要的工具：歐賀利警員從她的巡邏車手套箱裡拿出的盥洗包。

這是個帶拉鍊的小包，很像在機場會拿到的那種，裡頭有旅行用的洗髮精、沐浴乳和女士噴霧體香劑；迷你牙膏和牙刷；兩塊衛生棉；一包口袋大小的抗菌溼巾；還有一塊用錫箔包裹的巧克力。歐賀利警員解釋說，這些東西都是她自己準備的，她總是會在車裡放一些，尤其在她值晚班的時候，因為這時候容易遇到需要幫助的人。

而今天，這東西湊巧拯救了一個聞起來像跟腐屍跳了慢舞的警探。

莉亞提醒自己：改天一定要請歐賀利喝一杯。

最好也送人家一張禮品卡。

她刷了牙——反正不可能有壞處——再到處噴灑體香劑，包括頭髮。她把半瓶沐浴乳擠到手上，加水揉搓起泡，然後抹在臉、脖子和前臂上。她後悔穿上T恤，因為領口沾到水——她應該先清洗再換衣服。她抓了一把衛生紙擦掉水漬，然後吃掉半塊巧克力，因為她今天還沒吃東西。

完工後，洗手臺上方的小鏡子讓她知道她看起來一團糟，但至少不再散發惡臭。不，嚴格來說，她散發很多廠牌的香精味，但至少不再包括「嚴重腐屍味」。

她把襯衫塞進馬桶旁邊的垃圾桶裡，轉身要走，但感到內疚，於是把垃圾桶裡的袋口打個結，以免襯衫的臭味瀰漫整間廁所。

她盡量不去想，如果在勘察命案現場時沒穿上全套防護裝備，現在的狀況會有多糟。脫下防護衣的時候，湯姆說他沒從她身上聞到任何怪味，但她不相信那傢伙的嗅覺。他的嗅覺神經可能早就被屍臭燒壞了。

她把鑰匙還給咖啡師時，假裝沒看到他睜大眼睛，因為他顯然注意到她的狀態。出於罪惡感，她買了兩杯卡布奇諾帶走。

卡爾拿著一臺筆記型電腦在車旁邊等她；看到她走近時，他舉起電腦。她覺得那臺電腦大概是蘿拉・曼尼克斯的。她原本打算恭喜他在十四號公寓達成了奇蹟，但她來到他面前時，他說：「拿到監視器畫面了。」接著說：「妳他媽的怎麼這副模樣？」

「我覺得這要說到二十年前的某一天，我當時心想，**欸？我覺得我想去考警校**。」

莉亞拿起咖啡。「準備好再來一輪了嗎？」

「我真正想要的是食物。」

「我口袋裡有半條巧克力。」

「打從什麼時候？因為如果那條巧克力也進去過犯罪現場，那妳留著自己吃吧。」

「你後來有從她身上問到什麼嗎？」

「完全沒有。」卡爾說：「妳離開後，她就把嘴巴牢牢閉上了，拒絕說話。不過我有上網查露薏絲・蓮恩是誰。聽妳在放屁，她才不是《犯罪熱線》的主持人。」

「所以你的意思是，你這半小時過得很充實？」

「犯罪現場裡頭怎麼樣？」

「比之前更糟。但有意思的是，湯姆・希爾森認為那傢伙可能是溺死。」

「**溺死？**妳不是說他倒在淋浴間的地板上？」

「他是。而湯姆認為蓮蓬頭當時開著，排水口的凹陷處積了一、兩吋深的水。那傢伙雖然昏迷，但有在呼吸，加上面朝下，所以吸進的水足以造成溺水。」

「老天，」卡爾說：「居然有這種死法。」

「還有：有人關掉了水龍頭。有可能是他，但也可能不是。但真正重要的是，整間公寓都被擦掉了指紋。」

「我靠。妳覺得會不會是……？」

「我覺得，」莉亞說：「咱們來看監視器畫面吧。」

兩人坐進車裡，車門開著，卡爾坐在副駕駛座，莉亞坐在駕駛座，兩杯咖啡放在儀錶板上。

卡爾把筆記型電腦放在膝上，掀起上蓋，按下電源鍵。「社媒先生說那個圖示應該就在桌面上……」他的食指在觸控板上滑動。

「社媒先生？」

「而妳因為我聽不懂露薏絲・蓮恩的哏而取笑我？社媒先生就是物業管理公司的那個人，打扮得像從 Instagram 裡走出來的那傢伙。那麼，咱們要從哪裡著手？」

「最迅速的辦法。我們拿到什麼？」

「呃……看起來是九支影片。」

「我覺得大廳的影片最有希望，」莉亞說：「咱們從這裡開始，從今早的畫面往回看。」

「有朝向大廳外面和裡面的影片。」

「麻煩從裡面開始。」

「跟我上床的女人也是這麼說——」

「**別再開性愛玩笑**。」

卡爾按了幾個按鈕，然後調整電腦的角度，以便兩人都能看清楚。

螢幕上開始加速播放一部高解析度的彩色影片。拍攝畫面的監視攝影機位於大門上方的大廳裡，對準通往中庭和信箱的門。

兩人啜飲咖啡，看著住戶們進出，陽光在地板上移動——畫面右下角的時間戳記也跟著快進。

這是個緩慢的過程，五天前的監視器畫面上沒發現任何有意思的東西，兩杯咖啡也很快喝完了。

「那裡，」莉亞指向畫面。「用正常速度播放。」

他們看著一個人影進入鏡頭。

「哎呀呀，」卡爾說：「瞧瞧這是誰？」

蘿拉・曼尼克斯站在克羅辛的大廳，隔著大門望向外面。她這樣站了一會兒，彷彿在等一個未曾出現的人。然後她轉身，非常迅速地把某個東西塞進一號公寓的信箱裡。

她離開鏡頭時是走向電梯，所以應該是回到樓上。

「那就是咱們的信封，」莉亞說：「時間點是什麼時候？」

「呃……五點十五分左右，在上週一。她好像不擅長在監視器上隱藏自己的臉孔喔？她竟然站在攝影機前面，確保我們有看到她。」

莉亞聳肩。「也許她不知道那裡有攝影機。」

「天花板上有個很大支的攝影機。」

「天花板上有個**標準的魚眼鏡頭**，」莉亞糾正他的說法：「在角落，而且這又怎樣？人們很少注意到這種地方的監視器，像是大廳和電梯。而且除非你有做壞事，否則根本不會在意監視器，不是嗎？」她朝筆記型電腦點頭。「繼續播放。」

卡爾按下某個按鍵。

「別忘了，」他說：「我們只剩四十八小時的畫面要看。」

但他們只看了五分鐘，就又看到蘿拉．曼尼克斯：她從一號公寓方向的走廊走來，沿走廊離去。

「哎呀呀——」卡爾開口。

「你的哎呀呀一次就夠了。在這裡停格，用正常速度播放。」

兩人按照時間順序觀看畫面，發現蘿拉．曼尼克斯沿走廊走向一號公寓，幾乎十五分鐘都沒回來。她似乎沒拿著任何東西，但她的胸前用鍊子斜掛著一個小型手拿包，彷彿她要去某個地方。

和之前一樣，她離開鏡頭時，不是走出前門或進入中庭，而是回到會帶她回去樓上、她那戶公寓所在方位的電梯。

「這是什麼時候，」莉亞問：「星期一早上？十點左右？」

「嚴格來說是九點五十二分，她在這時候回到大廳。咱們那個朋友這時候已經死透了吧？」

「有沒有其他視角？能看到一號公寓的門？」

卡爾按下幾個按鍵，食指在觸控板上滑動。

「這裡。走廊盡頭是消防出口。」

這次的攝影機是位於通向外面的消防出口上方的天花板角落，離一號公寓只有幾呎。門本身隱藏在攝影機的視線下方，但任何進出公寓的人都清晰可見。

「可惜監視器畫面只保留七天，」莉亞說：「否則我們會更有機會。」

「她在這裡。」

在他們倆的注視下，蘿拉・曼尼克斯來到一號公寓的門前，遲疑了片刻，然後進去。

「那個謊話連篇的小婊子。」卡爾說。

莉亞長嘆一聲。她開始感覺到這一天——以及這個案件——帶來的壓力，雖然今天才過了幾個小時。

「但她沒殺他，」她說：「他這時候早就死了。」

「妳怎麼知道這不是她第二次造訪？連環殺手不是都會回去犯罪現場？」

「卡利，你處理過多少連環殺人案？它們一定都發生在我休假的時候吧。」

「我處理過的連環殺人案是零，」他敲敲太陽穴。「因為我絕對不會讓任何凶手有機會殺第二個人。」

莉亞嗤之以鼻。

「我不認為蘿拉・曼尼克斯是連環殺手，」她說：「而且你沒看到門被她一推就開？就像我剛剛說的，除非她有拿走什麼東西……否則她連竊盜罪都算不上。我也不認為她有時間擦掉公寓裡的指紋——她身上也沒帶著能這麼做的工具。而且，如果她是在前一次造訪時擦掉了指紋，又為何冒著留下痕跡的風險再次回來？」

「而且如果她才剛在公寓裡看到他的屍體，又為何把信封放在信箱裡？」

莉亞轉向卡爾，挑眉。「沒錯，」她說：「**問得好**，卡爾。」

「我就假裝沒聽見妳驚訝的口吻。」

「她**為什麼**這麼做？」

「這個嘛，」他說：「她告訴我們，信封裡是一封關於她不會做任何壞事的情書，她不會洩漏他的名字之類的——可是如果她之前留下了內容不太好的信件？他沒回應，所以她去查看他的公寓，發現他死了，而她的反應是，『哎呀呀，我在這裡搞砸了』，所以她寫了一封她知道他永遠不會收到的親切信件，但她知道我們會看到，我們就會認定她沒有給他的生活帶來任何焦慮，因為她寫給他的信件內容真的很親切。」

他說完後，用手勢行個紳士禮。

「你很自豪，卡爾？」

「的確，」他說：「非常。」

「其實，我覺得你可能是對的。」

兩人看完了剩下的監視器畫面，但沒什麼重大發現。除了蘿拉・曼尼克斯之外，這七天都沒人進出一號公寓。

卡爾闔起電腦，兩人沉默了半分鐘，思索現有情報。

「她是怎麼找到他的？」莉亞開口：「誰是她的祕密線人？這是我想知道的。噢。」她想起巧克力，從口袋裡掏出來，感覺到錫箔紙底下的柔軟物體，不禁皺眉。她遞給卡爾。「抱歉。你可能——」

「還是給我吧。反正吃下肚都一樣。」

兩人又陷入沉默——或者該說近乎沉默，因為卡爾嚼什麼東西都很大聲。

然後莉亞想到一件事。

「KB工作室租下的**另一間**公寓是哪一戶？」

卡爾邊嚼邊回一聲：「嘎？」

「KB工作室租下的另一間公寓是哪一戶？」莉亞重複。「還記得嗎？他們租了兩戶。所以另一戶在哪？是幾號公寓？」

「不知道。問這個幹麼？」

「因為那一戶的主人是奧利弗・聖萊傑的哥哥的朋友的鄰居的狗之類的。這個關聯應該能追溯到好幾年前。也許……？」她等卡爾恍然大悟。

「追溯到二〇〇三年，」他說完。「妳真聰明。」

「警員們挨家挨戶盤查有沒有任何發現？」

「我能問問。」

「你何不打給你那個好朋友？肯尼斯・巴爾夫。直接問他比較快。」

卡爾把髒兮兮的手指擦在長褲上。

「然後我們來調查『你為什麼還是單身』這個懸案。」莉亞挖苦道。

卡爾厲聲回嗆一句：「然後調查妳為什麼也是單身。」接著從口袋裡掏出手機，輕敲螢幕，湊到耳邊。

音量調得很大聲，沒開擴音模式莉亞也聽得見。

「喂？哪位？」一個聲音傳來。

「巴爾夫先生，我是卡爾・康諾利警佐，剛剛跟你聯繫過。我沒有其他消息，只是有件事想問你，如果你不介意。」

「噢，請說。」

「我們聽說KB工作室在克羅辛租下了兩戶公寓。很顯然的，我們知道其中一戶是一號公寓。你知不知道另一戶是哪一間？」

肯尼斯・巴爾夫立即答覆。

「十四號，」他說：「不過現在住在那裡的不是我們的員工，而是一個家族友人。嚴格來說是我太太的朋友。她是個護理師，但她和需要照顧的年邁父母住在一起，所以我們邀請她住那裡，反正空著也是空著。好吧，其實是我太太跟她這樣提議，而我聽我老婆的。相信你也知道，『老婆開心，生活舒心』。」

卡爾朝莉亞咧嘴笑。

她用脣形罵他髒話。

「你知不知道她叫什麼名字？」卡爾問。

線路另一頭傳來沙沙聲。

「我問一下我太太，她在另一個房間。不過我記得她說那個朋友叫蘿拉什麼的……」

六十一天前

琦菈夢見米爾河。她對這個地方沒有太多清晰的記憶，但她的潛意識填補了細節，使得河流更像是一條涓涓細流，河床鋪滿了小小的鵝卵石，岸邊的樹木被清理乾淨，因此從住宅區就能看到河水，還能看到躺在水裡的蒼白四肢——

她的手機響起。

在半睡半醒的睡意中，琦菈把手伸向床頭櫃，手機總是在那裡整晚充電，但她沒摸到手機或床頭櫃。

她睜開眼睛時，發現一個陌生的場景：一個小客廳裡擺滿了不搭配的家具，需要重新粉刷的骯髒白牆，陽光透過薄紙般的窗簾灑進來。而她似乎躺在一張她不認得的床單中間，這不合理，直到……最後一絲睡意像天空中的雲彩一樣分開，她才想起怎麼回事。

她負擔不起同時住酒店**而且**支付在老家的房租，所以透過 Airbnb 找到了一個更便宜的選擇。業主意外地和藹可親，樂於接受現金付款並以週租的方式出租；她心想，現在是淡季，所以他大概只要房間能租出去就很開心。但她拿到鑰匙，進入房間時，發現了真相：網上的房間照片是以非常廣角的鏡頭拍攝，很難想像有人願意花錢入住。

鈴聲來自隱藏於房間另一邊的小廚房。琦菈掀開床單，急忙朝聲源走去，發現手機在美耐板檯面上憤怒地震動著。

螢幕上顯示「席芳」。

媽的。

琦菈知道自己遲早必須向姊姊解釋一些事情，但原本希望能晚點再說。

「喂？」她的嗓音聽來沙啞乾燥。她再試一次，這次稍微好一點。「喂？」

「噢，看來妳**還活著**。」席芳厲聲道。她在戶外；琦菈能聽見車聲和風聲。「快起來，讓我進去。我在樓下。妳的門鈴是不是壞了還是怎樣？我按了老半天。」

琦菈想不起姊姊曾在哪個星期天突然出現上門，但她顯然就是想挑今天這麼做。這女人一定有第六感。

「我不在那裡，」琦菈說：「有人規定我一定要在那裡嗎？」

「所以妳在哪？」

「都柏林。」

「**都柏林？**」

「工作面試。」

「**工作面試？**」

「妳要把我說的每句話都重複一遍嗎，席芳？」

「是的，除非妳說清楚這到底是怎麼回事。」

「出現了一個機會。」琦菈小心翼翼地說。她為此練習過，但不能被姊姊聽出來自己練習過。「公司在夏天要在這裡開一家新的店，他們要找負責處理活動的人員來加入開業團隊。我在幾個月前應徵了。說真的，我原本忘了這件事，直到他們在上星期發了電子郵件給我。我很難想像自己接受這份工作，尤其不是現在，因為媽媽的狀況。但我覺得還是可以試試看，有個經驗也好。面試是在明天早上，但我昨天就進城了，為了……」

「濫用妳的員工折扣？」

在公司工作要滿十二個月才能拿到員工折扣，但這個理由很好用，所以琦菈說：「沒錯，就是這樣。」

片刻沉默。

「妳確定妳不會接受這份工作？」席芳問：「因為媽媽的狀況……」

「我很確定。」琦菈說：「妳打給我做什麼？」

「因為我犯了錯，在出門散步前喝了一公升的咖啡。」

「去街角那間咖啡店再買些咖啡。米莉咖啡店。妳能借裡頭的廁所。」

「我恐怕別無選擇。我快到臨界點了。」

琦菈結束通話，立刻為欺騙姊姊感到難受。她真希望能告訴姊姊真相，而真相就是她正在調查另一個真相。

但是席芳根本不想聽到奧利弗·聖萊傑的名字，更不會想知道琦菈一直在扮演網路偵探，如今暫時搬去另一個城市，為了嘗試跟他有所交集，問他關於那天的問題，那天的事件把她的家庭搞得四分五裂。

她想查明事件的恐怖真相，不管真相是什麼。

好讓她的家庭——如今殘存的家庭——能獲得一些平靜。

但事實證明，說謊很難。她在工作時告訴老闆，因為她母親的健康狀況惡化，所以她需要請幾天假，而現在她必須跟席芳說她來都柏林面試一份不存在的工作。她甚至還沒接近奧利弗·聖萊傑，就覺得必須同時抓住許多個故事線，而且必須保持頭腦清醒。

她做不到。她不是這塊料。

琦菈回到主廳，回到擺在沙發上的各個物品前面。她只收拾了一個過夜用的包包，但現在不可能回科克收集更多行李；而且她還得負擔火車票的費用，但她相當肯定，如果她現在離開都柏林，就永遠不會回來。

她是勉強鼓起勇氣留下。

她知道自己如果離開這裡，就再也不會有勇氣回來。

所以她必須去購物，就算預算極為有限。在奧康內爾街上的彭尼百貨，讓她取得了額外的衣物、內衣、盥洗用具，還有一本筆記簿。此刻，她拿起筆記簿，打開空白的一頁，以列清單的方式寫下自己給席芳的說詞。

以防萬一。

為了購買其他用品，她不得不去別處尋找。她在伊森百貨買到藍色掛繩和小型護貝機。她在格拉夫頓街上一家通訊行買了一支預付卡手機。她在奧利弗辦公室隔壁的文具行印製了新的證件。

當時是一個十八、十九歲的小夥子在櫃檯工作，他慢吞吞地把信封遞給她，還一臉狐疑地盯著她。「這是為了一場變裝派對。」琦菈當時對他說，他徒勞地假裝聽不懂。

然後她在南大喬治街的慈善商店，買了自己原本不知道需要的東西。她從奧康內爾街返回的時候，湊巧在一個櫥窗裡看到它，它是某個主題展示的一部分。看來最近掀起了一股以太空為主題的捐款熱潮，而這家商店正在利用這點。櫥窗裡是一架樂高農神五號火箭，已經組裝完畢，聳立於毫無瑕疵的紙盒旁；一疊太空人個人資料；印有太空總署標誌的毛毯、馬克杯和T恤。

還有一個小小的手提袋，上面的圖案是一架太空梭飛越摩天大樓。

袋子上還印有一個標誌，上面寫著「無畏號」；琦菈在手機上搜索，發現無畏號是在紐約一艘航空母艦上的博物館。

琦菈對奧利弗・聖萊傑現在的身分一無所知，對他曾經的身分也知之甚少。如果必須列出他感興趣的事物，她就只能用猜的，而且她只猜得到兩個。**橄欖球**，因為二十年前刊登在校報上的一幅相片——而且她合理懷疑，他在奧伯斯敦的少年觀護中心應該沒什麼機會打橄欖球。還有太空，因為他在犯案時穿的T恤，那件衣服沾到了別人的血。

這兩條線索不算多，而且很可能已經不在奧利弗・聖萊傑的生活中扮演任何角色。但她只有這兩條線索，而且她對橄欖球一無所知。至於太空嘛……她至少還能勉強裝懂。她看了幾頁維基百科，重看了《阿波羅十三號》。

而且就因為你對太空感興趣，並不一定意味著你知道每一個相關細節。你不一定是達人等級。你可能只是有點興趣，參觀過博物館，買了紀念品。

你會帶著一個方便攜帶的務實用品，方便展示但不會過度招搖。

這東西也許能引發談話。但願如此。

琦菈給自己泡了一杯茶，拿起另一個買來的東西：她昨天買的報紙，但回到住處後睏倦得不想看。此刻，她把報紙攤在沙發上，掃視頭條新聞。

愛爾蘭首例確診新冠病例。

二十一天前

奧利弗強迫自己從沙發上爬起來，走進廚房，站在水槽邊喝了幾杯水，沒開燈。他的胃正在咆哮翻騰，但他沒有胃口。他無法想像進食。他再次將水杯裝滿，然後走進浴室去拿一顆藥丸。

他在浴室裡猶豫了片刻。他站在藥櫃前，把裝著藥丸的吸塑包拿在手裡。如果服用過量，這種藥物就可能致命。因為藥效實在太強，所以他只有在耗盡其他辦法的時候才碰。這就是為什麼他頂多每個月服用一次，而且**從不**過量。

他數算藥丸的數量：兩包藥，合計還剩十七顆。

他不知道經過了多久的時間，不過——

奧利弗把藥包塞回藥櫃裡，牢牢關上。這不是好辦法。他以前試過一次自殺，當時沒覺得很困難，而且因為自殺失敗而感到慶幸。丹恩說自殺是「用一個永久的解決方案來解決一個暫時的問題」。然後丹恩會補充一句：**你眼前的問題也會過去**。

但他現在面對的折磨真的會過去嗎？

他進入臥室，發現床鋪得整整齊齊，他一開始不明白為什麼，然後想起了：他上次進來是在星期三早上，而琦菈那天還在這裡。看來她把床鋪好了。他用雙手撫摸床單，試著尋找她留下的痕跡，但一無所獲。

他爬到床上，把自己縮進毯子裡，想像自己能感覺到她的胳臂，她緊緊抱著他，保護他，而且他夢見一條冰冷的河流，一個小男孩抬眼看著他，不斷提出同一個問題。

你為什麼這樣對待我？

跟當年一樣，奧利弗現在也不知道答案。

＊　＊　＊

星期六的某個時候，他強迫自己下床，走進廚房吃點東西，不是因為他餓了，而是因為他再也無法忍受胃袋不停咕嚕作響。他站在廚房裡，找到一盒打開的早餐玉米片，直接抓起一把塞進嘴裡。隨著糖分湧進血液，他周圍的環境愈加清晰，呈現堅實的形狀。

窗簾蓋住窗戶，即使現在是中午。廚房到處都是喝了一半的水杯，還有一頓沒吃的午餐的殘餘物——從星期三那天留下的？那堆東西從**星期**三就放到現在？——空氣瀰漫霉味和怪味，好像是牛奶發酸。他該整理環境，但覺得四肢沉重。他只想回到床上。

好吧，他真正想要的是跟琦菈說話，但這不可能成真。

除非他能說服她回來，再聽他說話幾分鐘。在她的震驚情緒已經稍微消退的情況下讓他做出解釋。她當然會那樣反應，他完全能理解。但現在，彼此分開了幾天，也許真相給她造成的衝擊已經不再那麼強烈……

他的手機。在哪？

他推開廚房流理臺上的雜物，終於發現手機躺在政府提供的新冠疫情手冊底下，早已沒電。他又搜尋一番，終於找到充電器，接著回到臥室，插上床邊的插座。

他要對她說什麼？有什麼話語能說服她回來跟他說話？

聽見手機發出提示聲，表示有足夠的電力重新運作後，他拿起它，輸入一條要傳給琦菈的簡訊。他重寫了幾次，最終版本是：**我知道我們之間結束了，但我不希望是以這種方式結束。我們能不能談談？如果妳願意，我們可以在公眾場合見面。**

他按下傳送鍵，但手機一直沒顯示「訊息已送出」的通知。

經過了一分鐘。

兩分鐘。

她該不會封鎖了他？還是只是手機關機？他鼓起勇氣打給她，也得到答案：被直接轉進語音信箱。

他沒留言。取而代之的，他翻個身，鑽到毯子下面，閉上眼睛，急切地等待睡意到來，將他從自己思緒的折磨中解救出來，遠離這個現實狀況、這對他的未來可能意味著什麼，還有他的遺憾。

他終於睡著。

天色再次暗下。

＊
＊
＊

充滿侵略性的叭吱聲傳來，聽來像電音，而且格格不入。

奧利弗猛然醒來，在黑暗中坐起，心想**我的手機**。但這個聲音不是他的手機鈴聲，而是蜂鳴器，從走廊的對講機傳來。

有人在門外。

光線令他困惑。現在幾點了？今天是**星期幾**？他覺得昏昏沉沉，失去方向感，從某個時間點被丟進另一個時間點。

肯尼斯來了？他覺得應該不太可能。這意味著只有一種可能——

奧利弗跳下床，但身體還沒準備好，他一個踉蹌，重重撞到衣櫃門，左肘感到一陣劇痛。

蜂鳴器再次響起。

他匆忙站起，快步走進走廊。

是她。

他能在方形的小螢幕上看到她。

「琦菈。」他按下開門鈕，不在乎自己以充滿感激和急切的口吻說出她的名字。

她的聲音透過揚聲器而來，聽來微弱：「我能不能進去？」

「當然。當然。當然。」

她從小螢幕上消失了，外門打開時發出咔嗟聲。

奧利弗打開自家公寓的前門，站在門檻上，一手扶著門，面朝外面的走廊，等候時用另一隻手揉揉臉，試著讓自己更清醒。

他要對她說什麼？她要對他說什麼？她繞過走廊的彎道時，臉上沒洩漏任何情緒——至少在來到他面前時，她才關切地皺眉。

「你還好嗎？」她問。

這是好徵兆，他心想。她在乎。

「我只是沒睡好。」他覺得舌頭厚重。

「看來是從我上一次看到你之後就如此了。」

「嗯。」他用力嚥口水。「妳要進來嗎？」

「我原本有這個打算。我們需要談談，不過……」她面有難色。「我覺得你現在的狀況不適合。」

「我沒事。」他反駁。

「我看得出來你狀況不好。你看起來一團糟，瞳孔放大得跟盤子一樣。」她停頓幾秒。「你是不是有喝酒？」

他搖頭，**沒有**。「我只是需要睡覺。但我現在還好。進來吧——」

「你看起來一點也不好。」

「求求妳。」

片刻沉默。

「聽著，」她接著說道：「你好好睡一晚，我明天再來。我們到時候再談。」

她嗓音裡的善意穿透了他。他不配。他配不上她。

「好，」他說：「可是妳願意留下嗎？」

她似乎花了很長的時間才做出決定。

「好吧，但只是為了確認你有休息。我會坐在沙發上。」

兩人進入公寓，他把門在身後關上。

「那是什麼味道？」她皺起鼻頭。他只聞到她的味道，她的洗髮精散發大海和晴天的氣息。他想起在公園那天，她躺在他身旁，周圍只有藍天和彼此的心跳聲。

她溫柔地帶他走向臥室，示意他躺下。

「妳回來了嗎？」他說：「妳還能愛我嗎？」

她沒說話，而他在看到她臉上的答案之前閉上了眼睛。

他聽見百葉窗被放下，她的鞋跟踩過地板，然後是臥室門輕輕關上。她說：「我們明天早上再談，好嗎？」

五十六天前

「妳先請。」這是他第一次對她說出口的幾個字。

現在是星期五的午餐時間，也是她第五次跟蹤奧利弗從他的辦公大樓來到對面的特易購超市，她搖晃著手上的太空梭手提袋，假裝只是一個來買乏味午餐的辦公室職員。但今天，她在超市裡的某處跟丟了他，然後她心煩意亂地拿起一瓶加了令人作嘔的甜水果味的水。她其實買不起午餐當道具；這瓶水就是她的午餐。她在一堆復活節彩蛋前愣住（**復活節？這麼快？**），心想要不要回去換一瓶水。這時她抬頭看到他，他站在不到兩呎的距離外，留出空間給她，好讓她比他更快一步結帳。

這是她第一次這麼靠近他，能清楚看著他。這是她第一次**感覺到他的存在**。

她心想自己做不到。她沒有這種能力。

他臉上有一種怪異的表情，幾乎算是期待。他彷彿在……挑戰她？他知道她是誰？知道她有何打算？她覺得自己真正的動機被公然展示，全寫在臉上。如果她能穩住自己，花點時間做好準備……

她要改天再來，她心想。在星期一。

她到時候會準備得更好。

「沒關係，」她邊說邊轉身。「我剛發現我拿錯了。」

琦菈轉身走向擺放飲料的冰箱，感覺他的目光一直跟著自己。

她也感覺到自己的心跳，心臟每次脈動都對她做出允諾。她花點時間換了一瓶水，然後走向超市的後側，假裝在尋找什麼，然後再次加入前側的排隊人龍。

他早已不見蹤影。

她終於覺得能再次呼吸。

但她走出店外時，聽見一個聲音說：「袋子很漂亮。」

是他。他站在另一條出入口的外頭，看著她。他剛買的三明治夾在胳臂底下，被壓力壓扁。他臉上流露一絲笑容，連同一些她無法輕易辨認的情緒。

她停步。「我的……？」

「妳的袋子。」他指向她的太空總署手提袋。

她把這當成某種徵兆。

因為報導的限制，她在文章裡找到的細節很少，但它們都有提到少年B在床底下的一個手提袋裡，用垃圾袋藏了一件染血的太空總署T恤。這件T恤是他奶奶買給他的。他的辯護團隊強調，這件T恤證明了他並不想傷害保羅·凱萊赫，他並沒有這個意圖，但在**夏恩**動手後，奧利弗才協助主謀。

「謝了，」她說：「這是來自無畏號，那間博物館在——」

「紐約，」他幫她說完：「航空母艦上那間，對吧？妳去過？」

那是在十七年前，他還是個孩子，也許他當時其實根本**不喜歡**跟太空有關的東西。也許他奶奶只是瞎猜他喜歡什麼。但她只有這條線索，而且她在慈善商店的櫥窗看到這個手提袋的時候……

但事實證明，他以前確實喜愛太空。

現在也是。

「嗯。」她說：「一次。」

他不可能去過。不可能。她確認過：在那裡展示的太空梭是在二〇一二年才放在那裡，她猜他在離開奧伯斯敦後沒辦法去美國，因為他必須在海關宣布自己曾被定罪。從愛爾蘭直飛出去的航班，都必須先在機場接受海關的詢問；美國在愛爾蘭的都柏林和香農都有國土安全部的人員。他根本上不了飛機。

而且她如果說自己是在不久前參觀過無畏號，應該很容易說錯內容。

他問：「好玩嗎？」

琦菈遲疑不決，因為見真章的時刻來了。她在這時候必須做出選擇。

人們都以為，會決定人生軌跡的決定都是重大決定，像是求婚、搬家、應徵工作。但她知道，真正決定人生軌跡的是小小的決定，小小的時刻。

就像**這一刻**。

她想在母親離世之前為她取得那天的真相。打從那命運多舛的那一天，敲門聲顯示了兩名陌生男子——一個穿著警員制服，另一個穿著深色西裝，兩人看起來都感到遺憾而且嚴肅——出現在門外，母親就再也不一樣了。

我們恐怕需要問令郎一些問題。

這句話永久打破了她母親靈魂裡的一些東西，而且它從那以後變得更加破碎。

是關於本地一個失蹤的男孩，保羅．凱萊赫。

但是琦菈自己也想知道真相。

席芳可能對此不以為意——也許姊姊擅長假裝自己對此不以為意——但對琦菈來說，「不知道真相」就是折磨。兩名少年各執一詞，都說對方才是主謀兼真凶、搞出這一切的壞人。警方有第三種說詞：誰是主謀並不重要，因為他們倆都促成了男孩的死亡。

夏恩在家嗎？妳能不能叫他下來？

陪審團考慮了一切——奧利弗多快就放棄了謊言、他在偵訊中飽受折磨的眼淚、染血的太空總署T恤——認為發生的一切之所以發生，都是因為夏恩帶頭。促使陪審團做出這項推論的原因之一，可能是她家住在米爾河住宅區一棟為低收入戶提供的房子裡，她父親長期失業，而且在案件發生前，夏恩學業成績很差，還留級了一年。相較之下，奧利弗的家人擁有該區僅有的六棟獨立屋當中的一棟，位於角落，還擁有額外的一英畝土地，他的爸媽都是醫生，而且為他作證的其中一人是教區牧師。此外，他在外表上也比較**賞心悅目**——乾淨、整齊、英俊；相較之下，夏恩蒼白、矮胖，滿臉猙獰的青春痘。法官判處夏恩至少二十年的刑期，並承諾奧利弗他會在十八歲時出獄，他當時離十八歲還不到五年。

琦菈還記得在宣判的幾小時後，家裡籠罩著陌生的寂靜，她躺在席芳房間裡的露營床上（因為她幾個月來一直沒辦法獨自在自己的房間裡睡覺），知道彼此都醒著，都在盯著黑暗。

「發生了什麼事？」她當時問姊姊。

「妳哥殺了人。」姊姊淡然答覆。

從那以後，每當有人靠近，琦菈就會覺得體內被什麼東西夾住，一種尖銳又危險的東西，就像捕熊陷阱。她覺得自己的靈魂裡有某個東西正在等候，她自己都不知道的某個部分，一條鑲嵌於基因裡的黑暗帶刺鐵絲，可能在機會出現時讓可怕的事情發生。

她怎麼知道自己不會跟哥哥一樣？

她在手機裡保存著一張名言的截圖，據說是亞伯拉罕．林肯說的：**自律就是在你現在想要什麼和你最想要什麼之間做抉擇**。也許這是事實，但她最大的問題向來不是自律。她最大的問題是恐懼。她認為勇氣可能才是在你現在想要什麼和你最想要什麼之間做出抉擇，因為她現在想做的是離開這裡，結束這場談話，關上門。她想逃走，想待在一個讓她感到安全又安穩的地方。但在這一刻，都柏林、ＫＢ工作室或奧利弗．聖萊傑周圍，沒有任何一個安全地帶。

但她需要知道那天發生了什麼。

究竟發生了什麼。

夏恩當時是什麼樣的人。他如果還活著，現在會是什麼樣的人。

而現在就是她的機會。

「是啊，」她說：「不過比不上甘迺迪太空中心。」

十八天前

奧利弗醒來時，臥室裡陽光明媚，而且氣氛有些不一樣。他用手肘撐起身子，環顧四周。他覺得房間昨晚比較亂，現在地板上已經沒有散落的衣服。空氣沒了臭味，窗戶已經打開——他能聽到外面的鳥叫聲。他很慶幸在床頭櫃上看到一杯水，他貪婪地一飲而盡，試圖驅散覆蓋在喉嚨上的酸味。

廚房傳來聲響：流水聲、咖啡機的運作聲、湯匙在杯子裡攪拌的叮噹聲。看來她昨晚留下了。待了一整晚。

他希望這是個好徵兆。

奧利弗穿上乾淨的衣服，突然意識到她如果沒來，自己將是連續第四天穿著同樣的衣服。肘部的疼痛令他皺眉，他模糊地想起昨晚撞到東西。

他在浴室裡迅速刷了牙，用水潑了臉，然後走進主廳來找她。

「早安。」她說。

「早安。」

她坐在沙發上，喝著咖啡。嚴格來說，她是跪坐在沙發上，背脊筆直。她顯得緊繃。**嚴陣以待**。

他不確定自己能否坐在她旁邊，所以採取較為安全的做法：坐在沙發上，但坐在另一端，在彼此間留出足夠的空間。「你現在覺得怎麼樣？」她問。

「還好。」

「你有睡覺嗎？」

不算有，他心想。他在床上翻來覆去，在黑暗中醒來，儘管四肢疲憊不堪，眼睛刺痛，太陽穴悸動——雖然他只想睡覺——但無論出於什麼原因，他的身體就是不配合。

「一點點，」他說：「我有稍微闔眼。妳去哪了？週末的時候？」

「回家。不然我還能去哪？現在在封城，還記得嗎？」

發生了這麼多事，他不確定自己還記得。

「現在幾點了？」他問。

她俯身敲敲手機螢幕。

「七點三十五，」她說：「復活節星期一。」

他也忘了今天是復活節。

他有點希望能繼續像這樣談話，希望時間能暫停。

但他更想提出接下來的疑問，必須知道：

「妳回來了嗎？」

她沒立即答覆，而是往後仰，嘆口氣。「說真的，奧利弗，我自己也不知道。」

他鼓起勇氣，稍微靠得更近。

「我知道我已經說了很多次，可是我真的很抱歉。我原本並不想對妳說謊，但我看不出其他辦法。如果我一開始就說出來，如果妳知道——」

「你會不會傷害我？」

他整個人一愣，彷彿被她打了一巴掌。「什麼？」

「你應該能理解我為什麼這麼問。」

「琦菈，我永遠不可能——」

「可是我怎麼知道？我現在根本不知道你做得出什麼樣的事，不是嗎？而且我當時跟你一起生活，沒有第三人知道我在這裡。好吧，除了一個記者。說起來，她怎麼辦？我們該怎麼應付她？」

她說的「我們」二字讓他心裡浮現了希望，但一想到蘿拉，這份希望就被立即戳破。

「按法律來說，她不能公布我的名字。」他說。

「你的肖像呢？」

他搖頭，**也不行**。「受到保護的是我的身分，所以任何可能洩漏我身分的東西……」

琦菈慢慢點頭，彷彿在考慮這件事。

「我知道這麼多事情一定很難消化，」奧利弗說：「我只是要妳知道——而且我大概是全國唯一能這麼說的人——這兩個星期……是我這輩子最快樂的時光。」

一片寂靜。

奧利弗屏住呼吸。

「我也是，」琦菈終於輕聲開口：「但現在……我不知道該怎麼辦，不知道該作何感想。」

「妳不需要原諒我，」他說：「記住這點。而且跟我在一起，也不等於寬恕我做過的事，我不會這麼想。妳知道我不寬恕我自己，完全不是。但那是很久以前的事了，我也對此負責——我確實有負責，我坐過牢。我每天都帶著那天下午的遺憾活著，直到我嚥氣。但這不會改變我們所擁有的，也不會改變我們這幾週所擁有的。妳在這裡的時候，妳來這裡的第一個晚上，我覺得……」他又覺得咽喉緊縮。他試了一下，但沒疏通。「我只是想再感受到那種氣氛，琦菈。我希望我們能這麼做。所以，告訴我，我需要做什麼。告訴我，妳需要從我這裡聽到什麼，才會讓妳想留下來。」

她看著他的眼神，讓他想起在運河邊的第一天，在這個房間的第一個晚上，還有那之後的所有早晨——

他向她伸手。

他把她擁進懷裡，臉頰貼著她的臉頰，頭靠在她肩上。

然後，奇蹟般的，她讓他這麼做。

緩慢但堅定地，他感覺她的身體在他身上放鬆，感覺她的胳臂伸向他，感覺她的手在他背上擠壓。

他害怕得不敢動，深怕一動就會有什麼變化。

她說話時，因為靠在他的胸膛上而嗓音模糊。

「我不知道該怎麼辦。」

「我們能不能摸索著走下去？」他呢喃。

她微微點頭，幾乎難以察覺。

他鼓起勇氣，用嘴接觸她的唇。她起初猶豫了一下，但隨後做出了回應，把他拉向自己，回吻了他。

＊ ＊ ＊

這對他們倆來說都是奇怪的一天，像在蛋殼上一樣繞行於彼此周圍，不確定對方在某個時刻有何感受，擔心對方的心情會產生變化。

他不敢問她那晚要不要留下來，怕她會因此意識到回來是錯誤，她不能和他在一起，她甚至無法忍受看著他。她已經有幾次轉向他，吸口氣，好像想說什麼，但改變了主意，沒開口。

而且奧利弗一直都在試著忽略一個最緊迫的問題：他已經連續五天都沒能睡個好覺。

他也為此付出代價。他能感覺自己進入了最危險的階段，他通常試圖避免的階段：現實的結構開始被看不見的力量破壞，他開始聽到和看到實際上不存在的東西。然後，他會進入所謂的「微睡眠」狀態——他無法自制地睡著了，而且每次只睡了幾秒鐘——這通常表明他已經來到失眠的極限、他正在測試他的極限，而且如果再不盡快採取行動，事情可能會變得非常、非常糟糕。

他不想現在就吞鎮靜劑睡覺，至少不想在琦菈回來的當天這麼做，因為彼此之間的關係是那麼的微妙又脆弱，但如果他再不睡覺，就可能在不經意間毀掉一切。

因此，太陽開始從空中撤退時，他向她承認：他將不得不服用一顆藥丸。

「噢，」她聽來失望。「我是不是該離開？我可以回來——」

「不不，妳可以留下。我是說，如果妳願意。」

「你吞藥之後會怎樣？」

「不省人事。」他微笑。「基本上就是這樣。」

「然後你，呃，明天就恢復正常了？」

「我會有點昏昏沉沉，」他說：「但不會覺得像行屍走肉。」

這是她在他說出「真相」後第一次對他微笑，他覺得就像胸膛被插入暖爐。

他牽起她的手。「謝謝妳。謝謝妳回來，謝謝妳還在這裡。」他俯身親吻她的臉頰，輕柔但揮之不去。

他後退時，發現她熱淚盈眶。

「琦菈——」他開口。

「抱歉，」她擦掉眼淚。「我這幾天也沒睡好。我覺得我大概也需要睡個好覺。」

他揮手，示意臥室。「妳可以睡在床上，我睡沙發。」

「不不，沒關係。」她握住他的手，捏了捏。「你想不想先吃東西，還是……？」

「不吃比較好。」

「我可能會點些東西，或是跑去喬基餐館買外帶。」

「妳的鑰匙還在門廳的桌上。」他說。

「謝了。我會盡量保持安靜。」

「通常沒這必要。妳就算在這裡開轟趴，我也聽不見。那種藥會讓我徹底昏過去。」

奧利弗走進廚房，從水槽裡倒了一杯水，然後進浴室拿了一顆藥丸。根據他的經驗，鎮靜劑需要幾分鐘——可能長達十分鐘——才開始發揮作用，這時候人最好已經躺在床上，因為下一個階段感覺就像帷幕落下，就像重物從高處墜落。

他如果到時候還站著，就會直接倒下，無論在什麼地方。

而且他真的準備好了，準備好迎接幸福的昏迷。他想擺脫現在這種難受的狀態。他想在明天醒來時覺得休息充分、精力充沛，並準備好開始跟琦菈一起建立人生，讓他的餘生——他的「說出真相後的人生」——終於展開。

他吞下一顆藥丸。

他回到臥室，脫掉鞋襪，然後懶得處理其餘的東西，直接掀開毛毯爬上床。他聽見客廳的門輕輕關上，然後是低音量的模糊電視聲。

他閉上眼睛。

然後又睜開眼睛。

從這個角度，他能看到走廊。琦菈的包包放在那裡的地板上，她的大型黑色皮革包，頂部的握把沒闔上。她平時會把它丟在臥室的地板上，但她這次回來後就沒踏進臥室裡。

引起他注意的，是他看到從裡頭探出來的東西：一個大型的黑色 Moleskine 筆記本，一張餐巾紙的一角從筆記本裡伸出來。

餐巾紙上印著「邊車酒吧」的標誌。

那是在韋斯特伯里酒店的那間酒吧，他們倆第一次約會的地方。她那晚從酒吧拿走這張餐巾紙，留作紀念？

一想到她在那天晚上——其實只是幾星期前的事，但在封城期間裡感覺就像好幾年——就覺得自己跟他會發展下去，這讓他心中浮現充滿睡意的暖意。

他抬起頭，屏住呼吸，側耳傾聽。

冰箱門打開關上；琦菈在廚房。

奧利弗掀開床單，起身下床，走向她的手提包。他已經覺得有點頭暈目眩，於是伸出雙手，以防需要撐在牆上。他並不是打算窺人隱私，只是想確認。他想帶著琦菈對他的愛進入夢鄉。如果她依然帶著那張餐巾紙，就算經過星期三那件事，如果她至今依然隨身攜帶……

這就一定是好徵兆，不是嗎？

他俯身抽出餐巾紙。

上頭寫了東西。看起來像是用藍筆寫下的筆記。

法式七十五

紐約市的酒吧——沒有招牌／暗門

獨生女

他困惑得眨眼。這看起來像他們那晚討論過的事情，不過……

她為什麼要把這些寫下來？

他心想，也許她有記日記的習慣，她只是先做些筆記，等有機會再寫進日記裡。

他的視線從手裡的餐巾紙移向包裡的筆記本。

再移向緊閉的客廳門。

他拿出筆記本。

它顯得臃腫、皺巴巴，看起來經常使用。他打開筆記本翻閱。每一頁都塞滿琦菈的手寫字體。

他隨意翻到其中一頁。

太空梭

挑戰者號──一八／一／八六，0環故障（低溫），「升空」時爆炸

哥倫比亞號──二〇〇三／一／二，泡棉脫落／陶瓷受損，重返大氣層時燒毀

亞特蘭提斯號──甘迺迪太空中心，佛羅里達

發現號──史密森尼博物館，維吉尼亞州

奮進號──加州科學中心

企業號──無畏號，紐約市（測試載具）

如果隔壁的電視還開著，他也不確定，因為他耳裡充斥著雷鳴般的轟隆聲，什麼也聽不見。

他翻頁，發現一塊正方形的印刷文字，黏在紙上。這張紙亮面光滑，彷彿來自雜誌，看起來像是從採訪中剪下的；頂部有一句粗體字的問句，然後下面是相應的答案。

你對參觀甘迺迪太空中心的最佳建議是什麼？

別錯過亞特蘭提斯號！我超喜歡它被展示的方式，令人出乎意料——就像個驚喜。你進入一個龐大又黑暗的房間裡，觀看關於太空梭計畫的影片，你以為之後會進入另一個房間裡看太空梭，但就在影片結束後，銀幕向上收起，你發現自己就盯著亞特蘭提斯號——貨艙門開著，而且太空梭以某種角度傾斜，所以看起來就像在太空中飛行！我看了所有的展品和東西之後，回到裡面，看著下一批人在看到太空梭時感到多麼驚訝。

他翻到下一頁。

二〇二〇年——離開蘋果（科克）

二〇一七年——從斯旺西大學畢業

二〇〇二年——搬去曼島（七歲）

他翻到筆記本的封底，發現一張對摺的A４紙，沿短邊用膠帶固定。他攤開這張紙，閱讀上面的東西。它看起來像是一份LinkedIn個人資料的畫面截圖：名叫琦菈・懷斯的女性，住在都柏林，為賽洛斯工作——但隨附的個人資料大頭照是別人。

就在這時候，一團迷霧從他大腦的四面八方滾滾而來，讓一切變得渾濁，擋住了所有的通道，使得他的思緒還來不及成形就被截斷。

這是一種熟悉的感覺，他知道這是化學物質產生的感覺。

這種感覺無法被阻止。

他雖然知道這一點，但想抗拒，想在中間保留一點空間，這樣他就能思考，就能弄清楚……

這個筆記本。

裡頭寫著她跟他說的那些事情。

還寫著日期，彷彿……

彷彿她需要記得。

這不是日記，而是……

他在迷霧中清楚看到四個字。

偽裝身分。

琦菈需要建立一個偽裝身分。

他再次看著客廳門，不禁好奇客廳裡那個人究竟是誰。

但迷霧變得愈加濃厚，翻騰席捲。他稍微踉蹌，不得不把雙手撐在牆上。

她果然是記者。這就是琦菈的身分。她一定是記者。這是唯一的解釋。

意思就是，他不能讓自己睡著。

他**不能**。

不行。

奧利弗轉身，跌跌撞撞地走進浴室，覺得頭暈目眩，就像喝醉。他向下看時，地面似乎遠在他的赤腳下方。而且地面在移動，瓷磚上的淺色大理石條紋變形旋轉——

他跪倒在地，把頭靠在馬桶上，手指伸進喉嚨裡。雖然現在已經來不及阻止藥效，但也許能稍微推遲。讓他有時間思考。

讓他有時間判斷該怎麼辦。

該如何應付她。

可是迷霧持續翻騰，遮蔽了他的心智，把他的眼皮往下拉。他能看到它乘著黑潮向他衝來。

冷水。用冷水能讓自己保持清醒。

奧利弗撐起身子，走進淋浴間——他的肘部因新的疼痛而灼熱，想必是撞到了什麼——然後用力按下拉桿，直到大片雨滴開始擊中他的皮膚。但水溫是設置為通常的溫度——溫暖，而且越來越熱——這只會讓他更想睡覺。他把水龍頭轉向應該能讓水溫降低的那一邊，但水沒變冷。沒有變化。

他開始覺得自己的雙手彷彿脫離了身體，他好像在看著別人的手在動，而且這雙手似乎沒有任何抓力。

洗臉盆，他心想。洗臉盆有冷水。

他跌跌撞撞地走出淋浴間，身體撞到瓷盆，差點撞到掛在上面的鏡子。

他打開水龍頭。冰涼。

他試著用足夠的水填滿凹起的雙手，然後灑到臉上。

「奧利弗？」

她站在門口，瞪著他。他甚至不記得自己轉身。

「怎麼了？」她說：「你在做什麼？」

她的話語聽來扭曲，彷彿有個看不見的混音師放慢了播放速度。

「妳是誰？」他咬牙切齒。

他轉頭尋找筆記本和餐巾紙，但沒看到它們。

他不記得自己把它們放在哪裡。

「奧利弗，你已經吃藥了嗎？因為我覺得你應該躺在床──」

他感覺自己搖晃，於是試著邁出一步來穩住自己，他伸手摸向浴室門應該所在的位置，但他一個踉蹌，然後摔倒了，一陣衝擊和疼痛，一堵牆迎面襲來，玻璃破碎、掉落、粉碎的聲音──

然後琦菈尖叫。

二十三天前

「那一天只是個很普通的日子。我和同班同學夏恩一起走路回家，那……」琦菈低著頭，以免被奧利弗看到她的臉、判斷她的反應。她盡可能保持身體不動，不發抖，不哭泣。

她該怎麼辦？

她要怎麼聽見這番話而不做出反應，不讓奧利弗知道她已經知道這件事，他不僅在描述他做了什麼，也描述**她的哥哥**做了什麼？

「那一切是因為一件**非常**蠢的事，」他說：「**我們**很蠢。總之，就在幾分鐘後，一切都徹底失控了。」

看到他眼裡充滿淚水，她感到振奮。

他描述保羅・凱萊赫，說他常常跟著他們回家，而且他在那天朝他們扔石子。

「大多都沒打到東西，但有幾顆打到我們的書包，還有一顆正中夏恩的後腦杓。他轉身面對保羅，我以為他要對他咆哮之類的，但他說：『好吧，行。你可以跟著我們。我們要去河邊打水漂。』然後他看我一眼，好像在說……**配合我**。然後他開始奔跑。保羅跟上他。我也跟上。」

她試著想像哥哥做出那種行為，試著在腦海中像播放電影膠捲一樣播放這個場景。但她當時才八歲，而且她覺得當時的記憶很虛假，像是經過編輯，彷彿被家庭照片以及她在那之後聽到的故事所汙染。她完全不覺得自己能說出夏恩究竟是什麼樣的人、有著什麼樣的行為方式。

「那個住宅區是蓋在河邊，」奧利弗說：「所以按河川的名字命名。」

我知道。

「那裡的房子有點向河邊傾斜，想去河邊，就必須爬過一些樹。」

我記得。

「所以我們三人到了那裡後，就幾乎等於徹底消失。就是在那時候……」他嚥口水。「就是在那時候……夏恩就是在那時候開始毆打保羅。我只能用『毆打』這個詞來形容。夏恩有留級一年，他當時快十三歲了，而保羅比同齡人矮小……我什麼也不記得，只記得夏恩聳立在保羅面前，而保羅抬頭看著他——」他的嗓音變得哽咽。「彷彿——彷彿——」他停頓，試著恢復冷靜。「一開始，我沒介入。我只是站在那裡。可是夏恩要我過去，加上保羅試著掙扎逃走，而且他開始哭，所以我加入了，我——」他的嗓音在這時候崩潰，音調提高一階。「我沒阻止他，而是幫了他。我抓住保羅，抓住他的兩條胳臂，把他固定在原處。好讓夏恩繼續……好讓夏恩能——」

他停頓，用力嚥口水。

琦菈的心彷彿裂成兩半，被撕開一條看不見的裂隙，像縫合的傷口一樣裂開。其中一半對夏恩的行為感到痛心，他竟然做出那種事……

但另一半充滿暖意，充滿感覺，也許甚至充滿愛，因為奧利弗現在對此感到多麼遺憾，他光是講述這個故事就感到多麼痛苦。

他是個好人，她心想。現在的他是個好人。他成了好人。

如果夏恩能活到現在，也許也能成為好人。

他們倆犯了一個非常**可怕**的錯誤——「錯誤」這個詞彙甚至根本不夠用。這點無庸置疑。但他們倆當時是**孩子**，在那之前從沒做過這種事，他們倆原本只是很普通的孩子，直到那個可怕的下午。

而現在，奧利弗甚至拒絕走出**政府規定的活動範圍**。

夏恩原本也許不會做錯事。

一切原本也許不會出差錯。

琦菈迫切希望他能親自證明這點。她也想向母親展示這點，移除母親多年來感受到的痛苦，對自己施加的責怪，為兒子的行為所承擔的責任。

母親一直在責怪自己。

「我是他的媽媽。」母親以前常這樣念念有詞，但當時十歲左右的琦菈聽不懂。

不久後，母親再也不提起這件事。

「夏恩對保羅說，我們要去河邊把血洗掉。而我就是知道接下來會發生什麼事、他決定要做什麼，可是那時候就像……那時候就像……一半的我覺得這是好主意，我們必須這麼做，我必須這麼做，我要幫助夏恩，保護他，避免他惹上麻煩。可是在同一個時候，另一半的我看著保羅，他渾身是血，他乖乖答應，乖乖跟著夏恩走向河邊，那個我想尖叫『你他媽的在**做什麼**啊？**快逃啊**，趕緊**逃**。』可是我沒這麼做，我什麼也沒說。相反的，我……我只是跟著他們，來到河邊，我幫夏恩把保羅推進水裡，然後幫忙把他壓在裡頭。直到……直到他溺死。」

一片寂靜。

琦菈覺得想吐。她這麼多年來一直想知道案件的細節，而現在如願以償後，她卻願意為了把它還回去而付出任何代價。

「警察那晚來了，」奧利弗說：「來到我們家。」

警察上門的時候，我就在家裡。

「在那之後，一切都發生得很快。」

在我的記憶中，一切都接二連三地迅速發生，一陣可怕的淚水和低聲的爭吵，還有一間像殯儀館一樣安靜、悲傷、空蕩蕩的房子。

「我們被起訴，被送去奧伯斯敦——一個少年觀護中心。有一場審判。為了保護我們的身分，我們被稱作少年A和少年B。我們兩個都被判犯下謀殺罪，但因為各自的……涉案程度不同，而被判了不一樣的刑責。我在十八歲生日獲釋，至於夏恩……嗯，夏恩在他十八歲生日那天自殺。他原本還剩十五年的刑期。」

聽到夏恩自殺這件事，她抬起頭，只希望奧利弗有更多關於這件事的消息，他能更清楚地說明她哥為什麼做出這種事，什麼原因讓他走上絕路。在他被捕後，她就再也沒有見過他，而且她對他在奧伯斯敦的時光知之甚少，只能從幾場輕聲談話中竊聽得知。

「我不是天生的壞人，琦菈。我不是什麼變態的禽獸。我當時只是個孩子，在那五分鐘內徹底失去理智的孩子。這個孩子在某天下午放學回家的路上犯了個愚蠢又

嚴重的錯誤，因為他不想在年紀和塊頭都比他大的朋友面前像個膽小鬼。我當時十二歲。我沒辦法扭轉過去，所以我在其他方面盡力：打從那一刻起，我就盡可能做出彌補。我做了我該做的**每一件事**。我接受了我的懲罰。我是觀護所裡的模範生。我接受了所有的心理治療，遵守了所有規定。不管他們要我做什麼，我都有照做，而且拿出超越百分之百的努力。我離開觀護所後，連**亂丟垃圾**這種事都沒做過。但我現在做什麼都不重要，因為每個人只想著、只在乎我**做過**什麼。」

他朝她走近。

一步，兩步。

「然後我遇到妳。而妳喜歡我。我跟妳在一起的時候，感覺就像……我覺得我就像**我自己**。我原本應該成為的那個我，真正的那個我，無論以前還是現在。雖然我知道這段感情沒辦法持續下去，我知道妳遲早會發現我的真實身分，但我想維持那種感覺，所以我繼續跟妳見面。而後來，不可思議的是，發生了一場該死的**全球疫情**，我們聽說要封城，而妳住在小公寓裡，在家工作，剛搬來都柏林，誰也不認識，而且——」他搖頭，表示難以置信。「妳甚至**不用社群媒體**，所以我心想，我只隱瞞兩星期，我只在這兩星期裡向她隱瞞。而且我希望，我迫切希望，真相浮出水面的時候，妳對我已經有了足夠的瞭解，知道這才是我。此時。此刻。」

她很想訴他，她知道。

而且她有什麼感受。她的感受是，她知道此時此地的這個人才是真正的奧利弗。這幾星期。

她那晚站在這裡，在這個房間裡，在他的懷抱裡，看到那道傷疤。那晚在露臺上，他給了她驚喜。在公園度過的那個晴朗的一天。

她把每一件小小的好東西都收集了起來，安全地收藏於心，因為每一件都證明**夏恩**不是壞人，他是好人；只要他當年能像奧利弗那樣撐下去，回歸這個世界，就能過上好日子，做個好人。

而她在途中也開始**愛上**奧利弗。

現在，她想留下。跟他在一起。

把這段關係轉化成某種真實的東西。

但首先，她必須讓他知道她的真相，揭露自己究竟是誰、如何找到他，為什麼這麼做。

如此一來，他們倆才能原諒彼此，重新來過。

但現在不是時候。先讓拆除這些謊言所激起的塵埃和過去的殘骸落定再說。先讓震波平息下來。

在那之前，她現在必須做出一般人在初次聽聞這種故事後會有的反應。所以她起身跑進浴室，盡可能裝得好像在馬桶前嘔吐。

十八天前

奧利弗躺在地板上，頭部劇痛，到處都是碎玻璃和溫暖的水，琦菈對他大喊大叫，一遍又一遍重複同樣的話，聽來遙遠。

他試圖稍微清除腦子裡的迷霧，去捕捉那些字句，聽清楚它們。

「我是夏恩的妹妹！琦菈・霍肯。而且我知道。我從一開始就知道一切。別擔心，奧利弗。別擔心，別擔心，別擔心……」

他覺得自己好像說了「什麼？」，但聽不見自己說出來，這可能只是幻想。

「對不起，」她說：「我只是想知道那天發生了什麼事、夏恩如果活到現在可能會是什麼樣的人、什麼模樣。如果答案就跟你一樣，這就是好消息，因為你很好，你是好人。我相信。我親眼看到了。」

奧利弗開始哭。

如果他真的是好人，就會跟她說實話。

完整的真相。

「不，」他說：「我不是。」

這幾個字確實從他嘴裡說了出來。

他好像聽見琦菈說要叫救護車。

他用僅剩的力氣，尚未被翻騰黑浪奪走的力氣，喊出：「不行！」

「可是你傷到頭——」

水流停止了。想必是琦菈關掉的。

奧利弗試著轉頭看她的臉，但一切都覺得無比沉重。他的腦袋這麼沉重，是怎麼在肩上一直扛到現在？他的腦袋把他往下拉，拉向地面。

他意識到自己跪在淋浴間裡，周圍是小小的……

碎玻璃？

「你需要急救，奧利弗。來，讓我——」

但她向他伸手時，被他抓住腿。

「不，」他咬牙道：「不。」

「奧利弗，看在上帝的——」

「我不……配……」

「奧利弗——」

「**人是我殺的**。人是我殺的。我……一個人殺的。不是夏恩。」

她放開他，他的頭部因此倒回地上。

感覺很長的一段時間裡，周圍沒有任何聲響，只聽見頭頂水龍頭的滴滴答答聲。奧利弗模糊地意識到，水滴落在自己的頸背上。

「不是夏恩。」他重複。

然後琦菈開口，嗓音極輕。「你在說什麼？」

他轉頭，直到臉頰貼在冰涼潮溼的瓷磚上，嘴巴不受阻礙。「我跟妳說的……」他覺得嘴唇鬆垮，舌頭肥厚。他需要睡覺。他已經跑不贏睡意。一切都太溫暖，太沉重……「我跟妳說的……發生了什麼。我說夏恩做的那些事……其實是我。」他集中剩餘的力氣，最後一次用力一推，說得更清晰也大聲。「把我們調換過來。把我跟夏恩調換過來。這……這才是真相。」

他開始意識模糊，感覺黑浪拍打他的腳，包圍他的腳踝。

「你是說……」琦菈聽來如此遙遠。「你是說那件事是你帶頭的？是你毆打了保羅？是你提議淹死他？」

他睜開眼睛。

他只看到琦菈的運動鞋，離他的臉只有幾吋，但鞋子是紅色的。

不，且慢——**一切**都是紅色的。彷彿上了濾鏡。

有東西在出血。他在出血。

「沒錯，」他說：「沒錯。這就是為什麼……他對我動手……我拒絕說實話……他忍無可忍……沒人相信他。」

他聽見琦菈哭，但他沒辦法安撫她。

他什麼也沒辦法做。

他試著抬頭，但只能移動少許，所以他現在是看著瓷磚。

然後他聽見別的聲音。

感覺到別的動靜。

水。

不只存在於他的腦海，而是存在於現實。而且不是剛剛那種滴滴答答的小水滴，而是傾盆大雨，四處飛濺，他的腦袋裡充斥著水流聲。

而且琦菈還在哭。

然後他什麼也聽不見。

他被黑浪席捲。

今晚

「我們再過二十分鐘就要跟警司見面，」莉亞說：「所以看在上帝的份上，幫我找到犯罪事證。」

卡爾聳個肩。「我不確定這是犯罪案件。」

兩人在警察局裡，坐在後側一張辦公桌的兩端。莉亞癱坐在一張旋轉椅上，心不在焉地左右擺動幾吋，然後又轉回來，眼睛因為剛剛被她沮喪地揉搓而泛紅。卡爾坐在一張他拉到桌邊的硬塑膠椅上，一隻手肘撐在桌上，下巴撐在手上。兩人之間的桌上，散落著用沾染油汙的棕袋裝著的麥當勞晚餐。莉亞心不在焉地撥撥一盒受潮而且涼掉的麥克雞塊。

現在快九點，外面幾乎全黑，他們倆也已經筋疲力盡。但在九點整，他們必須跟總警司見面，說明狀況、目前的調查進度，而且接下來打算怎麼做。

但儘管做了許多努力，他們還是沒找到犯罪證據。

＊＊＊

肯尼斯・巴爾夫值得被稱讚的是，在他們向他表示他其中一間公寓的房客可能跟另一間公寓的命案有關後，他說服了蘿拉・曼尼克斯和他的妻子艾莉森自願來警察局裡聊聊。

艾莉森・巴爾夫很快就承認了，她的丈夫其實並不是他自以為的那麼謹慎，而且她清楚知道住在一號公寓、在她丈夫辦公室工作的那人是誰。她很討厭奧利弗・聖萊傑，不想跟他有任何瓜葛，認為他根本不該跟巴爾夫的家族企業有任何關係；她發現一個解決方案，就是把這件事告訴她的大學老友蘿拉，對方這陣子剛好在一個廣播電臺工作。但因為保護奧利弗身分的法院命令只禁止公開報導，沒禁止私下告知，所以警方沒辦法為此起訴艾莉森・巴爾夫。她並沒有違反任何法律。

至於蘿拉使用網站時光機、擁有敏銳聽力，以及住在地點方便的公寓裡，這也只是組成了一個精采的故事，僅此而已。她告訴警方，她有試著避免讓艾莉森牽扯其中。卡爾告訴她，她該寫本犯罪小說。

但她承認進入一號公寓，給奧利弗的屍體拍了照，然後再次離開，沒讓任何人知道他的死訊。她甚至沒告訴**艾莉森**，而這可能造成了目前的狀況：這兩個女人拒絕交談。蘿拉堅稱自己在一號公寓裡的時候沒碰過任何東西，所以沒理由在離開前擦掉指紋，但她確實承認至少兩次故意在公寓社區裡觸動火災警鈴。她這麼做是為了逼居民們出來，包括奧利弗・聖萊傑及其神祕女友，好讓她能看到甚至接近他們倆。

驗屍報告在兩小時前出爐：奧利弗・聖萊傑死於溺水。毒理學報告需要更長的時間才能取得，但目前公認的理論是，他服用了羅眠樂——他有所需的處方箋——然後在淋浴間裡摔倒。此刻，肯尼斯・巴爾夫正在確認死者的身分。

不管是誰把一號公寓裡的指紋擦乾淨，那個人做得非常仔細。在他們找到的指紋中，只有兩枚不屬於死者，而且位於較少經過的區域：電視機的背面，還有一面衣櫃門的底部。這些指紋很可能屬於之前的住戶。警方沒能在資料庫裡找到匹配的紀錄。

唯一尋獲的可取證物品，是奧利弗的手機，上面顯示他曾跟一個他稱作「琦菈」的用戶交換的簡訊，最後一條是差不多兩星期前。

二十天前，奧利弗發了簡訊給這名女子：

我知道我們之間結束了，但我不希望是以這種方式結束。我們能不能談談？如果妳願意，我們可以在公眾場合見面。

他在十八天前收到她的答覆。

也許我們可以在封城結束後一起喝一杯。注意安全。親一個。

從這兩人的訊息內容來看，奧利弗和這個叫琦菈的女人原本有在見面，但顯然在他死前分手了。琦菈的號碼一直無人接聽，打去會聽見一則語音訊息說「現在無法聯繫到該用戶」。簡訊內容裡也沒有有助於識別女方身分的細節。他們正在等電信業者提供這個號碼的註冊資料，但目前只被告知這是一個預付卡號碼。用戶提供的姓名和地址未必是真的，因為這些都沒經過驗證。

奧利弗的電話裡還有一串來自其兄理查的簡訊和未接來電，理查在訊息中詢問弟弟為什麼不接聽。其中一條訊息是為之前一場談話道歉，理查在那條訊息中告訴奧利弗不該待在那間公寓裡，他知道艾莉森・巴爾夫對奧利弗「恨之入骨」，這女人不能相信，而且奧利弗為了自身安全必須離開那裡。最後一條訊息是在愛爾蘭時間的昨晚傳來的，上面說如果奧利弗在接下來的二十四小時內不回覆，理查就要請肯尼斯上門查看。

莉亞今天下午跟理查談話時，就在他準備搭機返回都柏林之前——而且回國後必須自我隔離兩週——他解釋說，家族裡只有他還在跟奧利弗保持聯繫。兩個月前，奧利弗在倫敦差點被暴露真實身分後，徹底切斷了跟當地所有朋友和同事的聯繫。他有個名叫丹恩的心理治療師，但目前每個月只交談一次。

理查要求繼續遵守法院命令，不得向媒體公布有關他弟弟真實身分的資料。莉亞向他保證會照做。依照規定，愛爾蘭警隊的新聞辦公室只透露了少許細節，而且今天下午出現在 ThePaper.ie 上的報導只提供了媒體獲准知道的內容。

警方正在調查都柏林第六區一具男屍命案（二十九歲）

都柏林警方正在調查一名二十九歲男子的命案，其遺體是在都柏林第六區哈羅德十字路口一棟公寓裡被發現。這項駭人聽聞的發現，起因是鄰居抱怨聞到臭味。警方正在調查該男子死亡的相關情況，儘管消息人士表示警方並不懷疑這是凶殺案。屍體已被送往聖詹姆斯醫院，等候驗屍。如果您有任何線索，請撥打警方的專線 1800-666-111。

值得慶幸的是，今天是「重新開放計畫日」，所有可用的新聞篇幅和新聞臺時間都塞滿了政府從五月十八日開始慢慢結束封城的五階段計畫，以及從星期二開始，每個人的活動範圍從原本的兩公里增加到五公里。

沒有人關心在公寓裡發現的一具無名屍，尤其因為死者不是被謀殺。

* * *

「我總覺得不對勁。」莉亞心不在焉地用食指擦拭麥當勞紙杯上的凝露水。

「除非病理學家在那傢伙背上發現了一把七吋長的刀子而我沒聽說，」卡爾說：「否則死者是死於意外。結案。」

「我們來仔細談談這件事。」

「我們不是一**直在談**這件事？」

「總之。嗯。」莉亞坐直身子，啜飲幾口可樂，雖然她知道裡頭的大量冰塊早已稀釋了咖啡因的效力。「總之。嗯。總之。」

「妳的開場白好精采。」卡爾咕噥。

「你怎麼還有力氣耍嘴皮子？你昨晚根本沒睡覺。」

「這是因為我是個——那叫什麼來著？——**年輕人**。」

「你我只差七歲，卡爾。」

「妳我在表格上是在不同的年齡層上打勾，這有差。」

「是誰關掉了水龍頭？」

「他關的，」卡爾說：「湯姆・希爾森說有這個可能。聖萊傑當時還剩一點力氣，伸手拍打了拉桿，但在力氣耗盡後趴倒在地板上，溺死在積水裡。」

「可是那些簡訊如何解釋？他在簡訊上說他不希望事情是以某種方式結束，還提議在公眾場合見面，如果她願意。這聽起來好像發生了什麼大事，她如果跟他共處一室可能會覺得不安全。」

「可是這也可能是指封城，」卡爾說：「他們倆分屬兩戶人家，本來就**不應該**共處一室。而且她的答覆聽起來沒問題。莉亞，我能不能問妳一個問題？妳嫌妳的工作**還不夠多？**妳覺得日子太無聊？是這樣嗎？」

「她為什麼現在不接聽那個號碼？」

「因為她換了號碼。」

「為什麼？」

「因為人就是會**這麼做**。有時候人就是會換電話號碼。」

「你的號碼用多久了？我的好像用了二十年了。」

「莉亞，夠了。咱們都知道永遠會有一塊拼圖不夠吻合，但這並不表示我們看不見大局。而且妳必須承認，妳之所以到現在還盯著這幅拼圖，純粹是因為他是誰。如果拿掉米爾河案，拿掉蘿拉·曼尼克斯——還剩下什麼？有個傢伙吃了藥，倒在淋浴間裡。結案。」

「你應該知道你那句『結案』不構成法律判決吧？」

「我覺得應該構成法律判決，」卡爾說：「這樣會更有效率。」

「我們必須找到那個叫琦菈的女孩。」

「那妳提議咱們該怎麼做？除非我們能找到那個用戶的完整姓名——我對此可不抱期望——但我們現在只知其名而不知其姓。」

「我們也知道她有科克腔，還有蘿拉對她的樣貌描述。」

卡爾翻白眼。「妳說得沒錯。我相信我們很快就能找到她。」

莉亞用手指敲著桌面，陷入沉思。

「妳為什麼一定要把這想成凶殺案？」卡爾問：「這件案子根本沒有壓力。死者只有個住在地球另一頭的親戚，那個人根本不希望這件事鬧大。蘿拉·曼尼克斯知道自己差點犯法，所以一定會乖乖配合調查——她也不會造成問題。所以，咱們就告訴警司，我們認為這是意外，但我們會繼續找那個叫琦菈的女人，我們也正在等毒理學報告，但除此之外……」他兩手一攤。「我們還有什麼要做的？」

「我只是覺得我們好像被騙了，」莉亞說：「好像有人用低價賣一輛新車給我們，還保證車子沒有任何毛病。我們知道這不可能是真的，但車子看起來很好，所以我們說不出來哪裡有陷阱。」她嘆氣。「就假設他是自己關掉了水龍頭吧。行。但他的女朋友為什麼用預付卡手機？你上次遇到一個不用月租型手機的人是什麼時候？大家都需要上網吃到飽，為了……我也不知道，為了玩抖音吧。」

卡爾嗤之以鼻。

「而且讓我覺得太方便的是，」她說下去：「那支手機現在不僅關機，而且他們倆的聯繫是在什麼時候停止的？在他死前的三、四天前？而且整間公寓被擦拭得乾乾淨淨，門沒鎖，還有……另一件事是什麼？噢沒錯，他是**被定罪的兒童殺手**，身分受到保護，而且有個記者在追蹤他。」

「可是他不是被謀殺。」卡爾說。

兩人沉默一會兒。

然後卡爾說：「我能不能提出一個瘋狂的想法？」

「你以前從沒事先徵求許可。」

「如果凱撒·索澤其實根本不存在呢？」

莉亞茫然地看著他。「那誰啊？」

「妳是認真的嗎？莉亞，妳天天都在扯流行文化的人物。妳因為我不知道劉薏絲·蓮恩是誰而取笑我——」

「她叫露薏絲。」

「——但妳居然不知道**凱撒·索澤**是誰？」

「我只知道我們再過十五分鐘就要跟警司見面，卡爾。」

「如果所謂的琦菈根本不存在？」

「但她存在。他有傳簡訊給她。蘿拉也有見過她。」

「他有傳簡訊給**某人**，而蘿拉說自己見過她。聽著，我不是說他沒有女朋友。我不是說奧利弗不叫她琦菈。但如果那個女人——麻煩來個頒獎音效——其實就是咱們的好朋友蘿拉·曼尼克斯小姐呢?」

莉亞試著推開疲憊感，思索這個可能性。

「這個可能性很合理，」卡爾說下去。「也能說明他們倆的關係為什麼結束得那麼湊巧，為什麼她現在不接電話。蘿拉假扮琦菈，為了接近聖萊傑。聖萊傑吞了鎮靜劑，溺死在淋浴間的積水裡。蘿拉進入公寓，發現這件事，嚇壞了，因為她認為他是故意這麼做，因為他發現了她的真實身分之類的，她怕自己會受到責怪，所以她沒報案，而是把公寓裡的指紋擦乾淨，離開那裡。她還傳了那條簡訊，讓所謂的——」卡爾用手在半空中畫引號。「**女朋友**消失。她等他發臭，其他人因此報案，然後她滲透我們的調查，因為挖到調查方面的新聞是最棒的安慰獎。她跟我們說她後來沒再跟他說話——同樣的，這個說法還真方便——但她說她有跟他的女朋友談話。我的意思是，拜託一下，妳必須承認我的說法很合理。」

「也許你該寫本犯罪小說。」莉亞咬著下脣思索。「這個想法不算太扯，不過……她至少比他大十歲。」

「這又怎樣?二十幾歲的男生就愛熟女，而且她很辣。」

「噢，她**很辣**是吧?很高興知道你有把心思放在這個案子上，卡利小子。」

卡爾咧嘴笑。「僅限我的**心思**。」

「我為什麼老是覺得我在跟你說話後必須洗個澡?能不能拜託你不要再對我們的證人們產生性幻想?」

「我的意思是，她確實散發著那種讓我懷疑隔天起床會看到她拿刀對著我的氣質，不過她確實很辣。還有，聽著。」他舉起雙手。「琦菈。蘿拉。兩個人的名字都是『Y』結尾。」

「我會假裝沒聽見你這句。」

「我很感激。」卡爾嚴肅地點頭。「這不是我最精采的推理。」

「蘿拉就是琦菈。琦菈就是蘿拉……」莉亞靠向椅背，繼續心不在焉地轉椅子。

「這倒也不是你**最差勁**的推理，雖然你的爛推理本來就一大堆。」

「妳仔細想想：其他住戶都沒說他們見過這個叫琦菈的女人。」

「他們也不記得有見過奧利弗。從封城開始之後就沒有。」

「他的手機裡沒有她的相片。」

「他的手機裡沒有**任何人**的相片。」

「而且所有簡訊都湊巧沒提供能讓我們找到神祕小姐的線索。本人陳述完畢。」

他眨個眼。「結案。」

「我們必須取得琦菈手機的基地臺數據，找到那支手機的下落。也許這能讓我們取得監視器畫面之類的。交通攝影機、城市街道上的影像。如此一來，我們或許就能找到她。」

「也可能只是浪費好幾小時的人力，來調查一項非犯罪行為，結果只看到模糊影像上的蘿拉・曼尼克斯。」

「那你建議我們怎麼做，卡爾？」

「我認為，如果我們要做任何事，就是用妨礙司法公正的罪名起訴蘿拉。她早該在兩星期前打電話給我們，而且她今天一直對我們撒謊。如果我的推理是正確的，她到現在還在撒謊。而當然了，我認為我的推理是正確的。」

「當然。」莉亞翻白眼。

「我認為我的推理比其他可能性都正確。我的意思是，想像一下其他可能性。有人強迫這傢伙吞下他自己的安眠藥，然後推他去撞淋浴間的門，而且這個人完全沒留下自己存在的證據，除了一支想必用捏造的姓名和地址登記的手機。這個人把公寓裡擦拭乾淨。他們倆在一起的期間，這個人進出公寓都沒被其他人看到，而看到她的那個女人不值得信賴。這個人懂得在自己被只保存七天畫面的監視器拍到之前離開那裡，而且讓整件事看起來就像一起悲劇意外。而咱們都知道，犯罪大師的數量才沒有Netflix上演的那麼多。」

「嗯……」莉亞只這樣回一聲，瞟向牆上的時鐘。「我們該走了。」她呻吟起身。

卡爾也站起，伸個懶腰。「所以我們要怎麼說？」

「就說是意外死亡，有待毒理學和進一步調查。這樣應該不會引發什麼批評。我們跟警司說，我們會試著找到這個神祕的琦菈女人，而且把蘿拉·曼尼克斯帶進局裡做正式偵訊。」她嘆氣。「我原本還以為能享受一個安靜又放鬆的週末……甚至能把自己的生活整理一下，你懂嗎？」

「妳有沒有想過，」卡爾說：「也許妳本來就過著**很正常**的生活，只是妳的生活跟別人的相比很不正常？」

「你怎麼這麼能掰？」

「我其實不只是一張小白臉而已。」他眨個眼。

「你在這一刻連小白臉都談不上。」

「妳現在站在玻璃屋裡，所以我聽不清楚妳在說什麼。」

「噢——等會兒的事情結束後，你得把艾迪·莫尼漢的手銬還給他。」

「**什麼？**」卡爾皺眉。「為什麼？」

「因為這麼做是應該的。」

兩人繞過幾張辦公桌，朝警司的辦公室走去。

「我要怎麼跟他說我從哪弄到他的手銬？」

「我哪知道？」莉亞說：「但拜託你別讓他知道他那副手銬曾經銬在什麼東西上。」

三天後

星期二當天——兩公里的移動限制提升到了五公里——琦菈在天亮時就起來了。她灌下一杯咖啡——她保留了這個習慣，甚至在奧樂齊超市買了一臺仿冒Nespresso的咖啡機——然後把腳伸進運動鞋裡，出了門。太陽微弱又寒冷，但正在爬向萬里無雲的天空。她沿著運河行走，然後穿過聖約翰學院的哈丁頓路，右轉進入巴斯大道。廣闊的桑迪芒特海灘映入眼簾——在它後面，愛爾蘭海的溫柔鋼藍色波浪一直延伸到海平線——她感到身體獲得了釋放，鉛塊從肩上消失，一種輕盈感穿過心中。然後是海風的侵襲，將她的頭髮朝四面八方吹散，往她臉上噴砂。

她喜歡這種感覺。

這讓她清醒，讓她回到當下。

這兩個多星期來，她大部分時間都躲在單人公寓裡，天黑後出門買雜貨和報紙，在報紙上和網路上搜尋有關奧利弗．聖萊傑的消息。而相關消息終於在星期五出現在網路上，在星期六出現在報紙上：**都柏林警方正在調查一名二十九歲男子的命案，其遺體是在都柏林第六區哈羅德十字路口一棟公寓裡被發現。這項駭人聽聞的發現，起因是鄰居抱怨聞到臭味……警方並不懷疑這是凶殺案。**

她原本以為，自己會和奧利弗一起度過這兩個星期。她原本要告訴他真相，毫無隱瞞：她是誰，她為什麼覺得有必要找到他，還有她在某些程度上已經愛上他了。

她原本想和他在一起，看看這份愛能否增長。

但他的吐實改變了一切。現在，她為兩個人哀悼：其實並不無辜的奧利弗，以及沒能活到現在的夏恩。

她心中的痛楚既尖銳又劇烈，混雜著其他情緒，而且一團亂。她發現自己有時候會想著奧利弗，想著跟他在一起，想著自己相信他，而且發現自己會希望事情朝另一個方向發展。但她接著會想起他說了什麼，他說他才是主謀，那些年前的那一切都是因為他而發生，然後她會感到一種冰冷的、鋼鐵般的確知，知道事情不可能往別的方向發展。

她不擔心警方會來找她。她已經著手建立了一個能保護她的謊言，一種能在她的真實自我和奧利弗之間拉開距離的鯊魚籠，而她在無意中創造了一個幻影。她站在昏迷的他的旁邊，看著淋浴間的地板積水，知道一個人的口鼻貼在瓷磚上時會發生什麼事的時候，就已經意識到這點。

她知道自己能逍遙法外。

她先前借用了在 LinkedIn 上找到的一名賽洛斯員工的職務和姓氏，製作了自己的個人資料，而她的期望是，奧利弗如果上 LinkedIn 找她，會先看到這筆假的個人資料，不再進行其他調查。她只透過一支預付卡手機跟奧利弗聯繫，而她在那支手機的個資上是登記奧利弗的名字和ＫＢ工作室的地址；在她最後一次離開他的公寓之前，她用它發送了一條簡訊，暗指她和奧利弗已經分手。她看到奧利弗的手機因為收到簡訊而螢幕發亮，而且她發現自己擁有的另一層保護：那天在運河邊，他雖然有問她姓什麼，但沒存進手機的聯絡簿裡。她在他的聯絡簿裡就叫「琦菈」。她真正的手機未曾離開薩塞克斯公寓的那間單人房。

那天晚上，她待在他的公寓裡，奧利弗的屍身變得蒼白冰冷的時候，她擦掉自己在公寓裡留下的每一個痕跡。除了奧利弗之外，只有記者蘿拉知道她在那裡，但蘿拉掌握了什麼情報？不會比警察多到哪裡去。沒錯，蘿拉是知道琦菈長什麼樣子，但琦菈已經在試著改變這一點。

而且誰有理由找她？奧利弗是跌倒後死亡。他發生了悲劇性的意外。他是自己走進淋浴間，處於那個環境，滑倒後昏迷不醒。她剛進入浴室時關掉了水龍頭，他的頭部當時在洗臉盆裡。她唯一有做的，就是重新布置現場。跟她發現他的時候一樣，她再次打開了蓮蓬頭，開到原本的水流。

她不用負起任何責任。

在她的認知裡，是奧利弗害死自己——而且警方顯然也同意。**警方並不懷疑這是凶殺案**。

然而，在黑暗的深夜中，她快睡著，沒力氣對自己說出更多故事的時候，不得不承認自己做出了她一直以為哥哥有做出的行為，她在追求**那個真相**的過程中發現了另一個真相：她的家族裡**確實**有一個殺手。

但那個殺手是她。

她唯一能找到的安慰是，她現在明白**殺人**和**身為殺手**之間可能存在著差異。為了她自己，她希望這種差異真的存在。

雖然現在時間還早，但沙灘上已經散落著幾十人，不過因為潮水退到一半，所以人們之間有著充足的空間。琦菈能沿著水邊行走，而根本不會靠近其他海灘遊客。她看了一會兒海浪的漣漪，陽光在水面上分裂成碎片，挪移消失又重組。然後她感覺到——而不是聽見——口袋裡的手機發出鈴聲。

席芳。

在姊姊的認知裡，琦菈來都柏林是為了參加一場工作面試，她目前任職的公司要為一家新酒店找負責處理活動的人員來加入開業團隊，這些員工將在開業前的幾個月裡準備好一切，歡迎第一批客人。之前跟奧利弗相處甚歡時，琦菈打給了姊姊，說自己會接受這份工作，但這只是暫時的，只為期幾星期。與此同時，她**真正的**那份工作因新冠疫情造成的限制而受到重創；根本沒人在封城期間辦活動，所以大多數的酒店都歇業了。她在科克的老闆指示她申請疫情失業救濟金，她照辦了，而且她在奧利弗的公寓裡是靠看書和玩電腦上的紙牌遊戲來度過她的「工作日」。後來，她給了席芳一個讓自己繼續待在都柏林更顯合理的理由：酒店在封城期間為她提供了一個免費的房間。

現在，政府已經宣布「重新開放計畫」，她最早要到七月才會真正恢復工作。她沒辦法在都柏林待那麼久的同時繼續支付在科克的房租，所以她將在這星期的某一天搭火車回家。她並不擔心沿途遇到警察攔檢；事實證明，她相當擅長說謊。

她在接聽時心想，她會跟席芳說自己很快就會回家。她回家後要做的第一件事，是去探望媽媽。她不確定這種可能性在目前有多大，但能肯定的是，院方應該會允許家屬探望來日無多的患者。

她必須告訴媽媽，自己發現了什麼，還有關於夏恩的真相。

「喂？」

席芳說過琦菈沒辦法把夏恩帶回來，但姊姊錯了。她讓夏恩變回了自己，變回了在家人的回憶中的那個人。她成功地糾正、清理了那些回憶，讓它們變得正確又真實。

「琦菈？」姊姊的聲音聽來遙遠，幾乎被風的聲音掩蓋。「妳聽得見我嗎？妳在嗎？」

「我很難聽清楚——」

「琦菈，是媽媽。她快不行了。」

腦子裡還沒動念，琦菈的身體已經開始奔跑，她把手機貼在耳邊，喊道：「等等，等等，等等……」

她是對姊姊這麼說，但也是透過意念對媽媽下令。

她跑回海邊斜坡上，上了臺階，來到小路上，繞過一些水泥結構的拐角處，她希望這些結構能幫忙擋風。

「席芳？」

「現在清楚多了。」

「她還清醒嗎？」

「我認為她聽得見我。她沒辦法說話，不過……」

「那裡只有妳？只有妳跟她？」

「嗯。」

「打開擴音模式。」

一陣沙沙聲，席芳再次說話時，聲音聽來放大而且帶有回音，琦菈因此知道媽媽也在聽。

她深吸一口氣。

她強忍淚水。

「媽，」她說：「是我。琦菈。有件事我要告訴妳。是……是關於夏恩。」

作者註記

二〇二〇年二月二十九日，愛爾蘭出現了第一個新冠疫情案例：一名曾前往義大利受災地區的男子感染了病毒，返回愛爾蘭。三月九日，所有即將舉行的聖派翠克節活動都被取消，並於三月十二日宣布學校、托兒設施和文化機構都將關閉。三天後，諸多酒館也被迫關閉。

第一次「封城」是在三月二十七日宣布。在當時，我們不知道那只是幾次封城的頭一回，也不知道它會一直延續到夏天。一開始，我們被告知封城將持續兩週。所有非必要的旅行都被禁止。所有非必要工作人員都必須待在家中。人們不能與同住者以外的人待在一起，而且弱勢群體必須在家中「做繭」。基本上來說，當時的訊息是：待在家裡，除了購買食物，或在住所的方圓兩公里內進行簡短的個人體能鍛鍊。四月八日，隨著復活節週末的臨近，警方啟動了「Fanacht（意思是「留在家裡」）」行動，以確保遵守《一九四七年衛生法》底下的新法律：第三一A條——二〇二〇年的臨時限制（新冠疫情）條例。違規可能導致最高兩千五百歐元的罰款，甚至被判入獄。兩天後，即四月十日，封城又延長了三週。

這段時間，我一個人待在都柏林市中心一間單人小公寓裡，床鋪是從牆壁上翻轉下來的那種。（沒錯，就跟琦菈的一樣，只是我的公寓比她的好太多了！）我重看了《LOST檔案》，玩了樂高，烤了香蕉麵包，透過 Zoom 舉行雞尾酒會，在 Instagram 上貼文，而且獲得了這本書的靈感。（你現在也能在我的 Instagram 帳號 @cathryanhoward 上，看看那些「封城」的精采回顧。）我不用擔心在家上學、失去工作或失去虛弱的親戚，我也每天都為此心存感激。此外，身為一個經過認證的性格內向者，我其實有點喜歡被迫取消一切、待在家裡。儘管如此，隨著時間的推移，我開始覺得有點快發瘋。

五月一日，我國政府宣布了一項分階段重新開放的計畫，學校將關閉至九月，而其他限制將從五月十八日開始逐步解除。就這時而言，「封城」將繼續存在，除了一項讓步：從五月五日起，兩公里半徑的運動限制將增加到五公里。從第一天開始，我就堅定地遵守規則，所以從限制開始執行以來，我就沒去過海邊（離我的家門只有四公里）。到了星期二早上，我早早設置了鬧鐘，早上八點就來到寒冷多風的桑迪芒特海灘——沒錯，就跟琦菈一樣。

在這場大流行病發生的早期，許多作家在社群媒體和其他場合發誓，說他們永遠不會在自己的書中寫到這件事，還說一旦這件事結束，包括他們在內的任何人都不願再回想這件事。但在當時，我們根本不知道這件事會改變世界。我被關在都柏林的時候，想到一個關於一對被關在都柏林的情侶的故事，而對他們來說，這個前所未見、充滿不確定性的世界級事件所帶來的陌生又孤立的環境，正是他們等待的機會——我想把這個故事寫下來，也這麼做了。

在封城發生了三次的那段期間，這些角色一直陪伴著我。我的希望是，在一個更光明、更有希望的世界裡，他們的故事能為你帶來娛樂。

寫於愛爾蘭都柏林，
二〇二一年一月

作者鳴謝

感謝我的經紀人珍・桂格利；我的編輯莎拉・哈吉森以及史黛芬妮・格倫克羅絲；潘妮洛普・克里克，謝謝妳寄來改變了我的人生的電子郵件；凱西・金，你是關於愛爾蘭警隊的非凡顧問；感謝安德烈・卡特在週六清晨耐心回答我的法律問題；也感謝大衛海漢姆、黑石出版社、Corvus/Atlantic Books和吉爾海斯的每一位。感謝哈澤爾・蓋諾和卡麥爾・哈靈頓提供需要Nespresso的WhatsApp音訊、「隔離馬丁尼」的用具盒、Zoom聊天（如果沒有你們，我可能也會這樣做，但我不想這麼做），我也一如既往地要感謝我的爸媽、約翰和克萊兒。伊恩・哈瑞斯，我希望你喜歡你為這本書做出的貢獻，就像你喜歡航班追蹤的應用程式、休閒西裝外套，還有人們傳訊息跟你說他們有在我的書裡看到你的名字。

最後，我要感謝你，親愛的讀者。我最感謝的就是你。

逆思流

疫亂情迷56天

（原名：56 Days）

著　　者／凱瑟琳·萊恩·霍華德（Catherine Ryan Howard）
執 行 長／陳君平
榮譽發行人／黃鎮隆
協　　理／洪琇菁
總 編 輯／呂尚燁
譯　　者／呂鎮隴
美術總監／沙雲佩
美術編輯／李政儀
主　　編／劉銘廷
企劃宣傳／楊玉如、施語宸、洪國瑋
國際版權／黃令歡、梁名儀
文字校對／施亞蒨
內文排版／謝青秀

出　　版／城邦文化事業股份有限公司 尖端出版
台北市中山區民生東路二段一四一號十樓
電話：（〇二）二五〇〇—七六〇〇
傳真：（〇二）二五〇〇—二六八三
E-mail：7novels@mail2.spp.com.tw

發　　行／英屬蓋曼群島商家庭傳媒股份有限公司城邦分公司 尖端出版
台北市中山區民生東路二段一四一號十樓
電話：（〇二）二五〇〇—七六〇〇（代表號）
傳真：（〇二）二五〇〇—一九七九

中彰投以北經銷／楨彥有限公司（含宜花東）
電話：（〇二）八九一九—三三六九
傳真：（〇二）八九一四—五五二四

雲嘉以南／智豐圖書有限公司
（嘉義公司）電話：（〇五）二三三—三八五二
傳真：（〇五）二三三—三八六三
（高雄公司）電話：（〇七）三七三—〇〇七九
傳真：（〇七）三七三—〇〇八七

香港經銷／城邦（香港）出版集團有限公司
香港灣仔駱克道一九三號東超商業中心一樓
電話：（八五二）二五〇八—六二三一
傳真：（八五二）二五七八—九三三七
E-mail：hkcite@biznetvigator.com

新馬經銷／城邦（馬新）出版集團 Cite（M）Sdn. Bhd.
E-mail：cite@cite.com.my

法律顧問／王子文律師　元禾法律事務所
台北市羅斯福路三段三十七號十五樓

二〇二二年七月一版一刷

■中文版■

郵購注意事項：
1.填妥劃撥單資料：帳號：50003021戶名：英屬蓋曼群島商家庭傳媒(股)公司城邦分公司。2.通信欄內註明訂購書名與冊數。3.劃撥金額低於500元，請加附掛號郵資50元。如劃撥日起 10～14日，仍未收到書時，請洽劃撥組。劃撥專線TEL：(03)312-4212 ・ FAX：(03)322-4621。E-mail：marketing@spp.com.tw

國家圖書館出版品預行編目資料

疫亂情迷56天 / 凱瑟琳．萊恩．霍華德(Catherine Ryan Howard) 作；甘鎮隴譯 . -- 1版 . -- 臺北市：城邦文化事業股份有限公司尖端出版：英屬蓋曼群島商家庭傳媒股份有限公司城邦分公司發行，2022.07

面；　公分

譯自：**56 days**

ISBN 978-626-338-043-1(平裝)

874.57　　　111007932